ANITA WILLIAMS
9167 BOUL GOUIN O., #323
MONTRÉAL, P.Q. H4K 2E2
TÉL: 514-336-1801

BIEN CUISINER
en 30 MINUTES

BIEN CUISINER
en 30 MINUTES

Sélection
Reader's Digest

MONTRÉAL

Cet ouvrage est l'adaptation française
de *30 MINUTE COOKBOOK*,
publié par The Reader's Digest Association Limited, Londres.

Traduction • Dominique Burgaud, Véronique Dreyfus, Anne-Marie Hussein
Conseil à la rédaction • Élisabeth Haniotis, Suzette Thiboutot-Belleau

Équipe de Sélection du Reader's Digest
Vice-présidente Livres, musique et vidéos • Deirdre Gilbert
Directeur artistique • John McGuffie

Réalisation de l'ouvrage
Rédaction • Agnès Saint-Laurent
Graphisme • Cécile Germain
Lecture-correction • Gilles Humbert
Fabrication • Holger Lorenzen

———•———

ÉDITION ORIGINALE
The Reader's Digest Association Limited, 11 Westferry Circus,
Canary Wharf, Londres E14 4HE
© 1997 The Reader's Digest Association Far East Limited

ÉDITION FRANÇAISE
© 1998 Sélection du Reader's Digest, SA,
212, boulevard Saint-Germain, 75007 Paris

ÉDITION CANADIENNE
© 1999 Sélection du Reader's Digest (Canada), Limitée
1100, boulevard René-Lévesque Ouest, Montréal, Québec H3B 5H5

———•———

**Pour obtenir notre catalogue ou des renseignements sur d'autres produits de
Sélection du Reader's Digest, composez le 1 800 465-0780**

Vous pouvez aussi nous rendre visite sur notre site Internet : www.selectionrd.ca

———•———

Données de catalogage avant publication (Canada)
Vedette principale au titre :
Bien cuisiner en 30 minutes : 300 recettes rapides et savoureuses
Traduction et adaptation de : 30 Minute Cookbook.
Comprend un index.
ISBN 0-88850-684-8
1. Cuisine rapide. I. Sélection du Reader's Digest (Canada) (Firme). II. Titre : Bien cuisiner en trente minutes.
TX833.5.T4414   1999   641.5'55   C99-940617-5

Imprimé au Canada

99 00 01 02 / 5 4 3 2 1

PHOTOGRAPHIES : FROMAGE DE CHÈVRE À LA ROQUETTE (*page 2*) ;
SOUPE AUX PETITS POIS ET AUX ASPERGES (*page 3*) ;
BLANCS DE POULET AUX POMMES ET AU CIDRE (*à droite*) ;
PÂTES RUSTIQUES (*page 6*) ; FILETS DE TRUITE AUX NOIX DE GRENOBLE (*page 7*).

- SOMMAIRE -

GRANDE CUISINE MONTRE EN MAIN

L'art d'une cuisine créative n'est pas réservé aux personnes qui ont du temps. Toutes les recettes réunies ici peuvent être réalisées, préparation et cuisson comprises, en 30 minutes ou moins, et cela en privilégiant toujours les ingrédients frais.

En proposant des recettes à cuisson rapide, cet ouvrage vous permet non seulement d'aller plus vite, mais aussi de restituer au mieux la saveur des produits frais et de préserver au maximum leur valeur nutritionnelle.

LES TROIS ÉTAPES DU SUCCÈS

TEMPÉRATURE Un des éléments primordiaux en cuisine pour éviter les temps morts est la température : avant même de vous laver les mains, mettez le four ou le gril à chauffer ou portez à ébullition l'eau dont vous aurez besoin.

Il faut en moyenne 10 à 15 minutes pour qu'un four classique atteigne la température souhaitée. Toutefois, certains fours ne requièrent pas de préchauffage, tandis que d'autres doivent être allumés assez longtemps à l'avance pour pouvoir être utilisés aussitôt la préparation achevée.

Les grils n'exigent pas plus de 5 minutes maximum de préchauffage. Si la cuisson doit être très rapide, réglez la température du gril au maximum, quitte à surveiller de près la cuisson. Si un aliment tendre, comme le poisson, semble près de brûler, éloignez la grille du gril ou retirez l'aliment de la grille et disposez-le dans la lèchefrite.

ORGANISATION Le deuxième secret d'une cuisine rapide réussie réside dans une bonne organisation. Assurez-vous que vous avez sous la main tous les ingrédients nécessaires : vous courez à l'échec si vous devez perdre du temps à pourchasser l'huile de sésame tandis que le contenu de votre sauteuse menace de brûler.

Avant d'entreprendre la préparation d'une recette, lisez-la jusqu'au bout avec attention pour vous familiariser avec la marche à suivre : cela vous évitera de perdre du temps à découvrir chaque nouvelle étape. Consacrez ensuite quelques minutes à rassembler les ingrédients, plats et ustensiles dont vous aurez besoin, de manière à les avoir à portée de main. Ce point est particulièrement important lorsque la recette fait appel à un matériel dont vous ne vous servez pas tous les jours. Le moulin à légumes, le couteau à zeste ou la râpe à noix muscade doivent donc être sortis de vos armoires, prêts à l'emploi.

Dégagez une surface de travail suffisante, qui vous laisse les coudées franches. Évacuez les ustensiles dès que vous n'en avez plus besoin – le désordre vous ralentirait.

GROSSEUR DES INGRÉDIENTS Le cuisinier pressé dispose d'une troisième arme : la grosseur. Plus les ingrédients sont petits, plus vite ils cuisent. Hacher, couper en dés ou en tranches et râper des aliments font gagner du temps à la cuisson. Dans notre livre, le temps prévu pour chaque recette tient compte de la grosseur des ingrédients.

INGRÉDIENTS DE BASE

SEL La quantité de sel à ajouter dans les recettes reste à la discrétion de chacun. Les médecins estiment cependant plus sain de réduire sa consommation. Essayez par conséquent d'en ajouter le moins possible, voire de ne pas saler du tout si la recette comporte des éléments déjà salés, comme le lard, les câpres, les olives, des produits fumés ou de la sauce soja.

POIVRE Le poivre noir en grains a beaucoup plus de saveur que son équivalent en poudre ou que le poivre blanc et il garde son arôme plus longtemps. Quand une recette exige du poivre, il s'agit, de préférence, de poivre moulu à l'instant.

FINES HERBES Elles figurent dans de nombreuses recettes de ce livre. Judicieusement dosées, elles apportent un plus sans nuire à la saveur des ingrédients principaux. Si vous ne trouvez pas de thym ou d'estragon frais, remplacez-les par leur équivalent séché. Sinon, veillez à toujours avoir un assortiment de fines herbes congelées. Utilisez en moyenne une cuillerée à thé ou une cuillerée à thé et demie d'herbes sèches pour remplacer une cuillerée à soupe d'herbes fraîches. Pour les fines herbes congelées, augmentez la proportion de 50 %.

MODE D'EMPLOI DES RECETTES

Dans les recettes présentées dans cet ouvrage, toutes les mesures à la cuillère correspondent à des cuillerées rases. Si vous employez des cuillères de cuisinier, celle de 15 ml correspond en général à une cuillerée à soupe rase et celle de 5 ml à une cuillerée à thé rase.

La plupart des recettes sont prévues pour 4 personnes, mais, bien entendu, vous pouvez diviser ou multiplier les ingrédients en fonction du nombre des convives.

ÉQUILIBRE NUTRITIONNEL

L'objectif de cet ouvrage est de proposer des recettes rapides à réaliser et savoureuses, mais également équilibrées du point de vue nutritionnel.

Pour vous aider à élaborer un régime sain, chaque recette comporte l'analyse, pour une portion moyenne, du nombre de calories, de la richesse en protéines, en glucides (qu'il s'agisse de sucres naturels ou de sucres ajoutés), en lipides (la quantité d'acides gras saturés, à consommer en quantités limitées, est détaillée). Lorsque la liste des ingrédients comporte du pain, celui-ci est inclus dans la valeur nutritionnelle de la recette.

S'il y a une précision indiquant que la préparation est riche en vitamines ou en sels minéraux, c'est qu'elle en contient au moins 30 % de l'apport nutritionnel recommandé (ANR) par Santé Canada.

MANGEZ SAIN Consommez de préférence des ingrédients frais et des huiles riches en acides gras monoinsaturés (telle l'huile d'olive), garants d'une excellente valeur nutritionnelle.

TECHNIQUES RAPIDES

Certaines astuces et techniques accélèrent le processus de la cuisson : en premier lieu, le découpage des ingrédients. Associées à une bonne organisation, elles vous permettront de mener rapidement à bien la recette choisie.

POUR COMMENCER

Pour éplucher, équeuter, parer, émincer ou hacher, commencez par aligner les ingrédients en rang d'oignons. Posez à côté une passoire pour les laver et du papier ou un plat creux pour recueillir les déchets. Si plusieurs ingrédients émincés doivent être ajoutés en cours de cuisson, versez-les dans des bols et alignez-les dans l'ordre de leur emploi à venir, ou, s'il s'agit de très petites quantités, disposez-les dans une grande assiette plate. Rapprochez ensuite ces éléments de la cuisinière pour pouvoir les saisir facilement.

Gardez sel et poivre à portée de main. Si plusieurs ingrédients aromatiques doivent être ajoutés ensemble, réunissez-les dans un bol afin de pouvoir les verser en une fois.

DÉCOUPER Il est souvent plus rapide de découper avec des ciseaux plutôt qu'avec un couteau, qu'il s'agisse de retirer le gras du jambon, de hacher des herbes ou d'émincer des filets d'anchois, des tomates séchées ou des oignons verts. Dans bien des cas, vous pouvez effectuer cette opération directement au-dessus du récipient de cuisson.

Il est plus simple et plus rapide de déchirer des feuilles de salade à la main plutôt que de se servir d'un couteau – en outre, ce procédé endommage moins les feuilles tendres. Servez-vous également de vos mains pour détacher la chair d'un poisson cuit, séparer les morceaux d'un poulet ou émietter du fromage.

À LA MAIN
Utilisez vos doigts pour déchirer des éléments tendres tels que les feuilles de salade, détacher la chair d'un poisson ou émietter du fromage.

FARINER Pour fariner rapidement des morceaux de viande ou de poisson, enfermez-les dans un sac de plastique alimentaire avec la farine et l'assaisonnement et secouez bien ; vous pouvez également mettre le tout dans un saladier et remuer. Farinez les tranches de viande en les saupoudrant à travers un tamis fin ou une passoire à thé.

ÉPLUCHER Il n'est pas toujours nécessaire d'éplucher des légumes avant la cuisson : ils gardent souvent mieux leur saveur et leur richesse cuits avec leur peau. Épluchez les légumes à peau épaisse, mais contentez-vous de brosser sous l'eau courante ceux à peau fine tels que les aubergines, les courgettes, les pommes de terre ou les navets nouveaux. Après la cuisson, les aubergines entières cuites au four, les pommes de terre cuites à l'eau et les poivrons rôtis s'épluchent rapidement.

Si vous devez retirer la pulpe d'un avocat pour écraser sa chair, inutile de l'éplucher : coupez-le simplement en deux, ôtez le noyau et prélevez la pulpe avec une cuillère à soupe.

Pour éplucher de l'ail, pressez les gousses avec le plat de la lame d'un grand couteau : la peau éclatera et se détachera facilement.

RÉCUPÉRER LA CHAIR D'UN AVOCAT
Inutile de peler l'avocat : il vous suffit de l'évider simplement à la cuillère.

ÉPLUCHER UNE GOUSSE D'AIL
Écraser la gousse avec le plat d'une lame de couteau permet de retirer la peau plus vite.

Vous gagnerez du temps en écrasant l'ail avec un presse-ail plutôt qu'en le hachant au couteau. Pour les sautés, émincez les gousses en quelques secondes à l'aide de la petite fente tranchante de votre râpe à main. Les oignons s'épluchent plus vite si on les coupe d'abord en deux ; coupez ensuite le sommet et la base, puis ôtez la peau.

PELER Pour ôter la peau de fruits et légumes tels que les pêches, les petits oignons ou les tomates, recouvrez-les d'eau bouillante et laissez reposer 1 à 2 minutes. La peau se détachera d'elle-même. Pour peler des poivrons, la meilleure méthode est de les passer sous le gril : coupez-les en deux et faites-les brunir, côté peau dessus. Si vous ne devez peler qu'un seul poivron, utilisez un couteau économe.

Pour retirer la peau d'un filet de poisson, posez-le sur une planche à découper, côté peau contre la planche. À partir de la queue, faites glisser la lame d'un couteau le plus horizontalement possible entre la chair et la peau. Maintenez la peau à plat d'une main tandis que, de l'autre, vous détachez délicatement la chair, en imprimant au couteau un mouvement de va-et-vient.

PELER Pour ôter la peau d'un filet de poisson, détachez la chair avec un couteau aiguisé.

CUISSON EN ACCÉLÉRÉ

FAIRE BOUILLIR Les légumes cuiront plus vite s'ils sont disposés sur une seule couche dans une casserole large plutôt qu'empilés dans un récipient étroit. Ajoutez juste assez d'eau pour les recouvrir et mettez un couvercle pour retenir la vapeur.

Si vous devez ajouter un bouillon à un plat, préparez-le à part dans une casserole et mettez-le à chauffer de façon à pouvoir le porter à ébullition en un instant au moment où viendra le temps de l'employer.

FAIRE FRIRE ET GRILLER Si vous coupez du poisson ou de la viande en tranches, donnez-leur une épaisseur identique pour qu'elles cuisent au même rythme. Pour les sautés, faites chauffer la poêle le plus

VITE CUITS Aplatissez bien les hamburgers entre vos mains, ils cuiront plus vite.

CUISINE EXPRESS

SOUPE AUX PÂTES

Faites frémir une poignée de petites pâtes à potage dans un bon bouillon. Garnissez avec quelques tranches de citron très fines, un peu de persil ou de coriandre ciselés et quelques champignons émincés ou un peu de tomates séchées hachées.

FRUITS CARAMÉLISÉS AU BEURRE

Pour 4 personnes, faites fondre 25 g (2 c. à soupe) de beurre et 25 g (2 c. à soupe) de sucre dans une poêle antiadhésive. Ajoutez ensuite 500 g (1 lb) de fruits divers émincés et 25 ml (1½ c. à soupe) de liqueur de fruit. Faites cuire à feu modéré, en arrosant avec la sauce, jusqu'à ce que les fruits soient juste chauds.

possible sur feu vif, puis versez-y la matière grasse ou l'huile, et attendez qu'elle grésille avant d'y ajouter les ingrédients, de façon à les saisir rapidement. Remuez constamment pour les empêcher d'attacher.

FAIRE CUIRE À LA VAPEUR La cuisson à la vapeur plutôt qu'à l'eau ou avec de la matière grasse réduit les pertes en vitamines. Si vous disposez de 2 ou 3 paniers vapeur, n'hésitez pas à les empiler et à faire cuire divers légumes en même temps.

MATÉRIEL GAIN DE TEMPS

L'emploi d'un matériel adéquat vous fera gagner un temps précieux aussi bien pour la préparation que pour la cuisson. Dans ces pages, vous trouverez des conseils pour utiliser au mieux le matériel et les ustensiles de cuisine.

BATTERIE DE CUISINE

Servez-vous de casseroles ou de poêles d'une taille adaptée aux ingrédients. Évitez, par exemple, de faire bouillir une grande casserole d'eau pour cuire une petite quantité de légumes ou de prendre une grande poêle pour frire un petit morceau de viande ou de poisson. En revanche, utilisez toujours un grand récipient pour la cuisson des pâtes, car ces

dernières ont besoin de beaucoup d'eau pour être réhydratées. Mieux vaut également vous servir d'une poêle très large pour faire revenir de la viande : dans une petite poêle, les morceaux de viande, trop serrés, rendraient leur jus sans dorer. Pour les sautés, ne tassez pas le contenu de la poêle car les ingrédients cuisent plus rapidement s'ils touchent le fond chaud du récipient.

Quand vous faites revenir sur feu vif, vous devez secouer régulièrement le récipient pour faire rouler les aliments : utilisez par conséquent une poêle ou une sauteuse à manche isolant. Les poêles et les sauteuses à poignée amovible font gagner du temps puisqu'elles évitent de transférer les

préparations d'un récipient à l'autre lorsque vous devez faire cuire au four ou passer sous le gril.

Un gril en fonte (gril de contact) cannelé permet de cuire en un instant les poissons, les steaks ou les côtelettes : faites chauffer sous le gril du four, puis placez l'aliment sur le gril en fonte et sous le gril du four, de façon à cuire les 2 côtés simultanément. Les grils à manche repliable se rangent plus facilement.

L'usage du wok est multiple : à la fois grande casserole, appareil pour cuire à la vapeur et sauteuse. Achetez un modèle avec un couvercle.

Tous les récipients de cuisson ne se valent pas en matière de conduction de chaleur. La température fait attacher la nourriture au fond des poêles, mais les récipients antiadhésifs, relativement mauvais conducteurs de chaleur, ne conviennent pas aux cuissons rapides. Les récipients en cuivre étamé ou en acier inoxydable à fond doublé de cuivre sont de parfaits conducteurs de chaleur pour cuisson rapide, mais les aliments attachent facilement si le fond n'est pas traité et il faut alors mettre plus de matière grasse. Les casseroles en fonte revêtues d'une couche épaisse d'émail conduisent bien la chaleur, mais sont lourdes à manipuler. Leurs équivalentes en acier inoxydable, beaucoup plus légères et pratiquement indestructibles, donnent d'excellents résultats. Après usage, récurez toujours soigneusement le dessous des récipients pour que la graisse ne s'accumule pas.

Une marmite équipée d'un panier de cuisson amovible simplifie et accélère l'égouttage des ingrédients tout en protégeant les préparations farcies, fragiles, qui risquent de se briser quand on les transfère dans une passoire.

Par ailleurs, quoi que vous fassiez cuire, faites en sorte de poser le récipient sur la plaque de cuisson le mieux adaptée à sa taille pour que la chaleur se diffuse régulièrement.

Pour les cuissons rapides au four, les plats à gratin en métal sont plus recommandés que ceux en porcelaine, terre ou verre, car ils conduisent mieux la chaleur et réduisent le temps de cuisson.

USTENSILES ET ACCESSOIRES

BROSSES Investissez dans une petite brosse dure pour nettoyer les légumes et gardez-la pour cet usage exclusif. Les poils en fibres naturelles ou plastiques ont la même efficacité, mais il faut laisser les fibres naturelles sécher complètement après usage pour les empêcher de pourrir.

Un pinceau de pâtissier permet de badigeonner des ingrédients d'huile ou de marinade en un tour de main. Choisissez-le en fibres naturelles, car les fibres plastiques fondraient au contact d'une surface chaude. Ce pinceau vous aidera également à débarrasser votre râpe des particules coincées dans les petits trous.

DÉNOYAUTEUR Utile pour les cerises ou les olives, le dénoyauteur évite les manipulations compliquées et longues.

LES ESSENTIELS Un gril permet de cuire plus rapidement qu'une simple poêle, une marmite à panier facilite l'égouttage, un wok permet de réussir les sautés. Les récipients en inox s'utilisent et se nettoient facilement.

PLANCHE À DÉCOUPER Adoptez une grande planche à découper assez lourde pour rester immobile. Elle vous permettra de hacher plus facilement, sans que rien ne tombe à l'extérieur.

LUTRIN DE CUISINE Il vous permettra de garder votre livre de cuisine ouvert devant les yeux.

RÂPE Si vous n'avez besoin que de 1 ou 2 carottes râpées, vous aurez plus vite fait avec la râpe qu'au robot culinaire. En pâtisserie, vous gagnerez du temps en râpant du beurre dur au-dessus de la farine avant de l'y incorporer. Achetez une râpe en inox.

OUVRE-BOCAL Équipé de larges anneaux, il agrippe fermement les couvercles de bocaux et de bouteilles, vous épargnant temps et énervement.

PRESSE-CITRON Conique et muni d'un manche, il vous permet de presser les fruits directement au-dessus du saladier ou de la casserole.

AIGUISE-COUTEAUX Les lames émoussées ralentissent les opérations. Prenez quelques secondes pour rendre vos couteaux et vos ciseaux tranchants : le découpage et l'émincage deviendront un jeu d'enfant.

ESSOREUSE À SALADE Même toute simple, elle est indispensable pour bien essorer les feuilles de salade. Mettez les feuilles dans le panier, puis faites tourner pour évacuer l'eau dans la cuve.

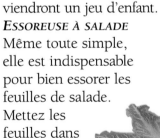

TAMIS Il filtre les sauces et les coulis bien mieux qu'une simple passoire à trous.

ÉPLUCHE-LÉGUMES OU COUTEAU ÉCONOME Il permet d'éplucher facilement les légumes ou de les tailler en lanières ou en lamelles. Il effile le céleri en branches, pèle joliment les fruits entiers, râpe le chocolat et le parmesan en copeaux. Apprenez à l'utiliser en mouvements longs, bras tendus.

COUTEAU À ZESTE L'extrémité de sa lame est percée de trous minuscules qui permettent de prélever de fines lanières de zeste d'agrume sans entamer la peau blanche en dessous.

PRESSE-PURÉE Il est essentiel car les robots culinaires transforment les pommes de terre en masse collante.

ÉQUIPEMENT ÉLECTRIQUE

MÉLANGEURS Vous obtiendrez des soupes et des sauces bien lisses en un temps record.

MOULIN À CAFÉ Si vous employez beaucoup d'épices, n'hésitez pas à vous offrir un moulin à café supplémentaire pour les réduire en poudre : vous irez beaucoup plus vite qu'avec un rouleau à pâtisserie ou un mortier et un pilon. Le moulin vous servira aussi à préparer de petites quantités de chapelure.

FOUET ÉLECTRIQUE OU BATTEUR Il permet de fouetter en quelques secondes de la crème fraîche ou des blancs d'œufs et, contrairement à un fouet ordinaire ou mécanique, ne demande aucun effort.

ROBOTS CULINAIRES Grâce aux lames pour hacher, râper et émincer, ces appareils permettent de préparer très rapidement de grandes quantités d'aliments. Ils sont très utiles pour la confection des sauces qui contiennent plusieurs ingrédients. Ils émiettent également le pain frais en un clin d'œil : retirez la croûte de quelques tranches de pain blanc à mie dense et réduisez en miettes.

CUISINE EXPRESS

SORBET INSTANTANÉ

Équeutez le contenu d'un casseau de petits fruits (fraises ou framboises) et passez au robot culinaire avec 1 à 2 cuillerées à soupe de sucre glace. Tamisez le mélange pour retirer les pépins. Dès que la pulpe est lisse, mettez au congélateur.

Pour faire de la chapelure, faites sécher les tranches de pain à four doux pendant 1 heure environ. Quand elles sont croustillantes et d'un blond pâle, réduisez-les en miettes. La chapelure se conserve 1 mois au plus dans le réfrigérateur, dans une boîte hermétique.

Le robot culinaire sert aussi à faire des beurres composés instantanés. Si la recette n'en nécessite qu'une petite quantité, préparez-en le double et congelez la moitié pour une autre occasion.

Si vous ne devez hacher qu'un seul ingrédient, mieux vaut souvent le faire à la main, quoique les nouveaux robots disposent souvent d'un bol et d'une lame supplémentaires, pratiques pour hacher les fines herbes et autres petits éléments ou pour faire une mayonnaise. Rangez les disques et les lames de rechange à portée de main afin de ne pas perdre de temps à les chercher.

MÉLANGEUR À MAIN Il permet de préparer plus rapidement une soupe qu'un robot car il peut s'utiliser directement dans la casserole. Il ne donne pas de résultats aussi lisses, mais plaît davantage aux amateurs de consistances un peu granuleuses.

Ce type de mélangeur est par ailleurs précieux pour confectionner sauces et laits frappés ainsi que pour éliminer les grumeaux d'une sauce qui a tourné car il est très maniable.

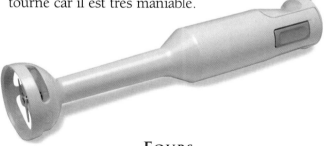

FOURS

FOURS TRADITIONNELS Quand vous utilisez un four électrique ou à gaz traditionnel, souvenez-vous qu'il s'y dégage une température inégale : plus élevée dans la partie supérieure, plus basse dans la partie inférieure. Le préchauffage dure de 10 à 15 minutes en fonction des appareils.

FOURS À CONVECTION Ces fours font gagner du temps parce qu'ils chauffent plus vite que les fours traditionnels. Ils offrent aussi le luxe de cuissons plus rapides à des températures plus basses, dans la mesure où la circulation régulière d'une chaleur constante leur permet d'atteindre des températures plus élevées. Il faut tenir compte de ce détail pour régler le thermostat.

LES RACCOURCIS DU MICRO-ONDES
(pour une puissance de 650 watts)

Amollir du beurre sortant du réfrigérateur
Faites chauffer 20 secondes à pleine puissance.

Faire tiédir des citrons
Pour qu'ils donnent plus de jus, faites-les chauffer quelques secondes à pleine puissance.

Préparer du lard croustillant
Étalez 3 ou 4 tranches de lard sur du papier absorbant à double épaisseur ; faites cuire 2 minutes à pleine puissance, retournez et remettez à cuire 1 à 2 minutes.

Faire fondre du chocolat
Cassez le chocolat en morceaux, mettez dans un bol et ne couvrez pas. Faites fondre sur position moyenne pendant 10 secondes, remuez et remettez au four pendant la même durée, jusqu'à ce que tout le chocolat soit fondu. Remuez à la cuillère pour dissoudre les morceaux de chocolat encore solides.
Pour du chocolat destiné à une décoration, faites fondre les morceaux dans un des coins d'un sac à micro-ondes. Coupez le coin du sac et employez-le comme une poche à douille pour décorer une pâtisserie.

Réaliser des poppadoms sans matière grasse
Faites-les cuire un par un à pleine puissance pendant 40 à 60 secondes et laissez-les juste gonfler.

Griller des noix
25 g (¼ tasse) de noix de cajou deviendront dorées et croquantes en 5 minutes, à pleine puissance.

FOURS À MICRO-ONDES Le four à micro-ondes, plus proche d'un appareil de cuisson que d'un four classique, accélère la préparation et la cuisson de façon spectaculaire pour de petites quantités. La plupart des aliments y cuisent à peu près quatre fois plus vite que sur une plaque de cuisson. Les meilleurs résultats au micro-ondes sont obtenus avec les aliments qui cuisent en milieu humide : pommes de terre, carottes, brocolis, choux-fleurs, viandes en sauce, poisson nature en filets ou en darnes. Mais, contrairement à ce qui se produit avec une cuisson traditionnelle, si l'on double la quantité de nourriture mise au micro-ondes, on double pratiquement également le temps de cuisson. Enfin, la cuisson au micro-ondes ne fait pas dorer les aliments, pas plus qu'elle ne forme de croûte gratinée, sauf si l'appareil est équipé d'un gril simultané.

ACHATS JUDICIEUX

Tout bon repas débute par l'achat de produits de qualité. En plus des produits frais, n'hésitez pas à acheter des ingrédients tout préparés dont vous connaissez la qualité : ils vous rendront bien des services.

VIANDES, POISSONS, LÉGUMES ET FRUITS FRAIS

En premier lieu, sélectionnez les meilleurs commerçants : boucher et poissonnier réputés, ou supermarché dont vous savez qu'il se réapprovisionne sans cesse en produits frais. Pour vos repas rapides, évitez les grosses pièces de viande, qui nécessitent des cuissons longues ; limitez-vous aux morceaux tendres à couper en dés, en lanières ou en tranches fines. Le poisson est par nature un aliment qui cuit rapidement. Demandez au poissonnier de vous le préparer ou achetez des filets et des darnes tout préparés. Si la recette exige du poisson sans sa peau, procurez-vous des filets déjà dépouillés. Les légumes primeurs demandent un minimum de préparation et de cuisson. Choisissez par exemple de tout jeunes haricots verts, qui, dépourvus de fils, vous

éviteront d'avoir à les en débarrasser. Les pommes de terre nouvelles, à peau très fine, se contenteront d'un lavage sans épluchage. Les pois gourmands sont vite équeutés.

La plupart des agrumes sont entourés d'une pellicule de cire qui les embellit et les préserve de la déshydratation au cours de leur transport. Si vous voulez en utiliser le zeste, brossez les fruits sous de l'eau chaude pour en retirer la cire.

Certains produits prélavés et/ou prêts à cuire font gagner beaucoup de temps. La salade prête à consommer en sachet évite toute préparation et ne revient pas si cher, comparée à ce qu'il reste de feuilles une fois les salades entières épluchées. Les tranches d'ananas sans écorce ou les salades de fruits frais font des desserts délicieux : égouttez-les et garnissez-en, par exemple, des crêpes poudrées de sucre glace. Le fromage râpé en sachets, pour parsemer pizzas ou gratins, économise aussi du temps et des efforts.

UNE ARMOIRE À PROVISIONS BIEN CONÇUE

Une personne disposant de peu de temps doit posséder une armoire à provisions étudiée dans laquelle elle pourra puiser un choix de produits de base et d'ingrédients aromatiques. Rangez côte à côte les ingrédients que vous utilisez couramment ensemble, comme les épices indiennes, de façon à les repérer d'un coup d'œil.

PRODUITS FRAIS
Choisissez-les bien,
car la saveur d'un plat
dépend beaucoup
de la qualité
de ses ingrédients.

CONSERVES Les boîtes ou bocaux d'anchois, de haricots, d'olives, de tomates ou de thon permettent d'accommoder en un tour de main pâtes, œufs, garnitures de pizza et soupes. Agrémentés, après un rinçage, d'une poignée de persil haché, d'oignon émincé et d'une vinaigrette aillée, les haricots, les doliques et les fèves forment la base de salades à servir en plat principal, enrichies de thon en conserve ou de filets d'anchois rincés et émincés. Avec une boîte de thon et quelques ingrédients de base, vous préparerez en quelques minutes un pâté à consommer sur des toasts, à l'apéritif ou en plat principal avec une salade : égouttez le thon, écrasez-le au robot avec une demi-douzaine d'olives noires dénoyautées, 1 cuillerée à thé de câpres, 3 à 4 cuillerées à soupe d'huile d'olive et 1 cuillerée à thé de cognac. Les tomates en conserve sont particulièrement polyvalentes et, l'hiver, elles ont souvent plus de goût que les variétés fraîches d'importation. Les tomates séchées, vendues en bocal, parfument les ragoûts, les risottos, les œufs brouillés ou encore les sauces pour les pâtes et les garnitures de pizza.

Lorsqu'une recette fait appel à des conserves, le volume indiqué comprend l'ingrédient non égoutté. Par ailleurs, si vous ne trouvez pas de boîte du volume demandé, achetez-en une plus grosse ou plusieurs d'une contenance inférieure.

NOIX ET FRUITS SECS Ils agrémentent aussi bien les plats salés (salades de crudités râpées : carottes, chou, céleri...) que sucrés : des abricots, des raisins de Corinthe ou de Smyrne secs, macérés quelques minutes dans du cognac, une liqueur à l'orange ou une eau-de-vie de fruit transforment une simple crème glacée en dessert raffiné.

HUILES En plus d'une huile au goût neutre, pour les fritures, d'une huile d'olive de qualité pour la cuisson et l'assaisonnement des salades, prévoyez de l'huile de noix ou de noisette : il suffit d'en verser quelques gouttes, à la dernière minute, sur des légumes cuits au naturel ou des salades pour donner une touche raffinée. Les huiles du commerce parfumées au piment ou à l'ail, utilisées de la même manière, relèveront des légumes chauds. Les

CUISINE EXPRESS

PURÉE DE HARICOTS EN CONSERVE

Elle accompagnera des saucisses, des côtes de porc ou de la viande froide. Pour 2 personnes, faites revenir sur feu doux, dans 3 cuillerées à soupe d'huile d'olive, 2 gousses d'ail écrasées et une pointe de pâte de piment, sans laisser l'ail colorer. Incorporez quelques feuilles hachées de romarin, de sauge ou de thym et 425 g (1 boîte) de flageolets, avec le jus. Faites cuire 10 minutes à petits frémissements ; le jus doit être épais et opaque. Écrasez alors grossièrement. Assaisonnez.

RIZ AU LAIT AUX POIRES

Pour 4 personnes, répartissez 425 g (1 boîte) de riz au lait dans 4 coupes. Nappez de sauce au chocolat réalisée avec 75 g (2½ carrés) de chocolat fondu sur feu doux avec 3 à 4 cuillerées à soupe de crème épaisse. Garnissez de tranches de poire fraîche et décorez de copeaux de chocolat râpé à même la plaque avec un épluche-légumes.

huiles rancissent rapidement, aussi vaut-il mieux les acheter en petites bouteilles.

PÂTES En plus des pâtes sèches, vous pouvez congeler des pâtes fraîches, plus rapides à cuire et ne nécessitant pas de décongélation préalable. En général, on compte, pour un plat principal et pour 4 personnes, 500 g (1 lb) de pâtes fraîches ou 350 g (¾ lb) de pâtes sèches.

Les pâtes à potage servent à épaissir des soupes et présentent l'avantage de cuire beaucoup plus vite que le riz, avec une valeur nutritive supérieure. Pensez également au vermicelle ou aux fines nouilles aux œufs orientales : cassez les pâtes en petits morceaux entre vos mains, puis ajoutez-les à la soupe 5 minutes avant la fin de la cuisson.

RIZ Le riz précuit en sachet ne demande que 6 à 7 minutes pour se transformer en garniture pour une préparation sautée. Froid, le riz se consomme en salade avec des crudités. Utilisez aussi des nouilles de riz chinoises pour accompagner les plats orientaux. Le pain naan remplace aussi le riz pour accompagner un curry – il suffit de quelques secondes pour le réchauffer au four.

ÉPICES Achetez par petites quantités les épices que vous employez le plus souvent et renouvelez votre stock dès qu'elles sont éventées.

SAUCES ET CONCENTRÉS Ayez en réserve 1 ou 2 bocaux de vos sauces favorites (Tabasco, sauce soja, Worcestershire ou béarnaise) et, dans le réfrigérateur, un pot de bonne mayonnaise. Quelques boîtes et bocaux de purée de fruits, en vente dans la plupart des épiceries fines et certaines grandes surfaces, vous serviront de multiples façons et ajouteront une ultime touche de couleur à toutes sortes de desserts.

BOUILLONS INSTANTANÉS Quoique pratiques, ils sont souvent très salés : utilisez par conséquent la moitié de la dose préconisée sur l'emballage pour une quantité d'eau donnée, qu'il s'agisse de boîte ou de cube, puis ajoutez-y une saveur subtile (thym, laurier, épice particulière...). Autre possibilité : achetez du bouillon de légumes en poudre vendu dans les magasins de produits diététiques.

VINAIGRES Le vinaigre de vin rouge ou blanc, ou encore aromatisé aux fruits ou aux herbes, ajoute immédiatement une saveur originale à l'assaisonnement des salades. Le vinaigre balsamique, de teinte caramel et légèrement sucré, ne sert pas seulement à parfumer les sauces de salades, mais aussi à déglacer le récipient où l'on a fait revenir de la viande ou de la volaille.

PRODUITS DU CONGÉLATEUR

PAIN Mettez au congélateur un pain ou des petits pains mi-cuits que vous passerez au four sans les décongeler.

CRÈMES GLACÉES Pratiques, elles constituent la base d'innombrables desserts.

PÂTES À PÂTISSERIE Cru, un fond de pâte brisée permet de réaliser un plat rapide, par exemple la Tarte au crabe et aux petits pois (p. 118). Le filo et la pâte feuilletée ainsi que les fonds de pâte à pizza tout préparés font aussi gagner du temps.

CREVETTES Cuites et décortiquées, elles servent à préparer des entrées rapides ou des sautés colorés.

BOUILLON Achetez-le tout préparé ou faites-le vous-même et stockez-le dans des pots de yogourt vides ou dans des contenants spéciaux pour congélateur.

LÉGUMES Haricots verts, épinards, choux-fleurs, salsifis ou maïs doux décongèlent en cuisant.

FRUITS Poudrez-les de sucre, arrosez-les de sirop ou de coulis et laissez-les décongeler pendant que vous dégustez le reste du repas. Ils constitueront de superbes garnitures pour les crèmes glacées ou compléteront une salade de fruits frais.

SAUCES Beurre blanc, sauce à l'oseille... décongèlent dans l'eau bouillante pendant que vous préparez l'ingrédient principal.

INGRÉDIENTS DU MONDE ENTIER

L'Italie, le Moyen-Orient, l'Asie et le Mexique ont largement inspiré les recettes présentées dans ce livre. En effet, la saveur puissante des ingrédients de ces régions apporte du caractère à de nombreux plats. Il est impossible de dresser une liste exhaustive des ingrédients exotiques, mais, avec un peu d'expérience, vous découvrirez peu à peu les saveurs qui vous plaisent et celles que vous – ou votre entourage – n'appréciez guère. Ainsi, n'hésitez pas à supprimer un ingrédient ou à le remplacer par un autre selon vos goûts.

L'ITALIE

PESTO Vendu en petits pots, cette sauce épaisse est composée de basilic et de parmesan.

JAMBONS Savoureux, le jambon de Parme et le San Daniele doivent toujours être coupés en tranches très fines.

FROMAGES Sec et légèrement piquant, le parmesan dit vieux a une saveur affirmée et est idéal pour tailler des copeaux. La véritable mozzarella est préparée avec du lait de bufflonne et se consomme crue. Celle que l'on utilise pour les pizzas (et qui est destinée à être cuite) est au lait de vache. Le mascarpone est un fromage frais, épais et riche en matières grasses.

TOMATES SÉCHÉES AU SOLEIL Précieuses en hiver, elles sont vendues séchées au naturel ou en bocal conservées dans l'huile.

L'INDE

PÂTE DE CURRY Son emploi est beaucoup plus facile que celui du curry en poudre, parfois un peu âcre et plutôt destiné à relever des plats occidentaux (une mayonnaise, par exemple). Il existe désormais un grand choix de pâtes de curry dont les mélanges apportent différentes saveurs. Si vous êtes friand de cuisine indienne, ayez toujours chez vous une pâte de

CUISINE EXPRESS

SAUCE INDIENNE

Elle complète toutes sortes de légumes frais ou secs. Faites revenir une gousse d'ail écrasée, un peu de gingembre râpé, 2 cuillerées à thé de graines de cumin et un oignon grossièrement haché. Quand ces ingrédients sont dorés, ajoutez 1 boîte (540 ml/ 19 oz) de tomates, concassées. Faites cuire 15 minutes en remuant pour faire épaissir. Versez sur des légumes frais ou secs au moment de servir.

curry douce et une variété plus forte. Au moment de l'achat, rappelez-vous qu'un produit fabriqué en Inde a tendance à être plus relevé que son équivalent nord-américain.

ÉPICES Les plus classiques sont les graines de moutarde noire ou de cumin, rôties à sec jusqu'à ce qu'elles commencent à éclater, puis incorporées à des préparations de légumes ou à une salade de crudités râpées (s'il s'agit de carottes, ajoutez un peu de jus de citron ou de lime). Les Indiens apprécient les graines de cardamome et de coriandre ainsi que la cannelle, qu'ils ajoutent à de nombreux plats au moment de la cuisson. Même si les Indiens les utilisent entières, écrasez légèrement les graines de cardamome et de coriandre avant leur emploi pour libérer leur arôme. Les épices moulues s'éventent dans de brefs délais, aussi vaut-il mieux les acheter par petites quantités.

CUISINE EXPRESS

RAÏTA DE CONCOMBRE

Voici une sauce rapidement préparée avec un robot culinaire, à servir avec les currys, pour rafraîchir le palais. Râpez grossièrement un concombre, puis laissez-le s'égoutter 1 à 2 minutes dans une passoire. Passez-le au robot avec un pot de yogourt nature, du sel et de la menthe fraîche ou, à défaut, une pincée de cumin en poudre. Servez quand la sauce est épaisse et lisse.

SAFRAN Il donne au riz une riche couleur dorée. Les filaments entiers de safran doivent être trempés dans un peu de liquide chaud pour développer leur saveur, tandis que la poudre s'ajoute directement à la préparation.

CURCUMA Moins cher que le safran, le curcuma aromatise et colore le riz agréablement. En poudre, il présente une couleur d'un jaune plus sombre que le safran. Il s'utilise également avec des légumes verts, comme les épinards.

PETITS ACCOMPAGNEMENTS À l'instar des Indiens, ajoutez, par exemple, une poignée de raisins secs ou des lamelles de mangue sèche dans un plat de riz ou de légumes, juste avant de servir. Les chutneys et les achards (légumes et fruits hachés et macérés dans une sauce épicée au vinaigre) relèvent fortement les saveurs. Quant aux poppadoms et aux naans, ils peuvent remplacer le pain dans nombre de recettes.

LA CHINE

GINGEMBRE Avec l'ail et l'oignon vert, il constitue un classique de l'aromatisation chinoise. Achetez une racine entière et conservez-la en bas du réfrigérateur.

CHAMPIGNONS SÉCHÉS Les shiitakes et oreilles-de-judas (sur l'illustration ci-dessous, à gauche) parfument de nombreux plats chinois. Avant leur emploi, lavez-les bien sous l'eau courante et faites-les tremper dans de l'eau tiède le plus longtemps possible (au moins 20 minutes). Égouttez-les ensuite en récupérant l'eau de trempage, que vous filtrerez au tamis fin puis ajouterez à la cuisson en même temps que les champignons, coupés en lamelles s'ils sont gros.

SAUCES De la sauce soja, qui caractérise la cuisine de tout l'Extrême-Orient, à la sauce hoisin, qui accompagne traditionnellement le canard à la pékinoise, la cuisine chinoise présente une grande variété de sauces. Ces dernières sont généralement fortement salées et elles doivent s'employer avec parcimonie.

HUILE DE SÉSAME Elle s'emploie à doses infimes car son parfum est très puissant. Déconseillée pour la cuisson, car elle brûle facilement, elle s'ajoute en fin de cuisson ou juste au moment de servir.

LE JAPON

WASABI Il possède un goût fort et s'harmonise parfaitement avec le poisson grillé. Il se présente sous forme de pâte en tube ou de poudre à délayer avec de l'eau.

MIRIN C'est une version légèrement sucrée du saké, ou vin de riz. Il peut être remplacé par un xérès doux.

VINAIGRE DE RIZ Sa saveur délicate ajoute une note subtile aux assaisonnements de salades et aux légumes froids.

L'ASIE DU SUD-EST

LAIT DE NOIX DE COCO Il provient de la pulpe pressée de la noix de coco. Il est souvent utilisé pour la cuisson des légumes, des currys et de certains desserts. On le trouve soit sous forme de bloc déshydraté à ajouter à un liquide chaud, soit en poudre à délayer, soit sous forme liquide, en boîte de conserve d'un emploi immédiat.

SCHÉNANTHE C'est l'ingrédient privilégié de la cuisine thaïlandaise.

Il apporte une saveur citronnée aux soupes et aux currys. Retirez la partie dure des tiges et taillez en rondelles la partie comestible. S'il s'agit de plante sèche, faites-la tremper dans de l'eau chaude jusqu'à ce qu'elle soit tendre. Il existe aussi du schénanthe en poudre, dont une cuillerée à thé équivaut à une tige. Remplacez le schénanthe par de la citronnelle pour obtenir une saveur moins prononcée.

TAMARIN Il ajoute une saveur acidulée à certains plats asiatiques et indiens. Présenté en bloc sec, il nécessite un trempage, alors que, sous forme de concentré, il peut s'employer directement.

NUOC-MAM OU NAM-PLA Ce concentré de poisson, qui se retrouve dans les cuisines vietnamienne et thaïlandaise, sert à assaisonner des plats cuits ou, dilué avec de l'eau, à faire des sauces. Préférez les produits de teinte ambrée claire et assurez-vous que le poisson en constitue l'ingrédient principal.

LE MOYEN-ORIENT

BOULGOUR ET SEMOULE DE COUSCOUS Ils sont très rapides à préparer, puisqu'il suffit de les réhydrater dans de l'eau chaude.

EAU DE FLEUR D'ORANGER ET EAU DE ROSE Elles symbolisent à elles seules tous les parfums de l'Orient. Leur saveur douce convient aux plats sucrés ou, en doses discrètes, aux légumes tels que les carottes ou les épinards. Évitez les prétendues « essences » de fleur, faites avec des saveurs artificielles.

CUISINE EXPRESS

HUMMOUS INSTANTANÉ

Passez au robot culinaire 1 boîte (540 ml/19 oz) de pois chiches égouttés, 2 cuillerées à soupe de tahini, 1 ou 2 gousses d'ail, le jus d'un citron et une grosse pincée de sel. Réduisez en pâte crémeuse en ajoutant un peu d'eau. Servez avec des pitas, des gressins ou des crudités coupées en lanières.

HARISSA Cette pâte pimentée parfumée de coriandre, de cumin, d'ail et de menthe est vendue en tube ou en boîte et servie avec le couscous. Les restes d'harissa se conservent au réfrigérateur dans une boîte plastique.

TAHINI C'est une pâte à base de graines de sésame au goût de noisette. Diluez-la avec du jus de citron, du lait ou de l'eau et utilisez-la pour préparer un assaisonnement de salade.

LE MEXIQUE

PIMENTS Les Mexicains les associent à la coriandre fraîche et à du jus de lime pour relever leurs plats. Pour gagner du temps, préférez les piments en poudre ou en paillettes, ou bien utilisez de la sauce Tabasco ou encore du piment de Cayenne en poudre.

SALSAS Ces concassées accompagnent les chips au maïs, les tacos et les tortillas.

PRÉSENTATIONS RAFFINÉES VITE FAITES

*P*ensez à la couleur, à la texture et à la
présentation des plats que vous allez servir.
Il ne vous faudra que quelques secondes pour rendre
les mets les plus simples aussi attirants pour l'œil
que pour le palais.

LA PRÉSENTATION

Garnissez les soupes d'herbes fraîches ciselées ou
de lamelles d'un des ingrédients principaux, champignons, dés de tomate ou pointes d'asperge, par
exemple. Ou encore versez une cuillerée de crème
épaisse dans chaque assiette creuse et formez délicatement une spirale.

La couleur d'une sauce compte autant que son
goût et doit former un contraste frappant avec la
préparation. Des tomates séchées ou quelques
olives noires rapidement émincées aux ciseaux au-
dessus d'une sauce pâle lui donneront instan-
tanément du relief. Un peu de fromage à pâte
persillée émietté ou une poignée de noix hachées
font beaucoup d'effet, parsemés sur une salade
d'un vert sombre. Dans certains cas, le résultat sera
plus esthétique si vous versez la sauce dans le plat
ou dans les assiettes avant d'y disposer la viande ou
le poisson. Choisissez des légumes qui forment un
contraste avec le plat principal : alliez des brocolis
d'un vert éclatant avec des préparations écarlates à
base de tomates, l'orange vif des carottes avec le
vert sombre d'un plat aux épinards, les teintes
précieuses des poivrons avec les couleurs éteintes
de légumes secs ou de viandes.

Au cours de la préparation, réservez quelques
éléments entiers pour décorer : des crevettes non
décortiquées pour garnir un plat de poisson, des
brins de fines herbes pour égayer une viande ou un
poisson grillés, une grosse fraise ou quelques
lamelles de fruit frais pour présenter un dessert.

Poudrez un dessert de sucre glace ou de cacao,
à travers un tamis fin, en procédant à la dernière
minute, surtout avec le sucre glace, qui fond vite.
Des fruits frais (tranches de mangue, framboises
entières, fraises émincées...) arrosés d'un trait de
lime et saupoudrés de sucre glace, avec des feuilles
de menthe, constituent une décoration raffinée.

GARNITURES

Biscuits, fruits secs, chocolat...
Ils décorent joliment les crèmes glacées. Utilisez
du pralin, des macarons secs ou d'autres biscuits à la
pâte d'amandes, écrasés, des raisins secs macérés dans
du rhum chaud, des amandes effilées grillées ou bien
des copeaux de chocolat râpé avec un épluche-légumes.

Chapelure
Dorée rapidement dans un peu de beurre ou d'huile,
la chapelure constitue une décoration parfumée pour
les plats de légumes ou de pâtes. Préparez-la en
un instant au robot culinaire (voir p. 14-15).

Croûtons
Ils ajoutent une note croustillante aux soupes et salades.
Taillez du pain légèrement rassis en petits cubes. Faites
sauter ces derniers rapidement à l'huile d'olive
avec de l'ail émincé pour les aromatiser.

Noix et graines
Amandes effilées, pignons de pin ou graines de sésame,
grillés à sec quelques secondes, enjolivent et parfument
des plats en tous genres. Ils enrichissent aussi
en protéines les recettes végétariennes.

Oignons
Coupés en tranches, défaits en anneaux et plongés
en pleine friture, ils ajoutent une saveur intense
au riz et aux œufs.

Lard et bacon
Frits jusqu'à devenir secs et cassants, le lard et le bacon
s'émiettent sur les salades, les plats de légumes secs
et les potages veloutés.

Zestes d'orange et de citron
Râpés finement ou prélevés au couteau zesteur,
ils apportent une touche de couleur à de nombreux
plats salés ou sucrés. Pour en supprimer l'amertume,
mettez-les dans un tamis et arrosez-les d'eau bouillante
pour les blanchir rapidement.

Cresson
Il constitue une superbe garniture piquante,
moins banale que des brins de persil. Vous pouvez
aussi le servir nature, en accompagnement de viandes
grillées auxquelles il mêlera son arôme tout
en restant croquant et frais.

LES SALADES DE DERNIÈRE MINUTE

Si vous avez tout à coup l'impression qu'un plat doit être accompagné d'une salade et si vous n'avez sous la main aucune salade verte, utilisez des légumes verts – courgettes, haricots verts ou petits pois. Faites-les juste cuire « al dente » à l'eau bouillante, rafraîchissez-les sous l'eau froide et servez-les avec de la mayonnaise ou de la vinaigrette, parsemés de fines herbes. Vous pouvez aussi préparer une salade de légumes crus (carottes, navets, chou rouge ou blanc) émincés et assaisonnés d'une vinaigrette relevée de graines de cumin ou de moutarde et d'une pincée de curry ou d'épices mélangées. Lorsqu'il ne vous reste plus que quelques feuilles de salade verte, coupez-les en lanières et mélangez-les à d'autres ingrédients en réserve, tels qu'œufs durs hachés, fromage émietté et amandes effilées grillées ou noix rapidement dorées avec une pincée de piment de Cayenne.

Tous les légumes secs (haricots, fèves, lentilles, etc.) peuvent s'accommoder en salade si vous y ajoutez une vinaigrette ou du fromage à pâte persillée réduit en crème avec des fines herbes, de l'ail écrasé et un soupçon de moutarde forte.

CUISINE EXPRESS

SALADE DE FRUITS

Étalez au fond d'assiettes individuelles une couche fine de coulis de fruits en conserve. Disposez dessus les tranches de fruits frais. Poudrez de sucre glace et décorez de feuilles de menthe fraîche.

ENJOLIVER D'UN GESTE *Avec des épices, des fines herbes et un rien d'imagination, vous transformerez des légumes frais ou secs en salades somptueuses.*

L'ART D'ACCOMMODER LES RESTES

Conservés dans le réfrigérateur, les restes peuvent servir de base à une multitude de plats rapides à condition d'être utilisés dans les 48 heures. Le riz cuit, en particulier, doit être placé dans le réfrigérateur aussitôt refroidi.

VIANDES ET POISSONS

Les restes de viande, de gibier et de volaille comme de poisson se transforment en boulettes et en croquettes, délicieuses avec un œuf au plat et du ketchup, ou une sauce tomate express préparée en quelques minutes (faites épaissir sur feu doux, avec leur jus, des tomates concassées en conserve additionnées de ciboulette hachée). Pour raffiner leur présentation, servez les croquettes avec des champignons sautés et des tomates-cerises ou ordinaires grillées.

Avec des tranches de viande, de gibier ou de volaille, rapidement frites et mélangées à des salades de légumes, de riz, de pâtes ou de verdure variée, vous composerez de véritables plats complets – sans avoir besoin de faire de courses !

Vous pouvez également préparer de délicieux pâtés en hachant un reste de viande cuite avec une cuillerée de mayonnaise et quelques cornichons ou condiments au vinaigre, le tout généreusement salé et poivré. Farcissez-en un sandwich ou disposez-le en dôme sur une salade, pour une entrée.

PÂTES

Un reste de pâtes donne aux soupes un caractère rustique et nourrissant. Laissez entières les petites variétés et coupez grossièrement spaghettis ou tagliatelles en tronçons de 5 cm (2 po), environ. Faites revenir un petit oignon et une gousse d'ail émincés, puis ajoutez les pâtes et une boîte de haricots ou de pois chiches, ou encore de tomates. Recouvrez de bouillon, de vin ou d'eau et faites cuire sur feu très doux jusqu'à ce que les légumes soient tendres. Servez avec du parmesan.

POMMES DE TERRE

Les restes de pommes de terre sont très faciles à utiliser car ces féculents se marient avec toutes sortes d'aliments. Ils rendent les salades substantielles, étoffent les soupes et, combinés à d'autres ingrédients, façonnés et réchauffés, accompagnent des plats variés.

Un reste de purée de pommes de terre peut se transformer en croquettes ou en galettes, farinées, puis frites. Incorporez-y un œuf battu pour mieux agglomérer le mélange. Si vous disposez d'un autre reste de légumes, ajoutez-le écrasé à la préparation de pommes de terre pour réaliser des croquettes colorées. Avec du saumon en conserve, transformez cette garniture en croquettes de poisson instantanées.

Utilisez un reste de pommes de terre cuites à l'eau ou à la vapeur pour faire de succulentes salades : mélangez-les avec un peu d'huile d'olive quand elles sont encore assez chaudes pour absorber les saveurs, puis mettez-les dans le réfrigérateur. Au moment de servir la salade, ajoutez-y de la mayonnaise aux herbes.

Les pommes de terre peuvent aussi garnir une viande chaude ou froide : faites-les revenir dans de l'huile d'olive ou du beurre, avec un peu de parmesan râpé, jusqu'à ce qu'elles soient gratinées et croustillantes.

Enfin, un reste de pommes de terre enrichira des œufs au bacon pour un déjeuner rapide.

RIZ

Le riz cuit est très facile à employer : vous pouvez en farcir des tomates ou des poivrons ou le mélanger à des légumes, assaisonnés d'une vinaigrette. Vous pouvez accommoder un reste de risotto avec du fromage pour préparer de délicieuses boulettes à l'italienne. Vous les servirez en entrée avec de la sauce tomate fraîche ou en plat avec des légumes ou une salade. Ces boulettes compléteront aussi des saucisses ou du poisson grillé, poêlé ou frit.

Un reste de riz cuit servira encore à réaliser un sauté rapide à base de légumes (tous ceux qui vous tombent sous la main : carottes, tomates-cerises, courgettes, champignons, épis de maïs nain, poivrons de couleurs variées ou oignons verts finement émincés ou râpés.

CUISINE EXPRESS

CROQUETTES DE VIANDE

Pour 4 personnes, hachez 400 g (2½ tasses) de viande cuite, mélangez avec un poids égal de purée de pommes de terre et un peu d'oignon vert, de ciboulette ou de persil ciselés. Façonnez en boulettes, badigeonnez d'œuf battu, roulez dans de la chapelure blonde et faites frire.

RISSOLES DE POMMES DE TERRE

Pour 4 personnes, faites blondir un oignon émincé avec très peu d'huile dans une poêle antiadhésive. Ajoutez-y 3 grosses pommes de terre cuites, coupées en dés ou en tranches. Faites-les dorer, salez et poivrez, ajoutez de la ciboulette ou du persil haché.

BOULETTES DE RIZ À L'ITALIENNE

Pour 2 personnes, mélangez 225 g (2¼ tasses) de riz cuit avec un œuf battu et du parmesan râpé. Salez et poivrez. Façonnez la préparation en boulettes, roulez ces dernières dans la farine, puis dans de la chapelure blonde et faites frire à l'huile.

RIZ SAUTÉ AUX LÉGUMES

Pour 2 personnes, faites blondir de l'ail haché. Ajoutez 150 g (1 tasse) de légumes en lamelles. Dès qu'ils sont saisis, mais encore fermes, ajoutez-y 200 g (2 tasses) de riz cuit et faites réchauffer. Assaisonnez de sauce soja et d'huile de sésame.

LÉGUMES

Un reste de légumes cuits en sauce (chou-fleur à la béchamel, par exemple) sera délicieux mêlé à des pâtes. Disposez les légumes dans un plat à gratin préalablement beurré, incorporez-y des pâtes à potage cuites, puis recouvrez de chapelure et de gruyère râpé avant de mettre au four.

La plupart des restes de légumes peuvent également permettre de composer facilement de multiples salades ; il suffit de leur ajouter des oignons doux ou verts hachés, des câpres, des olives ou des croûtons. Assaisonnez avec de la mayonnaise ou de la vinaigrette. Pour réaliser des salades plus consistantes, à proposer en plat principal, incorporez-y des ingrédients substantiels, tels que des haricots secs en conserve, du thon et des cœurs d'artichaut.

SOUPE À LA TOMATE ET AUX LENTILLES

SOUPES

Bien chaudes et consistantes l'hiver, légères et glacées pour
les jours d'été, servies seules ou accompagnées de pain
croustillant, les bonnes soupes ouvrent un repas en beauté.

Soupe fraîche au concombre

Voici une soupe idéale pour les chaudes soirées d'été ; elle ne demande aucune cuisson :
il vous suffit de réunir les ingrédients et de les mélanger, puis de servir… et de savourer.

TEMPS : 15 MINUTES – 4 PERSONNES

---

1 gros concombre

---

4 branches de menthe

---

500 g (1⅔ tasse) de yogourt nature

---

150 ml (⅔ tasse) de crème légère

---

2 c. à soupe de vinaigre de vin blanc

Sel et poivre noir

Pour garnir : **4 petits brins de menthe**

Pour servir : **cubes de glace (facultatif)**

1 Mettez 4 bols à soupe dans le réfrigérateur. Pelez le concombre. Râpez-le au-dessus d'un saladier.

2 Lavez et essuyez les branches de menthe. Détachez les feuilles et taillez-les en fines lanières. Mêlez-en 4 cuillerées à soupe au concombre.

3 Ajoutez le yogourt, la crème et le vinaigre à la préparation. Salez et poivrez largement. Mélangez bien.

4 Répartissez la soupe dans les 4 bols. Ajoutez éventuellement un ou deux glaçons par personne pour rafraîchir la soupe.

5 Décorez avec les petits brins de menthe et servez.

VARIANTE

Vous pouvez utiliser du vinaigre à l'estragon pour intensifier la saveur de fines herbes. En ajoutant quelques crevettes fraîches décortiquées dans chaque bol au moment de servir, vous obtiendrez un agréable contraste de goûts et de couleurs.

VALEUR NUTRITIONNELLE PAR PERSONNE
Calories : 235. Glucides : 6,5 g (sucres : 6 g).
Protéines : 10 g. Lipides : 19 g (acides gras
saturés : 11 g). Riche en vitamines A, B, E.

GASPACHO

Cette soupe d'été croquante est l'une des nombreuses versions de la célèbre spécialité espagnole.

TEMPS : 30 MINUTES – 4/6 PERSONNES

1 tranche épaisse de pain de mie rassis	1 oignon rouge
6 c. à soupe d'huile d'olive vierge extra	4 grosses gousses d'ail
4 c. à soupe de vinaigre de vin rouge	1 gros concombre
Sel et poivre noir	1 poivron rouge, 1 jaune et 1 vert
1 c. à soupe de paprika ou de piment d'Espagne doux ou fort	1 piment rouge ou vert frais
1 boîte (540 ml/19 oz) de tomates, concassées	6 grosses feuilles de basilic et/ou de menthe
	300 ml (1¼ tasse) d'eau glacée
	12 cubes de glace (si nécessaire)
	Pour garnir (facultatif) : 1 gousse d'ail, un peu d'huile d'olive et 3 tranches de pain pour les croûtons

1 Retirez la croûte du pain, puis réduisez-le en miettes au robot.

2 Versez l'huile et le vinaigre dans une soupière. Salez. Fouettez pour former une émulsion crémeuse. Ajoutez le paprika ou le piment d'Espagne et le pain émietté. Mélangez jusqu'à obtention d'un mélange détrempé.

3 Incorporez les tomates avec leur jus à la préparation.

4 Épluchez l'oignon, l'ail et le concombre. Épépinez les poivrons et le piment ; coupez-les en quatre.

5 Hachez ensemble l'oignon et l'ail au robot. Ajoutez-les dans la soupière. Hachez grossièrement, un par un, le concombre, les poivrons et le piment. Ajoutez-les également.

6 Rincez et essuyez les feuilles de basilic ou de menthe. Ciselez-les. Ajoutez-les à la soupe. Mélangez bien, salez et poivrez : la saveur doit être relevée et rafraîchissante.

7 Incorporez juste assez d'eau glacée pour obtenir une consistance plutôt épaisse : la soupe ne doit pas être liquide. Mettez à réfrigérer et servez avec les glaçons.

8 Pour les croûtons, mettez l'ail pelé dans une poêle avec un peu d'huile, sur feu modéré. Taillez le pain en cubes et faites dorer le tout en tournant souvent. Retirez l'ail.

VARIANTE

Versez 1 à 2 cuillerées à soupe de vodka glacée dans chaque assiette creuse juste avant de servir.

VALEUR NUTRITIONNELLE PAR PERSONNE (EN COMPTANT 4 PERSONNES)
Calories : 261. Glucides : 21 g (sucres : 13 g). Protéines : 6 g. Lipides : 18 g (acides gras saturés : 3 g). Riche en vitamines A, B, C et E.

CONSEILS ET IDÉES PRATIQUES

Hachez les légumes au robot culinaire pour aller plus vite.

CRÈME D'AVOCAT À LA NOIX DE COCO

Cette soupe froide se caractérise par les saveurs exotiques du piment, de la noix de coco et de la coriandre.
Elle doit sa consistance crémeuse à la chair fondante de l'avocat et à l'onctuosité du yogourt.

TEMPS : 15 MINUTES – 4 PERSONNES

½ cube de bouillon instantané de légumes
4 oignons verts
1 grosse gousse d'ail
1 piment vert frais
Un petit bouquet de coriandre
2 avocats moyens
300 g (1 tasse) de yogourt nature
150 ml (⅔ tasse) de lait de coco
1 c. à soupe d'huile d'olive
Une pincée de sucre granulé
½ citron
Sel et poivre

1 Dissolvez le cube de bouillon dans très peu d'eau bouillante. Complétez avec de l'eau glacée pour avoir 300 ml (1¼ tasse) de liquide.

2 Épluchez, lavez et hachez les oignons verts. Pelez et écrasez l'ail. Lavez, épépinez et émincez le piment.

3 Lavez et essuyez la coriandre. Réservez quelques feuilles pour la décoration et ciselez grossièrement le reste.

4 Mettez la chair des avocats dans le robot et réduisez-la en purée. Ajoutez-y le bouillon, les oignons, l'ail, le piment, la coriandre, le yogourt, le lait de coco, l'huile d'olive, le sucre et 1 cuillerée à soupe de jus de citron. Mélangez à nouveau pour obtenir une crème lisse.

5 Salez et poivrez à volonté. Mettez à réfrigérer le plus longtemps possible. Garnissez avec les feuilles de coriandre réservées et du poivre noir concassé.

VALEUR NUTRITIONNELLE PAR PERSONNE
Calories : 322. Glucides : 6 g (sucres : 5 g).
Protéines : 7 g. Lipides : 30 g (acides gras saturés : 9 g). Riche en vitamines B, C et E.

VELOUTÉ DE POIVRONS ROUGES À L'ORANGE

Cette soupe chaude réjouit les sens par sa couleur flamboyante, due aux poivrons, et par l'arôme puissant et fruité que lui donnent l'eau de fleur d'oranger et le jus d'orange frais.

TEMPS : 30 MINUTES – 4 PERSONNES

2 c. à soupe d'huile d'olive
1 kg (2 lb) de poivrons rouges
Sel
3 oranges
1 c. à soupe d'eau de fleur d'oranger
Pour garnir (facultatif) : zeste d'orange, persil haché ou croûtons

1 Faites chauffer l'huile dans une grande sauteuse. Lavez et épépinez les poivrons. Coupez-les en quatre dans le sens de la longueur. Taillez-les en grosses lanières au robot et versez-les dans l'huile, ou hachez-les à la main et jetez-les dans la sauteuse au fur et à mesure, en couvrant le récipient après chaque addition. Salez légèrement.

2 Brossez les oranges sous l'eau tiède. Essuyez-les. Râpez le zeste de l'une d'elles au-dessus des poivrons. Couvrez et augmentez le feu jusqu'à ce que le couvercle laisse échapper de la vapeur. Baissez le feu et faites frémir 15 à 18 minutes, toujours avec le couvercle, en secouant le récipient de temps en temps pour imprégner les poivrons de jus. Peu importe que certains d'entre eux caramélisent un peu, ils n'en auront que plus de goût.

3 Pressez les oranges dans une tasse à mesurer pour obtenir environ 200 ml (¾ tasse) de jus. Ajoutez l'eau de fleur d'oranger.

4 Dès que les poivrons sont tendres, réduisez-les en purée lisse. Ajoutez-y le jus d'orange et mélangez à nouveau.

5 Faites réchauffer et garnissez avec le zeste, le persil ou les croûtons.

VARIANTE

L'hiver, employez des oranges sanguines. L'été, servez cette soupe froide.

VALEUR NUTRITIONNELLE PAR PERSONNE
Calories : 130. Glucides : 17 g (sucres : 16 g). Protéines : 2 g. Lipides : 6 g (acides gras saturés : 1 g). Riche en vitamines A, B, C et E.

CONSEILS ET IDÉES PRATIQUES

Vous trouverez de l'eau de fleur d'oranger dans les grands supermarchés et dans les épiceries spécialisées. Veillez à acheter un produit destiné à l'alimentation : il existe aussi de l'eau de fleur d'oranger réservée aux soins de beauté.

SOUPE DE CHAMPIGNONS

L'ail, le persil et la noix muscade exaltent la saveur forestière des champignons. Avec sa sombre couleur fumée et sa richesse aromatique, cette soupe se passe parfaitement de crème.

TEMPS : 30 MINUTES – 4/6 PERSONNES

1,2 litre (5 tasses) de bouillon de légumes
140 g (3 tranches) de pain de campagne rassis
½ oignon ou 1 échalote
650 g (1½ lb) de gros champignons de couche
3 branches de persil
2 c. à soupe d'huile d'olive
½ petite gousse d'ail
Une pincée de noix muscade
Sel et poivre

1 Portez le bouillon à ébullition. Faites tremper le pain dans un peu d'eau froide.
2 Épluchez et hachez l'oignon ou l'échalote. Nettoyez et hachez grossièrement les champignons. Lavez, essuyez et ciselez le persil.
3 Faites chauffer l'huile dans une grande casserole. Faites-y blondir l'oignon ou l'échalote. Pelez l'ail et écrasez-le au-dessus de la casserole. Ajoutez les champignons. Faites-les cuire jusqu'à ce qu'ils aient rendu leur eau, puis ajoutez le persil.

4 Essorez le pain. Incorporez-le à la préparation, avec le bouillon et la muscade. Couvrez la casserole à demi et faites frémir 15 minutes.
5 Passez la soupe au mélangeur de façon qu'elle reste granuleuse. Faites-la réchauffer, salez et poivrez. Servez aussitôt.

VALEUR NUTRITIONNELLE PAR PERSONNE (EN COMPTANT 4 PERSONNES) Calories : 170. Glucides : 21 g (sucres : 2 g). Protéines : 7 g. Lipides : 9 g (acides gras saturés : 1 g). Riche en vitamines B, E et en folates et sélénium.

SOUPE VERTE AUX HARICOTS

Haricots verts, haricots de Lima et flageolets s'unissent pour composer une soupe délicate d'une jolie couleur vert pâle. La ciboulette ajoute une note savoureuse.

TEMPS : 30 MINUTES – 4/6 PERSONNES

2 c. à soupe d'huile d'olive
4 tasses de bouillon de légumes
1 oignon moyen
1 grosse gousse d'ail
225 g (8 oz) de haricots verts fins
1 paquet (350 g) de haricots de Lima surgelés
1 tasse de flageolets en boîte avec leur liquide
Sel et poivre
Pour garnir : **ciboulette, persil ou menthe**

1 Faites chauffer l'huile sur feu doux dans une grande casserole. Mettez le bouillon à chauffer. Pelez l'oignon et l'ail, hachez l'oignon, écrasez l'ail ; ajoutez-les à l'huile.

2 Lavez, équeutez et effilez les haricots verts. Coupez-les en bouts de 2 cm (1 po) et ajoutez-les avec les haricots de Lima dans la casserole. Faites cuire quelques minutes à feu vif.

3 Arrosez avec le bouillon. Faites bouillir 5 minutes, puis laissez frémir 10 minutes.

4 Retirez la casserole du feu. Versez-y les flageolets avec leur jus. Mélangez bien.

5 Réduisez la moitié de la soupe en crème lisse. Reversez-la dans la casserole, salez et poivrez, puis faites réchauffer. Lavez les herbes choisies, ciselez-les et servez.

VALEUR NUTRITIONNELLE PAR PERSONNE (EN COMPTANT 4 PERSONNES) Calories : 233. Glucides : 29 g (sucres : 4 g). Protéines : 13 g. Lipides : 8 g (acides gras saturés : 1 g). Riche en vitamines B, C, E et en folates.

SOUPE DE LÉGUMES D'HIVER AU CHORIZO

*Cette version du « caldo verde » portugais comporte du chou et des pommes de terre
mis en valeur par les parfums de l'ail, de l'aneth, du chorizo et de l'huile d'olive.*

TEMPS : 25 MINUTES – 4 PERSONNES

| 3 pommes de terre moyennes (500 g) farineuses (Idaho ou Î.-P.-É.) |
| 2 gousses d'ail |
| 350 g (2 tasses) de chou frisé |
| 1 c. à thé de graines d'aneth |
| 85 g (20 tranches fines) de chorizo |
| Sel et poivre noir |
| 4 c. à soupe d'huile d'olive vierge |
| *Pour servir :* pain frais ou grillé |

1 Pelez les pommes de terre, coupez-les en tranches fines ; mettez-les dans une grande casserole avec 1 litre (4 tasses) d'eau froide ; portez à ébullition. Pelez les gousses d'ail, coupez-les en quatre et ajoutez-les dans la casserole.

2 Dès que l'eau arrive à ébullition, réduisez le feu, couvrez à demi la casserole et faites cuire de 7 à 10 minutes à petite ébullition.

3 Pendant la cuisson, retirez les côtes dures du chou, lavez les feuilles et taillez-les en lanières de 1 cm (½ po) environ de large.

4 Quand les pommes de terre sont presque cuites, retirez la casserole du feu et écrasez-les bien dans leur eau de cuisson.

5 Ajoutez le chou et l'aneth aux pommes de terre ; portez de nouveau à ébullition, puis réduisez le feu et faites cuire encore de 4 à 7 minutes.

6 Pendant la cuisson, coupez le chorizo en tranches très fines.

7 Ôtez la casserole du feu, écrasez une nouvelle fois les pommes de terre, en brisant les lanières de chou sans les rendre méconnaissables.

8 Assaisonnez généreusement la soupe de sel et de poivre. Répartissez-la dans des assiettes creuses.

9 Garnissez avec les rondelles de chorizo, versez l'huile d'olive en zigzag et parsemez de poivre noir moulu grossièrement. Servez avec du pain frais ou grillé.

VALEUR NUTRITIONNELLE PAR PERSONNE
Calories : 469. Glucides : 68 g (sucres : 5 g).
Protéines : 14 g. Lipides : 16 g (acides gras
saturés : 4 g). Riche en vitamines B, C, E
et en folates.

SOUPE DE CAROTTES PIMENTÉE

Les carottes et le gingembre se mettent en valeur mutuellement dans cette soupe épaisse, rehaussée de piment vert frais, à consommer les jours de grand froid.

TEMPS : 30 MINUTES – 4/6 PERSONNES

1 litre (4 tasses) de bouillon de légumes ou d'eau
1 pomme de terre petite ou moyenne
1 oignon moyen
500 g (1 lb) de carottes
2 grosses gousses d'ail
Sel et poivre noir
1 piment vert frais
5 cm (2 po) de racine de gingembre
1 citron ou 1 lime
2 c. à soupe d'huile d'olive
1 c. à thé d'épices (épices mélangées ou cinq-épices chinois)
1 c. à thé d'huile de sésame
Pour servir : **feuilles de coriandre fraîche, zeste de citron ou croûtons**

1 Mettez le bouillon ou l'eau à bouillir dans une grande casserole. Épluchez la pomme de terre, l'oignon et les carottes. Coupez-les en morceaux. Pelez les gousses d'ail et coupez-les en quatre.

2 Quand le liquide est à ébullition, plongez-y les légumes et l'ail. Salez légèrement. Portez à nouveau à ébullition, réduisez le feu et laissez frémir 15 à 20 minutes.

3 Lavez, épépinez et hachez le piment. Pressez le citron ou la lime. Pelez le gingembre et hachez-le.

4 Faites chauffer l'huile d'olive dans une petite casserole. Faites-y revenir le piment et le gingembre pendant 1 minute, environ, sans laisser brunir. Incorporez les épices et le jus de citron ou de lime. Faites cuire 1 minute.

5 Ajoutez l'huile de sésame. Mélangez jusqu'à ce que la préparation épaississe. Retirez du feu.

6 Dès que les légumes sont tendres, incorporez-y la sauce au gingembre. Passez au robot culinaire ou au mélangeur. Faites réchauffer, poivrez et servez avec la garniture de votre choix.

VALEUR NUTRITIONNELLE PAR PERSONNE (EN COMPTANT 4 PERSONNES) Calories : 149. Glucides : 19 g (sucres : 9 g). Protéines : 3 g. Lipides : 9 g (acides gras saturés : 1 g). Riche en vitamines A, B, C et E.

SOUPE AUX PETITS POIS ET AUX ASPERGES

Cette jolie soupe de printemps fait superbement ressortir l'asperge fraîche. On y ajoute une garniture de bacon frit et de croûtons pour la saveur, un soupçon de crème épaisse pour le moelleux.

TEMPS : 30 MINUTES – 4 PERSONNES

---

600 ml (2½ tasses) de bouillon de volaille ou de légumes

---

8 ou 9 petits oignons verts

---

1 paquet (350 g/12½ oz) de petits pois surgelés

---

150 g d'asperges vertes (12 petites)

Sel et poivre noir

---

3 tranches de bacon découenné

---

1 à 2 c. à soupe d'huile

---

2 tranches de pain blanc de la veille

---

3 c. à soupe de crème épaisse

1 Mettez le bouillon à chauffer. Hachez grossièrement les oignons. Plongez-les dans le bouillon avec les petits pois. Portez à ébullition.

2 Lavez les asperges, séparez les tiges des pointes ; mettez ces dernières de côté. Hachez rapidement les tiges. Ajoutez-les au bouillon. Couvrez et faites frémir 10 à 15 minutes : les tiges doivent être tendres.

3 Coupez le bacon directement au-dessus d'une poêle. Faites-le cuire jusqu'à ce qu'il soit croustillant et doré. Réservez-le dans une assiette.

4 S'il ne reste pas assez de gras de bacon dans la poêle, complétez avec 1 ou 2 cuillerées à soupe d'huile et faites chauffer. Taillez le pain en petits dés. Faites dorer les croûtons 2 à 3 minutes sur feu vif en les retournant. Épongez-les sur du papier absorbant.

5 Passez la préparation aux petits pois et aux asperges au robot.

6 Ajoutez les pointes d'asperges à la soupe. Faites cuire 5 minutes, environ, à petits frémissements.

7 Versez la soupe dans des assiettes creuses. Tracez une spirale de crème épaisse et parsemez avec les morceaux de bacon et les croûtons. Assaisonnez et servez.

VALEUR NUTRITIONNELLE PAR PERSONNE
Calories : 330. Glucides : 24 g (sucres : 5 g). Protéines : 13 g. Lipides : 21 g (acides gras saturés : 9 g). Riche en vitamines B, C, E et en folates.

SOUPE À LA TOMATE ET AUX LENTILLES

Le blanc et le vert (fromage à la crème et feuilles de basilic) de la garniture forment un contraste séduisant avec la base écarlate de cette soupe à la tomate et aux lentilles rouges.

TEMPS : 30 MINUTES – 4 PERSONNES

---

600 ml (2½ tasses) de bouillon
de volaille ou de légumes

---

2 c. à soupe d'huile d'olive

---

3 échalotes

---

2 à 3 gousses d'ail

Quelques branches de basilic frais

---

100 g (½ tasse) de lentilles rouges

---

1 boîte (540 ml/19 oz) de tomates,
concassées

---

1 paquet (125 g/4½ oz) de fromage
à la crème

---

1 Mettez le bouillon à chauffer. Faites chauffer l'huile dans une grande casserole. Pelez et hachez les échalotes et l'ail. Faites-les fondre dans l'huile 5 minutes à feu doux.
2 Lavez et essuyez le basilic. Réservez quelques feuilles pour la garniture. Hachez le reste.
3 Lavez et égouttez les lentilles. Ajoutez-les, avec le bouillon et les tomates, dans la casserole. Portez à ébullition, couvrez et faites frémir 15 minutes, environ, en ajoutant la

moitié du hachis de basilic au bout de 10 minutes.
4 Fouettez le fromage à la crème pour l'amollir. Incorporez-y le reste du basilic haché.
5 Passez la soupe au robot. Assaisonnez. Ajoutez le fromage moulé à la cuillère et les feuilles de basilic.

VALEUR NUTRITIONNELLE PAR PERSONNE
Calories : 280. Glucides : 20 g (sucres : 4 g).
Protéines : 10 g. Lipides : 18 g (acides gras saturés : 8 g). Riche en vitamines B, C et E.

SOUPE DE PANAIS

Cette soupe d'hiver parfumée présente la consistance crémeuse du yogourt et une saveur subtilement épicée, au léger goût de pomme.

850 ml (3½ tasses) de bouillon de légumes
1 grosse pomme à cuire
500 g (1 lb) de panais
1 oignon moyen
1 c. à soupe d'huile de tournesol
1 gousse d'ail
2 c. à thé de coriandre en poudre
1 c. à thé de cumin en poudre
1 c. à thé de curcuma
Sel
300 ml (1¼ tasse) de lait

Pour garnir : quelques brins de coriandre, 4 à 6 c. à soupe de yogourt nature

1 Faites chauffer le bouillon. Épluchez la pomme et les panais, puis coupez-les en morceaux.

2 Pelez et hachez l'oignon. Faites chauffer l'huile dans une grande casserole. Faites-y fondre l'oignon.

3 Pelez et hachez grossièrement l'ail. Ajoutez-le à l'oignon, avec les trois épices et faites cuire 1 minute.

4 Arrosez avec le bouillon chaud. Ajoutez la pomme et les panais. Portez à ébullition, puis couvrez et faites frémir 15 minutes.

5 Pendant la cuisson, lavez, essuyez et ciselez la coriandre.

6 Retirez la casserole du feu. Incorporez le lait. Passez au robot pour obtenir une préparation très lisse, puis faites réchauffer. Salez si nécessaire.

7 Répartissez la soupe dans les assiettes, parsemez de coriandre et servez. Mettez le yogourt dans un bol afin que chacun se serve.

VALEUR NUTRITIONNELLE PAR PERSONNE (EN COMPTANT 4 PERSONNES) Calories : 211. Glucides : 30 g (sucres : 21 g). Protéines : 9 g. Lipides : 8 g (acides gras saturés : 2 g). Riche en vitamines B, C, E et en folates et calcium.

CONSEILS ET IDÉES PRATIQUES

Tous les robots ne supportent pas le contact avec des aliments bouillants. Le fait d'ajouter le lait froid vous permet de mettre la soupe en purée tout de suite.

SOUPE DE COURGETTES ET CRESSON

*L'onctuosité des courgettes équilibre subtilement la saveur piquante
du cresson dans cette recette de soupe à dominante de verdure.*

2 oignons moyens
25 g (2 c. à soupe) de beurre
700 ml (3 tasses) de bouillon de volaille ou de légumes
900 g (2 lb) de courgettes fermes
Une botte de cresson
1 citron
Sel et poivre noir

1 Pelez et hachez les oignons.
Faites fondre le beurre dans
une grande casserole. Faites-y
revenir les oignons sur feu doux.

Dès qu'ils sont transparents, ajoutez le bouillon, couvrez et portez à
ébullition.
2 Lavez les courgettes, coupez-les
en tranches fines et ajoutez-les au
bouillon en ébullition. Couvrez
et laissez frémir 15 minutes.
3 Lavez le cresson, retirez-en
les tiges dures et réservez quelques
brins pour garnir. Hachez le reste.
4 Dès que les courgettes sont
tendres, ajoutez-y le cresson, retirez
la casserole du feu et laissez reposer
5 minutes, avec un couvercle.
Pressez le citron.

5 Réduisez la soupe en crème
lisse, assaisonnez et ajoutez du jus
de citron. Faites réchauffer et
garnissez avec le cresson réservé.

VALEUR NUTRITIONNELLE PAR PERSONNE
Calories : 119. Glucides : 9 g (sucres : 7 g).
Protéines : 6 g. Lipides : 6 g (acides gras
saturés : 4 g). Riche en vitamines A, B, C, E
et en folates, fer et zinc.

CHAUDRÉE DE MAÏS

Consistante, cette soupe s'inspire d'une recette originaire de la Nouvelle-Angleterre, où le maïs entre dans la composition de nombreux plats. La crème et les pommes de terre ajoutent une riche texture.

TEMPS : 30 MINUTES – 4 PERSONNES

| 1 boîte (341 ml/12 oz) de maïs à grains entiers |
| 80 g (5 tranches) de pancetta ou de bacon |
| 1 c. à soupe d'huile de tournesol |
| 1 gros oignon |
| 3 pommes de terre moyennes |
| 300 ml (1¼ tasse) de crème légère |
| 300 ml (1¼ tasse) de lait |
| *Pour garnir : persil frais* |

1 Faites chauffer 2 tasses d'eau. Égouttez le maïs et écrasez-le en pâte épaisse, en réservant quelques grains entiers pour garnir. Taillez la pancetta ou le bacon en lardons.
2 Faites chauffer l'huile dans une casserole. Faites-y revenir les lardons jusqu'à ce qu'ils soient croustillants et dorés.
3 Pelez et émincez l'oignon. Pelez les pommes de terre, lavez-les et taillez-les en cubes de 5 mm (¼ po).
4 Égouttez les lardons. Ajoutez l'oignon à leur graisse de cuisson et faites-le revenir sur feu vif. Ajoutez la purée de maïs, les pommes de terre et l'eau bouillante. Couvrez et laissez frémir 15 minutes.
5 Lavez, essuyez et hachez finement le persil. Faites chauffer la crème légère dans une casserole avec le lait, sans laisser bouillir.
6 Quand les pommes de terre sont cuites, mais encore en morceaux, ajoutez le mélange crème-lait. Faites chauffer à feu doux. Juste avant que la préparation n'arrive à ébullition, ajoutez les lardons. Salez et poivrez. Garnissez avec les grains de maïs entiers et le persil et servez.

VALEUR NUTRITIONNELLE PAR PERSONNE
Calories : 545. Glucides : 67 g (sucres : 22 g). Protéines : 16 g. Lipides : 26 g (acides gras saturés : 10 g). Riche en vitamines A, B, C, E et en folates et zinc.

CONSEILS ET IDÉES PRATIQUES

La pancetta, charcuterie italienne, est de la poitrine de porc salée, étuvée, aromatisée et roulée avant d'être séchée à l'air libre pendant plusieurs semaines. De saveur douce, moelleuse, elle peut, à la différence du lard ou du bacon, se consommer sans cuisson.

MINESTRONE

Vous pouvez varier les ingrédients de ce grand classique à votre guise, en y intégrant n'importe quel légume frais de saison, des pâtes à potage et des haricots secs.

TEMPS : 30 MINUTES – 4 PERSONNES

1 petit poireau
3 c. à soupe d'huile d'olive
1 gousse d'ail
2 branches de céleri
2 courgettes moyennes
Une branche de persil
½ boîte (540 ml/19 oz) de haricots blancs
1 boîte (540 ml/19 oz) de tomates, concassées
1 feuille de laurier
150 ml (⅔ tasse) de vin blanc sec
25 g (¼ tasse) de pâtes à potage
1 citron
40 g (1 c. à soupe) de parmesan
125 g (1 tasse) de chou frisé
Sel et poivre noir
Pour servir : un pain de campagne, 4 c. à soupe de sauce au pesto

1 Faites chauffer de l'eau. Épluchez, fendez en deux et émincez le poireau, lavez-le et égouttez-le dans une passoire.

2 Faites chauffer l'huile dans une grande casserole. Faites-y revenir le poireau pendant 1 minute. Pelez l'ail et écrasez-le au-dessus de la casserole.

3 Lavez et émincez le céleri. Équeutez et lavez les courgettes. Fendez-les en deux dans la longueur, puis taillez-les en tranches. Ajoutez au poireau et faites cuire 3 minutes.

4 Lavez et essuyez le persil. Rincez les haricots. Ajoutez-les dans la casserole avec le persil, les tomates, le laurier, le vin blanc et les pâtes. Arrosez avec 425 ml (1¾ tasse) d'eau bouillante. Rincez le citron, prélevez une lanière de zeste et ajoutez-la à la soupe. Couvrez, portez de nouveau à ébullition, puis faites frémir 7 minutes.

5 Saupoudrez la moitié du parmesan sur la soupe. Lavez le chou, taillez-le en lanières et versez dans la casserole. Salez et poivrez. Faites encore frémir 5 minutes.

6 Retirez le laurier. Servez la soupe avec le reste du parmesan râpé, le pain et la sauce au pesto.

VALEUR NUTRITIONNELLE PAR PERSONNE
Calories : 485. Glucides : 65 g (sucres : 8 g). Protéines : 21 g. Lipides : 15 g (acides gras saturés : 3 g). Riche en vitamines A, B, C, E et en folates, calcium et sélénium.

CONSEILS ET IDÉES PRATIQUES
Au lieu d'ajouter le parmesan râpé en fin de cuisson, accélérez les opérations en ajoutant un morceau de croûte de parmesan à la soupe en même temps que les tomates pour parfumer. Retirez la croûte au moment de servir.

SOUPE AU HADDOCK

*Dans cette soupe familiale savoureuse, l'arôme fumé du poisson se mêle
à l'onctuosité des haricots blancs et au goût relevé de l'oignon et des poireaux.*

TEMPS : 30 MINUTES – 4/6 PERSONNES

---

600 ml (2½ tasses) de court-bouillon
de poisson ou de bouillon de
légumes

1 oignon moyen

800 g de poireaux (5 moyens)

2 c. à soupe d'huile d'olive vierge

1 boîte (540 ml/19 oz) de
haricots blancs

500 g (1 lb) de haddock fumé
sans colorant

Une poignée de persil

Poivre noir

Pour garnir (facultatif) :
4 à 6 c. à soupe de crème épaisse

---

1 Mettez le bouillon à chauffer dans une casserole. Épluchez et hachez finement l'oignon. Pelez les poireaux, émincez-les et lavez-les soigneusement.

2 Faites chauffer l'huile dans une casserole de taille moyenne. Ajoutez l'oignon et les poireaux. Faites revenir 5 minutes en remuant. Arrosez avec le bouillon, portez à ébullition, puis couvrez et laissez frémir 5 minutes.

3 Ajoutez les haricots avec leur jus. Écrasez grossièrement. Portez de nouveau à ébullition, puis laissez mijoter.

4 Retirez la peau du haddock (voir p. 11) et coupez celui-ci en dés. Ajoutez à la soupe. Faites cuire à petits frémissements jusqu'à ce que la chair devienne opaque.

5 Lavez, essuyez et ciselez le persil. Poivrez la soupe (sans saler), puis parsemez-la de persil et servez. Ajoutez une cuillerée à soupe de crème épaisse dans chaque assiette.

*VALEUR NUTRITIONNELLE PAR PERSONNE
(EN COMPTANT 4 PERSONNES) Calories : 361.
Glucides : 34 g (sucres : 7 g). Protéines : 38 g.
Lipides : 8 g (acides gras saturés : 1 g).
Riche en vitamines B, C, E et en folates.*

SOUPE DE POISSON À LA TOMATE

*La fermeté des morceaux de poisson rend cette soupe d'autant plus agréable à l'œil que
les herbes, les tomates et le vin lui apportent, en plus de leurs saveurs, une teinte superbe.*

TEMPS : 30 MINUTES – 4/6 PERSONNES

---

600 ml (2½ tasses) de court-bouillon
de poisson

1 oignon moyen

1 bulbe de fenouil moyen

2 c. à soupe d'huile de tournesol

150 ml (⅔ tasse) de vin blanc sec

1 boîte (540 ml/19 oz) de
tomates, concassées

1 feuille de laurier

1 c. à thé de sucre granulé

Sel et poivre noir

500 g (1 lb) de poisson blanc
à chair ferme en filet

Quelques branches de persil

1 c. à soupe de fécule de maïs

2 c. à soupe de lait

3 c. à soupe de crème épaisse

---

1 Mettez le court-bouillon à chauffer. Pelez et hachez finement l'oignon. Épluchez, lavez et hachez finement le fenouil en réservant les feuilles pour la garniture.

2 Faites chauffer l'huile dans une grande sauteuse à fond épais. Faites-y fondre le fenouil 5 minutes.

3 Videz l'excédent d'huile contenu dans la sauteuse. Ajoutez au fenouil le bouillon, le vin, les tomates, le laurier et le sucre. Portez à ébullition, couvrez et laissez frémir 10 minutes.

4 Taillez la chair du poisson en cubes de 2,5 cm (1 po). Plongez-les dans le bouillon. Lavez et essuyez le persil, réservez quelques feuilles pour décorer, hachez le reste et ajoutez-le à la soupe. Couvrez et laissez frémir 5 minutes.

5 Délayez la fécule avec le lait. Dès que le poisson est cuit, retirez le laurier, mélangez la fécule à la soupe et faites épaissir légèrement sur feu doux. Salez et poivrez.

6 Ajoutez la crème épaisse, mélangez et faites réchauffer 1 à 2 minutes. Garnissez avec les feuilles de persil et servez aussitôt.

*VALEUR NUTRITIONNELLE PAR PERSONNE (EN
COMPTANT 4 PERSONNES, AVEC DE LA LOTTE)
Calories : 312. Glucides : 12 g (sucres : 8 g).
Protéines : 22 g. Lipides : 17 g (acides gras
saturés : 8 g). Riche en vitamines A, B, C et E.*

CONSEILS ET IDÉES PRATIQUES

Vous pouvez réaliser cette recette avec n'importe quel poisson blanc à chair ferme ou remplacer le poisson par le même poids de grosses crevettes et de pétoncles fendus en deux dans leur épaisseur (voir p. 128).

DEUX SOUPES DE POISSON : SOUPE AU
HADDOCK *(en haut, à droite)* ; SOUPE DE
POISSON À LA TOMATE *(en dessous).*

SOUPE DE POULET À LA CHINOISE

*Champignons, piment de Cayenne et coriandre fraîche parfument cette soupe
chinoise à base de bouillon de poulet enrichi de vermicelle et de filaments d'œufs battus.*

TEMPS : 15 MINUTES – 4 PERSONNES

5 tasses de bouillon de poulet
¼ c. à thé de piment de Cayenne
100 g (4 oz) de champignons (shiitakes)
1 cœur de laitue
1 gros œuf
Un petit bouquet de coriandre
40 g (1½ oz) de vermicelle

1 Portez le bouillon à ébullition avec le piment de Cayenne dans une grande casserole.

2 Équeutez et nettoyez les champignons. Coupez-les en fines lamelles. Lavez les feuilles de laitue et coupez-les en lanières. Battez l'œuf en omelette. Lavez et hachez la coriandre (une cuillerée à soupe).

3 Dès que le bouillon arrive à ébullition, ajoutez-y les champignons et laissez frémir 2 minutes. Brisez grossièrement le vermicelle. Ajoutez-le à la soupe et laissez-le cuire 3 minutes de façon qu'il reste ferme. Ajoutez alors la laitue et portez à ébullition.

4 Retirez la casserole du feu. Versez-y lentement l'œuf battu en remuant doucement pour qu'il cuise aussitôt en filaments. Parsemez de coriandre hachée et servez.

VARIANTE
Vous pouvez remplacer les shiitakes par des champignons noirs plats et la laitue par du cresson.

VALEUR NUTRITIONNELLE PAR PERSONNE
Calories : 80. Glucides : 8 g (sucres : 0,5 g). Protéines : 6 g. Lipides : 2 g (acides gras saturés : 1 g). Riche en vitamines B et E.

SOUPE DE LÉGUMES PRINTANIÈRE

*Le mélange savoureux des légumes de primeur, ajouté à un bouillon
à la tomate, convient idéalement à un dîner de printemps.*

TEMPS : 30 MINUTES – 4 PERSONNES

25 g (2 c. à soupe) de beurre
2 gousses d'ail
2 échalotes
1 boîte (796 ml/28 oz) de tomates, concassées
400 ml (1¾ tasse) de bouillon de volaille ou de légumes
1 c. à thé de basilic séché
Sel et poivre noir
200 g (½ lb) de pommes de terre nouvelles
12 carottes miniatures ou 4 petites
6 gros radis
100 g (3½ oz) de pois mange-tout
12 pointes d'asperges
120 ml (½ tasse) de crème légère
8 grandes feuilles de basilic
Pour garnir (facultatif) : parmesan

1 Faites chauffer de l'eau. Mettez le beurre à fondre dans une grande casserole. Pelez et hachez l'ail et les échalotes. Faites-les revenir doucement dans le beurre pendant 3 minutes, en tournant.

2 Ajoutez les tomates avec leur jus, le bouillon et le basilic sec. Couvrez et laissez frémir 15 minutes.

3 Brossez les pommes de terre sous l'eau et coupez-les en quatre. Mettez-les dans une casserole de taille moyenne. Recouvrez-les d'eau bouillante, portez de nouveau à ébullition, puis laissez bouillir doucement 5 minutes.

4 Pendant ce temps, équeutez, brossez sous l'eau et coupez en deux les carottes miniatures. Si elles sont plus grosses, pelez-les et coupez-les en tronçons de 2-3 cm (1 po). Ajoutez-les aux pommes de terre.

5 Équeutez et lavez les radis, coupez-les en dés et ajoutez-les aux autres légumes. Lavez les pointes d'asperges. Équeutez et coupez en deux les pois mange-tout. Ajoutez ces deux éléments à la soupe.

6 Au total, les légumes doivent cuire 10 à 12 minutes pour être juste tendres.

7 Égouttez les légumes et ajoutez-les au bouillon à la tomate. Incorporez la crème légère. Lavez, ciselez et ajoutez les feuilles de basilic.

8 Vérifiez l'assaisonnement. Servez la soupe aussitôt, en présentant, si vous le souhaitez, du parmesan râpé à part.

VARIANTE
Ajoutez du poulet cuit pour faire un plat principal.

VALEUR NUTRITIONNELLE PAR PERSONNE
Calories : 224. Glucides : 22 g (sucres : 14 g). Protéines : 8 g. Lipides : 12 g (acides gras saturés : 7 g). Riche en vitamines A, B, C, E et en folates.

GALETTES AU SAUMON FUMÉ

ENTRÉES ET EN-CAS

Saumon fumé, fromage de chèvre, prosciutto ou crudités : autant d'ingrédients qui permettent de composer de délectables petits plats à servir en ouverture d'un grand repas ou en guise d'en-cas.

FOIES DE VOLAILLE AUX BAIES DE GENIÈVRE

*L'arôme du genièvre, le jus des raisins, le thym frais et un soupçon de xérès donnent
aux foies de volaille sautés un ton sophistiqué. Servez en entrée ou en garniture de pâtes.*

TEMPS : 20 MINUTES – 4 PERSONNES

---

500 g (1 lb) de foies de volaille

1 échalote

1 gousse d'ail

10 baies de genièvre

4 branches de thym frais

1 c. à soupe d'huile d'olive

Sel et poivre noir

2 c. à soupe de xérès sec

175 g (6 oz) de grains de raisin blanc
et de raisin noir sans pépins

2 tranches épaisses de pain de mie

Pour garnir : un petit bouquet
de persil plat

---

1 Commencez par rincer les foies de volaille sous l'eau courante. Taillez ensuite la chair en petits morceaux. Épongez avec du papier absorbant.

2 Pelez et hachez finement l'échalote. Pelez et écrasez l'ail. Écrasez légèrement les baies de genièvre au rouleau à pâtisserie ou au pilon, dans un mortier.

3 Effeuillez les 4 branches de thym. Lavez et essuyez le persil. Hachez-le et réservez-le pour la garniture.

4 Faites chauffer l'huile d'olive dans une grande sauteuse à fond épais. Quand elle est très chaude, jetez-y les foies de volaille. Retournez-les sans cesse pour les saisir de tous les côtés. Faites cuire sur feu vif, en remuant, pendant 2 minutes.

5 Ajoutez l'échalote, l'ail, les baies de genièvre et le thym. Poivrez largement, puis réduisez le feu et faites cuire encore 3 à 4 minutes en remuant bien.

6 Ajoutez ensuite le xérès et les grains de raisin. Salez. Faites cuire encore pendant 1 minute, puis éteignez le feu, couvrez la sauteuse et tenez au chaud.

7 Faites griller le pain. Découpez chaque tranche en 4 triangles. Disposez la préparation aux foies de volaille dans des assiettes, parsemez de persil haché et servez avec le pain grillé.

VARIANTE

Si vous voulez servir cette préparation avec des pâtes, vous pouvez y incorporer 200 ml (¾ tasse) de crème sure ou de crème épaisse.

*VALEUR NUTRITIONNELLE PAR PERSONNE
Calories : 242. Glucides : 20 g (sucres : 8 g). Protéines : 25 g. Lipides : 6 g (acides gras saturés : 1 g). Riche en vitamines A, B, C et en folates, fer et zinc.*

SALADE TROPICALE À LA LIME

La combinaison de deux fruits tropicaux – l'avocat, à la pulpe crémeuse et riche, et la papaye, à la saveur douce – avec du cresson poivré et un assaisonnement à la lime produit un hors-d'œuvre léger inhabituel.

TEMPS : **20 MINUTES** – **4 PERSONNES**

Pour la salade :

Une botte de cresson

2 avocats mûrs mais fermes

2 papayes mûres mais fermes

Pour l'assaisonnement :

1 lime

Sel et poivre noir

¼ c. à thé de sucre granulé

4 c. à soupe d'huile d'olive vierge extra

4 c. à soupe d'huile de tournesol

1 Préparez l'assaisonnement : brossez la lime sous l'eau chaude, puis prélevez son zeste. Pressez le fruit. Mettez 3 cuillerées à soupe de jus dans un bol avec le zeste. Salez et poivrez, ajoutez le sucre, puis versez les huiles peu à peu, en fouettant. Ajoutez éventuellement du jus de lime.

2 Coupez les tiges dures du cresson. Lavez-le et égouttez-le.

3 Coupez les avocats en deux, dénoyautez-les, pelez-les et coupez-les en tranches dans la largeur. Coupez les papayes en deux, retirez les graines, pelez la pulpe et taillez-la en tranches dans la longueur.

4 Disposez le cresson, les avocats et les papayes dans des assiettes. Nappez avec l'assaisonnement.

VARIANTE

Vous pouvez remplacer les papayes par des mangues et le cresson par des feuilles d'épinards tendres.

VALEUR NUTRITIONNELLE PAR PERSONNE
Calories : 472. Glucides : 20 g (sucres : 19 g). Protéines : 4 g. Lipides : 42 g (acides gras saturés : 7 g). Riche en vitamines A, B et C.

JAMBON DE PARME FRUITÉ

Servie sur un lit de salade verte, cette entrée insolite et savoureuse peut constituer un repas léger.
Pour la mettre en valeur, employez une huile d'olive de qualité, à saveur fruitée.

TEMPS : 12 MINUTES – 4 PERSONNES

1 citron
4 petites poires
Sel et poivre noir
100 g (4 oz) de salade verte mélangée toute préparée
12 tranches fines de jambon de Parme ou de prosciutto (200 g / ½ lb)
75 g (2½ oz) de parmesan en un seul morceau
4 c. à soupe d'huile d'olive vierge extra

1 Pressez le citron. Versez son jus dans un saladier. Lavez et essuyez les poires. Coupez-les en quartiers, épépinez-les, puis taillez chaque quartier en 3 ou 4 lamelles. Mettez-les au fur et à mesure dans le jus de citron. Poivrez légèrement et mélangez délicatement.

2 Disposez la salade dans 4 assiettes. Garnissez avec les lamelles de poires et les tranches de jambon de Parme roulées. Salez et poivrez.

3 À l'aide d'un épluche-légumes, coupez le parmesan en copeaux très fins, directement au-dessus de la salade. Arrosez avec l'huile d'olive et servez.

VALEUR NUTRITIONNELLE PAR PERSONNE
Calories : 405. Glucides : 11 g (sucres : 11 g). Protéines : 20 g. Lipides : 31 g (acides gras saturés : 11 g). Riche en vitamines B, E et en calcium.

VITE FAIT, BIEN FAIT !

Pour tailler des copeaux de parmesan à l'épluche-légumes, procurez-vous un morceau entier assez large pour vous assurer une bonne prise.

SOUFFLÉS AU FROMAGE DE CHÈVRE

Légers et délicats, ces soufflés parfumés, enrobés de noix pilées, sont aussi simples à réaliser
que spectaculaires. Ils lèvent facilement et peuvent se servir chauds ou froids.

TEMPS : 30 MINUTES – 4 PERSONNES

50 g (½ tasse, bien tassée) de poudre de noix, noisette ou amande
25 g (2 c. à soupe) de beurre mou
15 g (1 c. à soupe) de farine
5 c. à soupe de lait
Sel et poivre noir
100 g (3½ oz) de fromage de chèvre ferme
1 gros jaune d'œuf
3 gros blancs d'œufs

1 Préchauffez le four à 190 °C (375 °F). Faites bouillir de l'eau. Étalez les noix en poudre dans une poêle, sans matière grasse. Faites dorer sur feu doux, en remuant.

2 Enduisez 4 ramequins avec la moitié du beurre et répartissez la poudre de noix grillée. Tournez les moules pour tapisser de noix le fond et la paroi.

3 Faites fondre le reste du beurre dans une casserole. Incorporez-y la farine, mélangez 30 secondes sur feu doux, puis versez-y le lait en fouettant. Portez à ébullition et faites épaissir sans cesser de remuer. Salez et poivrez.

4 Coupez le fromage en petits dés. Incorporez-en la moitié à la béchamel. Dès que le fromage est fondu, retirez la casserole du feu et ajoutez le jaune d'œuf.

5 Battez les blancs d'œufs en neige ferme. À l'aide d'une cuillère à soupe, incorporez-en le tiers à la préparation, mélangez bien, puis ajoutez délicatement le reste.

6 Répartissez le reste du fromage dans les 4 ramequins. Remplissez avec l'appareil à soufflé. Placez les ramequins dans un grand plat à four et versez de l'eau bouillante jusqu'à mi-hauteur des récipients. Faites cuire 10 minutes dans la partie supérieure du four : les soufflés doivent être gonflés et dorés. Servez dès la sortie du four.

VARIANTE
Vous pouvez préparer les soufflés à l'avance et les servir froids, sur un lit de salade verte. Laissez-les refroidir dans les ramequins, puis mettez-les dans le réfrigérateur. Pour servir, passez la lame d'un couteau tout autour et démoulez.

VALEUR NUTRITIONNELLE PAR PERSONNE
Calories : 285. Glucides : 5 g (sucres : 2 g). Protéines : 13 g. Lipides : 24 g (acides gras saturés : 10 g). Riche en vitamines B et E.

CONSEILS ET IDÉES PRATIQUES

Utilisez des ramequins en porcelaine plutôt que des moules en céramique, plus épais, car la finesse de la porcelaine permettra une cuisson plus rapide.

VARIATIONS SUR LE FROMAGE : JAMBON DE PARME FRUITÉ *(en haut)* ; SOUFFLÉS AU FROMAGE DE CHÈVRE *(en bas).*

TREMPETTE AU FROMAGE ET À LA TOMATE

À servir pour un barbecue avec un verre de tequila, cette trempette chaude se présente comme une sauce onctueuse au fromage agrémentée d'oignon, de tomate et de piment.

TEMPS : 25 MINUTES – 4 PERSONNES

1 gros oignon
2 c. à thé d'huile d'olive
5 tomates de taille moyenne
2 petits piments verts
200 g (½ lb) de cheddar jaune
100 ml (½ tasse) de crème épaisse
Sel et poivre noir
Tabasco
Pour garnir : **2 brins de coriandre**
Pour servir : **chips au maïs, tortillas ou pitas**

1 Préchauffez le four à température moyenne. Faites bouillir de l'eau.

2 Pelez et hachez l'oignon. Faites-le fondre 10 à 15 minutes dans l'huile, sur feu doux, en remuant de temps en temps.

3 Ébouillantez les tomates, pelez-les, coupez-les en quatre, épépinez et hachez finement la pulpe.

4 Lavez les piments, coupez-les en deux, épépinez-les et hachez-les finement. Râpez le fromage.

5 Mettez les chips au maïs, les tortillas ou les pitas à chauffer au four.

6 Incorporez la crème épaisse à l'oignon. Augmentez le feu. Dès que la crème commence à frémir, ajoutez le fromage. Faites-le fondre en remuant sans cesse.

7 Ajoutez ensuite les tomates et les piments. Mélangez délicatement. Assaisonnez avec précaution de sel, de poivre et de Tabasco.

8 Lavez et essuyez la coriandre. Ciselez les feuilles. Versez la trempette dans un bol de service, parsemez de coriandre ; servez avec les chips de maïs, les tortillas coupées en lanières ou les pitas.

VALEUR NUTRITIONNELLE PAR PERSONNE
Calories : 670. Glucides : 31 g (sucres : 7 g). Protéines : 17 g. Lipides : 53 g (acides gras saturés : 22 g). Riche en vitamines A, B, C, E et en calcium.

SALADE D'AVOCAT, CREVETTES ET TOMATES

L'alliance réputée de l'avocat et des crevettes s'enrichit ici de tomates et d'un assaisonnement crémeux de lime, de yogourt et de coriandre qui renouvellent élégamment ce grand classique.

TEMPS : 15 MINUTES – 4 PERSONNES

| 1 gros avocat |
| ½ citron |
| 2 tomates de taille moyenne |
| 175 g (6 oz) de crevettes de Matane |

Pour l'assaisonnement :

| ½ lime |
| Un petit bouquet de coriandre |
| 125 g (½ tasse) de yogourt nature |
| 1 c. à thé de sucre granulé |
| Sel et poivre noir |

1 Préparez l'assaisonnement : brossez la lime sous l'eau chaude. Râpez son zeste au-dessus d'un petit bol, en réservant de quoi décorer la salade. Pressez la lime au-dessus du bol. Lavez et essuyez la coriandre. Ciselez-en l'équivalent d'une cuillerée à soupe et ajoutez-la au jus de lime. Incorporez le yogourt et le sucre. Salez et poivrez. Fouettez bien.

2 Coupez l'avocat en deux et dé-noyautez-le. Pelez-le et coupez-le en lamelles que vous disposerez sur des assiettes. Arrosez de jus de citron.

3 Coupez les tomates en tranches. Disposez-les dans les assiettes avec les lamelles d'avocat et les crevettes. Nappez avec l'assaisonnement et garnissez du zeste de lime et des brins de coriandre.

VALEUR NUTRITIONNELLE PAR PERSONNE
Calories : 223. Glucides : 7 g (sucres : 6 g).
Protéines : 13 g. Lipides : 16 g (acides gras saturés : 4 g). Riche en vitamines B, C et E.

VITE FAIT, BIEN FAIT!

Pour couper l'avocat en deux, fendez-le dans le sens de la longueur et tournez pour séparer les deux moitiés. Plantez la lame d'un couteau dans le noyau ; tournez pour le détacher.

SARDINES EN CROÛTE DE POIVRE

Dans cette recette, les sardines fraîches s'habillent d'une croûte constituée de jus de citron, d'huile d'olive, d'aneth, d'ail et de poivres mélangés. Du romarin les parfume pendant la cuisson au gril.

TEMPS : 25 MINUTES – 4 PERSONNES

8 grosses sardines fraîches : **500 g (1 lb) environ, au total**
1 c. à thé de grains de poivres mélangés
Un petit bouquet d'aneth frais
1 gousse d'ail
2 citrons
Sel
3 c. à soupe d'huile d'olive
8 petits brins de romarin frais
4 grandes feuilles de laitue
8 brins de cresson

1 Ouvrez le ventre des sardines avec des ciseaux de cuisine et videz-les. Rincez l'intérieur, puis lavez l'extérieur en les frottant pour les écailler. Épongez-les avec du papier absorbant.

2 Concassez les grains de poivres dans un mortier ou avec un rouleau à pâtisserie. Versez dans un bol.
3 Lavez, essuyez et ciselez l'aneth. Pelez et écrasez l'ail. Ajoutez ces ingrédients aux poivres. Brossez un citron sous l'eau chaude et râpez son zeste au-dessus du bol. Salez, ajoutez l'huile d'olive et mélangez.
4 Lavez le romarin. Glissez-en un brin dans chaque sardine. Enduisez les sardines des deux côtés d'un peu de marinade. Laissez macérer 5 à 10 minutes. Faites chauffer un gril en fonte au maximum.
5 Lavez et essuyez les feuilles de laitue. Taillez-les en lanières. Lavez et équeutez le cresson. Disposez-les dans des assiettes. Coupez le second citron en quartiers. Posez un quartier au bord de chaque assiette.

6 Faites griller les sardines sur le gril très chaud 2 à 3 minutes de chaque côté.
7 Faites glisser les sardines dans chaque assiette, en les disposant sur les feuilles de laitue. Nappez-les avec le reste de la marinade et servez aussitôt.

VALEUR NUTRITIONNELLE PAR PERSONNE
Calories : 265. Glucides : 1 g (sucres : 0,3 g).
Protéines : 24 g. Lipides : 19 g (acides gras saturés : 4 g). Riche en vitamines B et E.

CONSEILS ET IDÉES PRATIQUES
Si vous avez le temps, enduisez les sardines de marinade aux poivres 1 à 2 heures à l'avance et réservez-les dans le réfrigérateur jusqu'à la cuisson.

PÉTONCLES AU PROSCIUTTO

La saveur fine du jambon italien s'harmonise parfaitement avec ces pétoncles marinés avec leur corail. Servez-les sur leur brochette de cuisson.

TEMPS : 30 MINUTES – 4 PERSONNES

12 gros pétoncles frais avec leur corail : 350 g (¾ lb) environ, au total
16 tranches fines de prosciutto, de jambon de Parme ou de San Daniele
Poivre noir
Pour la marinade : **2 grosses gousses d'ail**
Quelques branches de basilic, de persil et de coriandre frais
½ citron
3 c. à soupe d'huile d'olive vierge extra

1 Lavez et épongez les pétoncles. Séparez les coraux des noix. Mettez le tout dans un saladier.
2 Préparez la marinade : pelez l'ail et écrasez-le au-dessus du saladier. Lavez et essuyez les fines herbes.

Réservez une branche de basilic pour décorer. Hachez le reste. Ajoutez dans le saladier. Pressez le demi-citron au-dessus de la préparation, ajoutez l'huile d'olive, mélangez et laissez mariner 15 minutes à température ambiante. Faites chauffer le gril du four au maximum.
3 Le temps de marinade achevé, plissez une tranche de prosciutto et enfilez-la sur une brochette, puis ajoutez une noix et un corail de pétoncle. Répétez 3 fois l'opération en terminant par du prosciutto. Préparez les autres brochettes de façon identique.
4 Disposez les brochettes sur une grille au-dessus de la lèchefrite du four, à 10 cm (4 po) de la source de chaleur, après les avoir aspergées avec un peu de marinade ; faites-les griller 5 minutes en les retournant

et en les arrosant à mi-cuisson, de façon que le prosciutto soit croustillant et que les pétoncles soient juste cuits.
5 Servez sur les brochettes, ou faites glisser les éléments dans des assiettes. Arrosez avec le jus contenu dans la lèchefrite, puis parsemez de poivre et de basilic.
VARIANTE
Remplacez les pétoncles par des gambas ou des dés de poisson blanc à chair ferme.

VALEUR NUTRITIONNELLE PAR PERSONNE
Calories : 315. Glucides : 4 g (sucres : 0,1 g).
Protéines : 30 g. Lipides : 20 g (acides gras saturés : 6 g). Riche en vitamine E.

DE SOMPTUEUSES GRILLADES DE MER :
SARDINES EN CROÛTE
DE POIVRE *(en haut)* ; PÉTONCLES
AU PROSCIUTTO *(en bas).*

TRUITE FUMÉE, POIRE ET ROQUETTE

Voici une salade très décorative, où les lanières de truite fumée et les tranches de poire contrastent sur les couleurs de la roquette et de la trévise. On la sert avec une sauce crémeuse au raifort.

TEMPS : 15 MINUTES – 4 PERSONNES

4 filets de truite fumée

2 poires (voir l'encadré ci-dessous)

Un petit pied de trévise

50 g (2 oz) de feuilles de roquette

Sel et poivre noir

Pour servir : **pain aux noix**

Pour l'assaisonnement :
½ citron

2 c. à soupe d'huile d'olive vierge extra

Pour la sauce :
3 c. à soupe de crème épaisse

2 c. à thé de raifort en pot

1 Retirez la peau des filets de truite. Taillez-les en lanières, en biais. Lavez, essuyez et taillez les poires en lamelles fines.

2 Lavez et essuyez la trévise et la roquette. Coupez la trévise en lanières au-dessus d'un saladier. Ajoutez la roquette.

3 Préparez l'assaisonnement : pressez le citron et versez 2 cuillerées à thé de jus dans un bol. Salez et poivrez. Ajoutez l'huile et fouettez. Versez sur les salades, ajoutez les morceaux de truite et de poires et mélangez délicatement. Répartissez dans 4 assiettes.

4 Mélangez la crème épaisse avec le raifort. Nappez-en les salades à la truite ; servez avec le pain.

VALEUR NUTRITIONNELLE PAR PERSONNE
Calories : 528. Glucides : 31 g (sucres : 11 g). Protéines : 39 g. Lipides : 28 g (acides gras saturés : 9 g). Riche en vitamine E.

CONSEILS ET IDÉES PRATIQUES

Les bartletts et les williams comptent parmi les variétés de poires les plus sucrées et les plus juteuses. Si vous ne les utilisez pas juste au moment de servir, arrosez-les d'un peu de jus de citron pour les empêcher de s'oxyder.

CAILLES EN NIDS DE CHAMPIGNONS

Ces petites cailles, déposées dans le chapeau de champignons, puis garnies de persil, de citron et d'ail, donnent une entrée sophistiquée mais rapide, qui vous laisse tout le temps de vous consacrer au plat principal.

TEMPS : 30 MINUTES – 4 PERSONNES

2 c. à soupe d'huile d'olive
25 g (2 c. à soupe) de beurre
4 cailles prêtes à cuire
8 brins de thym frais
4 feuilles de laurier
4 gros champignons ouverts
Sel et poivre noir

Pour la gremolata :

Un petit bouquet de persil plat
1 citron
1 gousse d'ail

1 Préchauffez le four à 230 °C (450 °F). Mettez l'huile d'olive et le beurre dans un plat à rôtir. Faites chauffer dans la partie supérieure du four.

2 Glissez 2 brins de thym à l'intérieur de chaque caille. Ajoutez une feuille de laurier. Nettoyez les champignons. Détachez-en le pied.

3 Disposez les chapeaux de champignons, à l'envers, dans le plat à rôtir graissé. Placez une caille sur chacun d'eux. Arrosez les cailles et les champignons avec la matière grasse fondue. Salez et poivrez bien.

4 Faites cuire au four 15 à 20 minutes en arrosant les cailles à mi-cuisson avec le jus du plat. Piquez les cailles avec une brochette pour vérifier qu'elles sont cuites : il doit en sortir un liquide clair.

5 Pendant la cuisson, préparez la gremolata : lavez, épongez et hachez l'équivalent de 2 cuillerées à soupe

de persil. Brossez le citron sous l'eau chaude et râpez la moitié de son zeste. Pelez et écrasez l'ail. Mélangez ces ingrédients.

6 Quelques minutes avant la fin de la cuisson des cailles, parsemez-les de gremolata et remettez au four.

VALEUR NUTRITIONNELLE PAR PERSONNE
Calories : 335. Glucides : 1 g (sucres : 0,2 g). Protéines : 31 g. Lipides : 23 g (acides gras saturés : 4 g). Riche en vitamines B et E.

CONSEILS ET IDÉES PRATIQUES

La garniture italienne baptisée « gremolata » peut être employée pour rehausser des plats tout simples, de pâtes et de légumes, entre autres.

ENTRÉES AUX FRUITS

Les fruits renforcent les saveurs des plats salés – il suffit de penser au trait de jus d'orange ajouté à une soupe à la tomate ou à une salade de carottes. Ils présentent un autre avantage : bien mûrs, ils ne nécessitent aucune cuisson, ce qui vous permet d'apporter un éclat instantané à vos menus.

SALADE DE FRAISES, CONCOMBRES ET AVOCATS

Cette préparation estivale très colorée peut se servir en entrée, accompagner une viande ou un poisson servis froids (poulet fumé, saumon poché, par exemple), ou encore servir de pièce centrale à un buffet somptueux.

Sur un plat de service, disposez en bandes ou en cercles concentriques des tranches d'avocat, de fraise et de concombre (n'oubliez pas de verser du jus de citron sur les tranches d'avocat si vous ne servez pas aussitôt). Assaisonnez avec une vinaigrette composée de 2 parts d'huile de noisette pour 3 parts d'huile d'olive et 1 part de vinaigre de vin ou à la framboise.

FIGUES AU PROSCIUTTO

Voici une recette qui change de la célèbre et classique combinaison prosciutto-melon.

Prévoyez 2 figues par personne. Ouvrez-les en deux pour révéler leur chair délicieuse et disposez-les en dôme à côté de quelques tranches fines de prosciutto délicatement chiffonnées. Parsemez les figues de poivre noir, ou disposez sur la table un moulin à poivre dont chacun se servira à volonté.

PASTÈQUE À LA FETA

Ce hors-d'œuvre haut en couleur est idéal pour les repas d'été en plein air, juste avant ou en accompagnement d'un barbecue.

Mélangez de gros dés de pastèque épépinée avec de petits morceaux de feta émiettée. Poivrez, puis garnissez avec des feuilles de roquette ou de cresson. Les

DE JOLIS INGRÉDIENTS
Pour ces préparations toutes simples, choisissez des fruits mûrs et sans taches, aussi bons que beaux.

contrastes de saveurs et de textures rendent cette salade irrésistible.

SALADE D'AGRUMES

Cette salade d'oranges et de pamplemousse est garnie d'olives noires et d'anneaux d'oignon doux. Rafraîchissante et légère, elle est parfaite pour introduire un repas riche.

Pour 4 personnes, pelez à vif 3 oranges et 1 pamplemousse rose. Séparez les quartiers au-dessus d'un saladier pour récupérer le jus, en coupant la pulpe entre les membranes. Pelez 1 oignon rouge, coupez-le en rondelles fines, puis défaites les anneaux. Mesurez le jus de fruits. Ajoutez-y la même quantité d'huile d'olive fruitée et une pincée de sel. Relevez à volonté avec du jus de citron. Disposez les tranches de fruits dans 4 assiettes, garnissez d'olives noires et d'anneaux d'oignon, puis arrosez de l'assaisonnement.

MAQUEREAU FUMÉ AU PAMPLEMOUSSE

La fraîcheur acidulée du pamplemousse exalte délicatement la saveur fumée du maquereau et le fondant de l'avocat.

Comptez un filet de maquereau fumé par personne, dépouillez-le (voir p. 11) et taillez-le en biais pour former des lanières. Pour 4 personnes, pelez et séparez en quartiers un gros pamplemousse rose au-dessus d'un bol pour récupérer le jus. Ajoutez-y un gros avocat coupé en dés. Ciselez de la ciboulette au-dessus de la salade. Poivrez et mélangez. Ajoutez les lanières de maquereau et décorez de brins de ciboulette.

CROQUE FRAÎCHEUR

Voici une délicieuse variante des croûtes au fromage paysannes, dans laquelle la poire et le fromage forment une heureuse alliance.

Faites griller une tranche épaisse de pain multigrains par personne. Recouvrez-la d'une couche épaisse de cresson haché. Disposez dessus des tranches fines de poire juteuse, en les faisant se chevaucher. Parsemez de poivre concassé. Recouvrez d'une couche épaisse de fromage aux noix ou de fromage bleu et passez sous le gril. Dès que le fromage commence à fondre, servez après avoir garni de mâche et de demi-tomates-cerises.

TROIS ENTRÉES FRUITÉES :
CROQUE FRAÎCHEUR *(en haut, à droite)* ;
MAQUEREAU FUMÉ AU PAMPLEMOUSSE
(à gauche) ; PASTÈQUE À LA FETA
(en bas, à droite).

HUÎTRES GRILLÉES

*Rapidement ouvertes à la vapeur, les huîtres sont couvertes de chapelure
à l'ail et au persil avant de dorer au gril sur un lit de gros sel.*

TEMPS : 30 MINUTES – 4 PERSONNES

12 grosses huîtres creuses
(ou 16 pour de gros mangeurs)
50 g (4 c. à soupe) de beurre ramolli
2 gousses d'ail
3 c. à soupe de chapelure blonde
(voir p. 14)
Un petit bouquet de persil
Poivre noir
Pour la cuisson : du gros sel

1 Placez les huîtres, coquille plate
vers le haut, dans une grande
sauteuse. Versez juste un fond d'eau
froide dans le récipient, couvrez
et faites ouvrir sur feu doux.

2 Sortez les huîtres de la casserole
et laissez-les refroidir. Faites
chauffer le gril au maximum.
3 Écrasez le beurre dans un bol.
Pelez les gousses d'ail et écrasez-en
la pulpe au-dessus du beurre.
Malaxez bien. Incorporez la chapelure. Lavez, essuyez et hachez
finement l'équivalent de 2 ou 3 cuillerées à soupe de persil. Mélangez-
le au beurre. Ne salez pas mais
poivrez généreusement.
4 Couvrez de gros sel la lèchefrite
du four ou un plat à gratin. Ouvrez
les huîtres en veillant à ce qu'elles
gardent leur eau et sectionnez leur
point d'attache, éliminez la partie

plate de la coquille. Enfoncez les
huîtres dans le gros sel pour les
caler et recouvrez-les de beurre
à la chapelure.
5 Faites dorer 1 à 2 minutes sous
le gril : le beurre doit faire des
bulles et dorer légèrement. Attention à ne pas laisser les huîtres trop
longtemps sous le gril car elles
deviennent rapidement caoutchou-
teuses. Servez aussitôt.

*VALEUR NUTRITIONNELLE PAR PERSONNE
Calories : 141. Glucides : 7 g (sucres : 0,3 g).
Protéines : 4 g. Lipides : 11 g (acides gras
saturés : 7 g). Riche en vitamines B et E
et en zinc.*

CREVETTES AU PIMENT ET AUX MANGUES

*La mangue et l'oignon vert, épicés de piment rouge et de gingembre frais,
donnent un caractère aigre-doux à ce plat de crevettes sautées.*

TEMPS : 30 MINUTES – 4 PERSONNES

20 grosses crevettes décortiquées
3-4 oignons verts
2,5 cm (1 po) de racine de gingembre frais
1 gousse d'ail
1 petit piment rouge frais
2 mangues
2 c. à thé de concentré de tomates
1 c. à soupe de sauce soja
2 c. à soupe de xérès
½ c. à thé d'huile de sésame
4 à 6 feuilles de salade frisée ou feuille de chêne
2 c. à soupe d'huile d'arachide
Sel et poivre noir

1   Faites une entaille profonde le long du dos des crevettes. Retirez-en le boyau noir.

2   Épluchez, lavez et essuyez les oignons verts. Taillez les oignons et leur tige en biseau. Pelez et râpez le gingembre. Pelez et écrasez l'ail. Lavez le piment, ouvrez-le en deux, épépinez-le et émincez-le. Mélangez tous ces ingrédients dans un récipient.

3   Pelez les mangues, séparez la pulpe des pépins ; taillez la chair en tranches de 5 mm (¼ po) d'épaisseur.

4   Mélangez dans un bol le concentré de tomates, la sauce soja, le xérès et l'huile de sésame.

5   Lavez les feuilles de salade. Disposez-les dans des assiettes.

6   Faites chauffer l'huile d'arachide dans un wok ou une grande poêle. Jetez-y les oignons, faites revenir 1 minute, puis ajoutez les crevettes et la mangue. Faites revenir 3 minutes, environ, en remuant.

7   Incorporez ensuite la sauce au concentré de tomates. Portez à ébullition. Salez et poivrez légèrement. Disposez dans les assiettes garnies de salade et servez.

VALEUR NUTRITIONNELLE PAR PERSONNE
Calories : 198. Glucides : 21 g (sucres : 20 g).
Protéines : 13 g. Lipides : 7 g (acides gras saturés : 1 g). Riche en vitamines A, B, C et E.

TARTINES DE CAMEMBERT AUX CANNEBERGES

Voici une entrée originale : des tranches de pain de campagne grillées, aromatisées d'herbes fraîches et recouvertes de camembert. Vous la proposerez avec une salade verte et une sauce aux canneberges très acidulée.

TEMPS : 25 MINUTES – 4 PERSONNES

175 g (½ paquet) de canneberges fraîches ou surgelées
40 g (¼ tasse) de cassonade
1 petite orange
2 ou 3 branches de persil plat
Un petit bouquet de ciboulette
3 branches de thym frais
1 petite gousse d'ail
2 c. à soupe d'huile d'olive
Poivre noir
1 pain de campagne
1 camembert ferme, fait à point
Quelques feuilles de salade frisée et des petits bouquets de cresson

1 Faites chauffer le gril. Équeutez s'il y a lieu les canneberges, puis mettez-les dans une petite casserole avec la cassonade et une cuillerée à soupe d'eau.

2 Brossez l'orange sous l'eau chaude. Râpez son zeste au-dessus de la casserole. Couvrez et faites cuire 8 à 10 minutes sur feu modéré : les canneberges doivent être tendres, leur jus un peu épais. Retirez alors du feu et tenez au chaud.

3 Pendant ce temps, lavez et essuyez le persil, la ciboulette et le thym. Hachez le persil et la ciboulette. Détachez les feuilles des branches de thym. Mettez les herbes dans une assiette. Pelez l'ail et écrasez-le au-dessus des herbes. Ajoutez l'huile d'olive. Poivrez largement. Mélangez bien.

4 Taillez dans le pain 4 tranches épaisses. Passez-les dans le mélange aux herbes, des deux côtés, puis posez-les sur la grille du four.

5 Retirez un peu de croûte du camembert, puis coupez-le en 8 tranches que vous passerez dans le reste du mélange aux herbes.

6 Faites légèrement griller les tranches de pain d'un côté, puis retournez-les et recouvrez chacune d'elles avec 2 tranches de camembert. Faites griller jusqu'à ce que le

fromage commence à couler le long de la croûte du pain.

7 Pendant ce temps, lavez et essuyez les feuilles de salade. Disposez-les dans des assiettes.

8 Placez les tartines de camembert au centre des assiettes, nappez de sauce aux canneberges et servez.

VARIANTE
Vous pouvez remplacer les canneberges fraîches par de la purée de canneberges en conserve.

VALEUR NUTRITIONNELLE PAR PERSONNE
Calories : 225. Glucides : 18 g (sucres : 13 g). Protéines : 11 g. Lipides : 15 g (acides gras saturés : 7 g). Riche en vitamines B et E.

CONSEILS ET IDÉES PRATIQUES

Mouillez la lame du couteau avant de tailler le camembert en tranches : cela facilitera l'opération et empêchera le fromage de coller à la lame.

FROMAGE DE CHÈVRE À LA ROQUETTE

*Dans cette salade, le fromage de chèvre fondu se présente sur un lit de bacon et de roquette
parfumé d'une vinaigrette à l'ail et à la moutarde à l'ancienne.*

TEMPS : 20 MINUTES – 4 PERSONNES

250 g (½ lb) de bacon
1 c. à soupe d'huile
2 petits fromages de chèvre ronds peu affinés (200 g / ½ lb au total)
1 botte de roquette ou de cresson

Pour la vinaigrette :

1 gousse d'ail
1 c. à thé de moutarde à l'ancienne
2 c. à thé de vinaigre de vin blanc
2 c. à soupe d'huile d'olive vierge extra
Sel et poivre noir

1 Préchauffez le four à 240 °C (475 °F). Retirez la couenne du bacon et coupez-le en dés. Faites chauffer l'huile. Jetez-y le bacon, faites-le frire, puis égouttez-le et épongez-le sur du papier absorbant.

2 Préparez la vinaigrette : pelez l'ail et écrasez-le au-dessus d'un bol. Incorporez-y la moutarde, le vinaigre et l'huile d'olive. Salez et poivrez.

3 Tapissez une tôle à pâtisserie de papier sulfurisé. Coupez les fromages de chèvre en deux, dans l'épaisseur, et déposez-les sur le papier. Faites fondre au four pendant 5 minutes : le fromage doit être grillé en surface.

4 Lavez la salade. Mélangez-la avec le bacon et la vinaigrette. Répartissez dans 4 assiettes. Disposez un demi-fromage au centre et servez.

VARIANTE
Vous pouvez remplacer le bacon par des pignons de pin ou des amandes grillées.

VALEUR NUTRITIONNELLE PAR PERSONNE
*Calories : 333. Glucides : 2 g (sucres : 1 g).
Protéines : 17 g. Lipides : 29 g (acides gras
saturés : 11 g). Riche en vitamines A, B, C et E.*

FEUILLETÉS À L'OIGNON ET À L'ÉCHALOTE

L'oignon rouge et l'échalote se prêtent particulièrement bien à la cuisson au four rapide, qui ne leur enlève rien de leur saveur, ni de leur croquant.

TEMPS : 30 MINUTES – 4 PERSONNES

2 petits oignons rouges
4 grosses échalotes
250 g (½ lb) de pâte feuilletée
1 œuf
12 brins de thym frais
4 c. à soupe d'huile d'olive
Sel et poivre noir

Pour la salade :

80 g (½ tasse, bien tassée) de jeunes pousses d'épinards
1 botte de cresson
25 g (1 oz) de cerneaux de noix
40 g (1½ oz) de roquefort
3 c. à soupe de crème épaisse
1 c. à soupe d'huile de noix
1 c. à thé de vinaigre de xérès

VITE FAIT, BIEN FAIT !

Utilisez une cuillère en bois solide pour écraser le fromage et le mélanger à la crème. Vous irez plus vite !

1 Préchauffez le four à 220 °C (425 °F). Pelez les oignons et émincez-les finement. Pelez les échalotes et coupez-les en quatre.

2 Farinez légèrement le plan de travail. Coupez la pâte feuilletée en deux et étalez les 2 morceaux en rectangles de 30 × 15 cm (12 × 6 po). Avec un bol, découpez dans chacun d'eux 2 cercles de 15 cm (6 po) de diamètre. Posez les 4 cercles obtenus sur une grande tôle à pâtisserie.

3 Battez l'œuf à la fourchette et badigeonnez-en les cercles de pâte, sans en faire couler sur la tôle.

4 Disposez le quart des oignons et des échalotes au centre de chaque cercle, en laissant autour une marge de 2 cm (¾ po). Placez 3 brins de thym sur chaque feuilleté.

5 Badigeonnez légèrement la garniture d'huile d'olive. Salez et poivrez. Faites cuire au four pendant 20 minutes, environ : les feuilletés doivent être gonflés et dorés.

6 Pendant ce temps, préparez la salade : équeutez, lavez et essuyez les épinards et le cresson. Mettez-les dans un saladier. Hachez grossièrement les noix. Ajoutez-les à la salade.

7 Mettez le fromage dans un bol. Ajoutez la crème épaisse et écrasez l'ensemble (voir l'encadré ci-dessus). Incorporez alors en fouettant l'huile de noix et le vinaigre de xérès. Salez éventuellement (goûtez car le fromage est déjà salé). Poivrez. Versez la sauce sur la salade et mélangez délicatement.

8 Dès que les feuilletés sont cuits, déposez-les dans des assiettes et servez avec la salade.

VARIANTE
Pour donner à la sauce une saveur plus douce, vous pouvez remplacer le roquefort par d'autres fromages tels que le saint-agur, le gorgonzola ou du bleu danois.

VALEUR NUTRITIONNELLE PAR PERSONNE
Calories : 571. Glucides : 28 g (sucres : 4 g). Protéines : 11 g. Lipides : 47 g (acides gras saturés : 10 g). Riche en vitamines A, B, C, E et en folates et calcium.

ŒUFS BROUILLÉS À L'INDIENNE

*Voici une variante pleine de caractère des œufs brouillés,
relevés ici d'herbes et d'épices orientales et garnis d'oignons frits croustillants.*

TEMPS : 25 MINUTES – 2 PERSONNES

Huile à friture
1 oignon
50 g (3 c. à soupe) de beurre
2,5 cm (1 po) de racine de gingembre
1 piment vert
Un petit bouquet de coriandre
4 gros œufs
1 c. à thé de curcuma
Sel et poivre

Pour servir : poppadoms ou pains
naans et chutney à la mangue

1 Faites chauffer 5 cm (2 po) d'huile dans une petite casserole. Pelez l'oignon et coupez-le en deux dans sa longueur. Émincez en rondelles fines et faites-en frire la moitié sur feu moyen. Dès que les rondelles sont dorées, égouttez-les et épongez-les sur du papier absorbant.

2 Faites fondre le beurre dans une autre petite casserole. Faites revenir le reste d'oignon dans le beurre, sur feu doux, 6 à 7 minutes, en remuant souvent.

3 Pendant ce temps, pelez et râpez le gingembre. Lavez, coupez en deux et épépinez le piment. Hachez-le finement. Mêlez ces ingrédients à l'oignon fondu, faites cuire 1 minute, puis retirez du feu.

4 Faites réchauffer les pains naans au four. Lavez et ciselez l'équivalent de 2 cuillerées à soupe de coriandre.

5 Cassez les œufs dans un saladier. Ajoutez-y le curcuma. Salez, poivrez et battez légèrement. Versez dans la fondue d'oignon en remuant et faites épaissir sur feu très doux en remuant, sans laisser sécher.

6 Incorporez alors la coriandre, parsemez d'oignon frit et servez avec les poppadoms ou les pains naans et du chutney à la mangue.

VALEUR NUTRITIONNELLE PAR PERSONNE
*Calories : 666. Glucides : 15 g (sucres : 4 g).
Protéines : 23 g. Lipides : 58 g (acides gras
saturés : 20 g). Riche en vitamines A, B, E
et en folates, fer et zinc.*

GALETTES AU SAUMON FUMÉ

Relevée d'oignon, façonnée en galettes croustillantes et garnie de crème et de lanières de saumon fumé, la modeste pomme de terre se métamorphose en entrée raffinée.

TEMPS : 30 MINUTES – 4/6 PERSONNES
(12 GALETTES)

500 g (1 lb) de pommes de terre à chair farineuse (Î.-P.-É.)
1 oignon de taille moyenne
1 gros œuf
2 c. à soupe de farine
Sel et poivre noir
Huile de tournesol pour friture
200 g (7 oz) de saumon fumé
150 ml (²/₃ tasse) de crème sure
Pour garnir : brins d'aneth frais

1 Préchauffez le four à faible température. Pelez, lavez et râpez les pommes de terre. Pelez et hachez l'oignon. Versez le tout dans une passoire et pressez avec une cuillère pour extraire le liquide.

2 Versez dans un saladier, ajoutez l'œuf et la farine, salez et poivrez, puis mélangez bien.

3 Versez une hauteur de 8 mm (³/₈ po), environ, d'huile dans une poêle. Faites chauffer jusqu'à ce que l'huile grésille.

4 Versez une cuillerée de préparation dans l'huile. Aplatissez-la en galette de 5 cm (2 po) de diamètre. Ajoutez de quoi faire cuire 4 à 6 galettes en même temps. Laissez frire 1 minute, environ. Dès que le dessous est doré, retournez et faites frire jusqu'à obtention de galettes croustillantes, mais tendres à cœur.

5 Égouttez les galettes et épongez-les sur du papier absorbant ; tenez-les au chaud dans le four.

6 Taillez le saumon en lanières fines. Lavez et essuyez l'aneth. Garnissez chaque galette d'une cuillerée de crème sure et de lanières de saumon. Décorez avec les brins d'aneth.

VALEUR NUTRITIONNELLE PAR PERSONNE (EN COMPTANT 4 PERSONNES) Calories : 342. Glucides : 28 g (sucres : 4 g). Protéines : 20 g. Lipides : 18 g (acides gras saturés : 6 g). Riche en vitamines B, C, E et en folates et sélénium.

CONSEILS ET IDÉES PRATIQUES

Employez de préférence des chutes de saumon : elles sont moins onéreuses et vous éviteront le temps de découpage.

ŒUFS BÉNÉDICTINE EXPRESS

*Un simple mélange de mayonnaise, de crème épaisse, de sauce au raifort
et de fines herbes remplace avec bonheur la sauce hollandaise de la recette originale.*

TEMPS : 25 MINUTES – 4 PERSONNES

Quelques brins de basilic,
de ciboulette, de persil et de thym

125 ml (½ tasse) de crème épaisse

125 ml (½ tasse) de mayonnaise

1 c. à thé de raifort en pot

2 petits pains ronds
ou 2 muffins anglais

2 tranches épaisses
de jambon à l'os

4 gros œufs

Sel et poivre noir

1 Faites chauffer le gril. Lavez, essuyez et hachez les herbes. Réservez le persil pour décorer.
2 Versez le reste des herbes dans une casserole. Ajoutez la crème, la mayonnaise et le raifort. Faites chauffer sur feu doux, sans laisser bouillir. Retirez du feu, couvrez et tenez au chaud.
3 Coupez les petits pains ou les muffins en deux. Faites-les dorer des 2 côtés sous le gril. Éteignez le gril, posez ½ tranche de jambon sur

chaque demi-pain et laissez réchauffer sous le gril encore chaud.
4 Faites bouillir de l'eau dans une grande casserole. Ajoutez une cuillerée de vinaigre ordinaire. Réduisez le feu pour laisser juste frémir. Cassez les œufs un par un dans une tasse, faites-les glisser délicatement dans l'eau et laissez pocher 3 minutes. Dès que le blanc est cuit, sortez les œufs avec une écumoire et posez-les sur du papier absorbant.

5 Placez chaque demi-pain dans
une assiette. Disposez un œuf poché
dessus. Nappez de sauce. Salez et
poivrez. Garnissez de persil haché.

VALEUR NUTRITIONNELLE PAR PERSONNE
*Calories : 638. Glucides : 21 g (sucres : 2 g).
Protéines : 23 g. Lipides : 52 g (acides gras
saturés : 17 g). Riche en vitamines A, B, E
et en sélénium.*

PÂTÉ AUX FROMAGES

*Le mélange fromage de chèvre-bleu agrémenté d'herbes fraîches et de
xérès donne une délicieuse pâte crémeuse à servir avec différents pains.*

TEMPS : 10 MINUTES – 4 PERSONNES

75 g (2¾ oz) de fromage de chèvre
ou de brebis sec

75 g (2¾ oz) de fromage à pâte
persillée (roquefort, gorgonzola, etc.)

Un petit bouquet de ciboulette

6 feuilles de sauge fraîche

1 gousse d'ail

3 à 4 c. à soupe de xérès doux

Pour servir : **pains divers,
crackers, gressins**

1 Retirez la croûte des fromages.
Équeutez, lavez et essuyez la
ciboulette et la sauge. Épluchez l'ail.
Mettez tous ces éléments dans le
robot culinaire et réduisez-les
en pâte.

2 Ajoutez peu à peu le xérès, et
mélangez à nouveau, puis transférez
dans un récipient creux. Si vous ne
servez pas immédiatement, couvrez
de film plastique et réservez au
frais, mais hors du réfrigérateur.

VARIANTE
Variez les sortes de fromages et les
fines herbes ou remplacez le xérès
par du cognac.

VALEUR NUTRITIONNELLE PAR PERSONNE
*Calories : 171. Glucides : 2 g (sucres : 1 g).
Protéines : 9 g. Lipides : 13 g (acides gras
saturés : 8 g). Riche en vitamine E.*

CAVIAR D'AUBERGINE

*Cette préparation bien relevée et à saveur fumée se sert
en entrée ou pour un repas rapide.*

2 c. à soupe d'huile d'olive
1 oignon moyen
1 grosse aubergine à chair ferme
10 tomates séchées
6 petits cornichons surs
3 gousses d'ail
Quelques brins de thym frais
Quelques brins de persil
1 c. à thé de moutarde à l'ancienne
1 c. à thé de vinaigre balsamique
2 c. à thé de câpres
Une baguette
Sel et poivre

1 Faites chauffer l'huile sur feu doux. Pelez et hachez l'oignon. Faites-le fondre 5 minutes dans l'huile.

2 Lavez l'aubergine et taillez-la en cubes de 1 cm (½ po) de côté. Ajoutez à l'oignon. Faites cuire 8 à 10 minutes sur feu doux en remuant : l'aubergine doit être tendre.

3 Hachez les tomates et les cornichons. Mêlez-les à l'aubergine. Épluchez l'ail et écrasez-le au-dessus de la préparation.

4 Lavez le thym et le persil. Hachez les feuilles. Réservez-en un peu pour décorer. Ajoutez le reste à la préparation, ainsi que la moutarde, le vinaigre et les câpres. Faites frémir 5 minutes en remuant souvent.

5 Salez et poivrez la préparation. Passez-la au mélangeur ou écrasez-la à la fourchette.

6 Répartissez dans les assiettes, parsemez avec les herbes réservées et servez avec des tranches de baguette grillée.

*VALEUR NUTRITIONNELLE PAR PERSONNE
Calories : 357. Glucides : 55 g (sucres : 8 g).
Protéines : 10 g. Lipides : 12 g (acides gras
saturés : 1 g). Riche en vitamines B, C, E
et en sélénium.*

CONSEILS ET IDÉES PRATIQUES

*Cette entrée est aussi bonne froide que
chaude. Vous pouvez la préparer à
l'avance et la servir très fraîche ou la
faire réchauffer juste avant de servir.*

BRUSCHETTA DE LÉGUMES GRILLÉS

*Le gril exalte la saveur douce des divers légumes méditerranéens que l'on présente
sur du pain croustillant frotté d'ail et de tomate pour relever l'ensemble.*

TEMPS : **30 MINUTES – 4 PERSONNES**

1 poivron rouge moyen
1 poivron jaune moyen
2 petites courgettes
1 bulbe de fenouil moyen
1 oignon rouge
5 c. à soupe d'huile d'olive
2 gousses d'ail
1 petite tomate
½ pain ou une baguette
Sel et poivre noir
6 grandes feuilles de basilic

1 Préchauffez le gril au maximum.
Lavez les poivrons, les courgettes et
le fenouil. Taillez les poivrons en
huit dans le sens de la longueur,
retirez le pédoncule et les graines.

Équeutez les courgettes et coupez-
les en rondelles, en diagonale.
Épluchez le fenouil et coupez-le en
lamelles. Pelez l'oignon, taillez-le
en tranches et défaites les anneaux.
2 Disposez les légumes sur la
grille du four, sur une seule couche,
peau des poivrons contre la grille.
Badigeonnez d'huile et faites griller
d'un seul côté à 10 cm (4 po) de la
source de chaleur : les légumes
doivent être colorés, mais fermes.
3 Épluchez les gousses d'ail et
coupez-les en deux. Coupez la
tomate en deux. Fendez le pain dans
sa longueur, recoupez en morceaux
et faites griller des 2 côtés.
4 Frottez le côté mie des tranches
de pain avec l'ail et la tomate.

Recouvrez avec les légumes grillés.
Arrosez avec le reste de l'huile.
Salez et poivrez. Lavez le basilic
et ciselez-le au-dessus de la
bruschetta.

VALEUR NUTRITIONNELLE PAR PERSONNE
*Calories : 224. Glucides : 26 g (sucres : 10 g).
Protéines : 11 g. Lipides : 16 g (acides gras
saturés : 2 g). Riche en vitamines A, B, C, E
et en folates.*

Garnitures de Sandwiches

*Grâce à toutes les variétés de pains aujourd'hui disponibles,
il suffit d'un brin d'imagination et de bonnes garnitures
pour préparer une infinité de délicieux sandwiches.*

Nutritionnistes et diététistes sont d'accord : le pain doit retrouver une place honorable dans nos menus quotidiens. Pourquoi, donc, lorsque nous sommes pressés, ne pas succomber au charme des sandwiches ? Traditionnels, bien sûr, avec du jambon ou du gruyère, de la laitue et de la moutarde ; de la viande froide, du concombre et des cornichons ; des œufs durs et du cresson ; ou encore du bacon, de la laitue et des tomates. Mais la tradition n'empêche pas les innovations : remplacez, par exemple, le beurre ou la mayonnaise par de la moutarde douce, du pesto, de la tapenade ou encore d'exotiques chutneys. Utilisez de la baguette fraîche, mais aussi du pain de blé entier, des petits pains italiens ou, pourquoi pas, des pitas. Vous trouverez ci-dessous 6 garnitures originales pour transformer des sandwiches en véritables gourmandises.

Saumon fumé, concombre et fromage frais

Ouvrez un petit pain et faites-le griller une minute de chaque côté. Étalez du fromage frais sur une face, disposez dessus des tranches de saumon fumé se chevauchant, recouvrez de tranches de concombre très fines et parsemez d'aneth ciselé. Poivrez et refermez le sandwich.

Dinde, avocat et pesto

Fendez 4 croissants et tartinez de pesto les 2 faces. Disposez sur la partie inférieure des lamelles d'avocat. Recouvrez avec de très fines tranches de dinde repliées. Garnissez avec quelques lanières de tomates séchées. Salez et poivrez légèrement, refermez le croissant.

Brie et raisin frais

Coupez une baguette en 2 ou 3 morceaux, puis fendez-les dans la longueur sans les détacher entièrement. Coupez du brie à point en lamelles fines. Étalez grossièrement sur la partie inférieure des morceaux de pain. Parsemez de poivre noir. Ajoutez des grains de raisin noir ou blanc coupés en deux et épépinés.

Beurre d'arachide aux canneberges

Tartinez largement de beurre d'arachide 2 tranches épaisses de pain de blé entier. Recouvrez l'une des tranches d'un peu de gelée de canneberge ou de groseille. Ajoutez une couche épaisse de laitue coupée en lanières mêlée à du céleri émincé. Salez et poivrez. Recouvrez avec la seconde tranche de pain.

Houmous et dattes fraîches

Faites légèrement griller un pita des 2 côtés, puis fendez-le à moitié. Tartinez l'intérieur avec de l'houmous (purée de pois chiches), ajoutez 4 ou 5 dattes fraîches coupées en deux et dénoyautées, puis de la coriandre ciselée.

Purée de framboises et de bananes

Enfin, essayez un sandwich-dessert : faites griller des tranches de brioche et recouvrez-les de banane écrasée avec quelques framboises (fraîches ou surgelées).

GARNITURES DE SANDWICHES FRUITÉES :
BRIE ET RAISIN FRAIS *(à gauche)* ; BEURRE
D'ARACHIDE AUX CANNEBERGES *(au centre)* ;
HOUMOUS ET DATTES FRAÎCHES *(à droite)* ;
DINDE, AVOCAT ET PESTO *(en bas, à gauche)*.

BOULETTES DU PENDJAB

En Inde, ces boulettes de pommes de terre, « aloo tiki », sont servies chaudes ou froides à l'heure du thé avec du chutney à la menthe, du ketchup ou un condiment sucré au tamarin.

TEMPS : 30 MINUTES – 8 BOULETTES

500 g (1 lb) de pommes de terre
Sel
1 oignon moyen
¼ c. à thé de chili en poudre
1 c. à thé de garam masala
½ citron
Une poignée de coriandre fraîche
3 c. à soupe d'huile
15 g (1 c. à soupe) de beurre

1 Pelez les pommes de terre, coupez-les en dés et mettez-les dans une casserole d'eau froide salée et faites bouillir 10 minutes : les pommes de terre doivent être tendres sans se défaire.

2 Épluchez l'oignon et râpez-le au-dessus d'un linge. Pressez pour extraire le jus, puis mettez dans un saladier. Ajoutez le chili, le garam masala et une pincée de sel.

3 Pressez le demi-citron. Lavez et essuyez la coriandre. Hachez-en une partie. Ajoutez-la à l'oignon avec 2 cuillerées à thé de jus de citron.

4 Ajoutez les pommes de terre à la préparation et écrasez l'ensemble. Façonnez 8 boulettes aplaties d'environ 5 cm (2 po) de diamètre.

5 Faites chauffer l'huile et le beurre dans une grande poêle. Quand le mélange grésille, faites-y frire les boulettes 2 à 3 minutes de chaque côté.

6 Dès que les boulettes sont dorées, épongez-les sur du papier absorbant. Servez le plat chaud, décoré de coriandre, avec du chutney ou du ketchup ou laissez refroidir.

VALEUR NUTRITIONNELLE POUR 2 BOULETTES
Calories : 194. Glucides : 21 g (sucres : 3 g). Protéines : 3 g. Lipides : 12 g (acides gras saturés : 3 g). Riche en vitamines B et C.

CONSEILS ET IDÉES PRATIQUES
Vous pouvez préparer ces boulettes de pommes de terre à l'avance et les garder dans le réfrigérateur jusqu'au moment de la cuisson.

CROÛTONS AU FROMAGE DE CHÈVRE

Ces croûtons grillés recouverts de pesto rouge et de fromage de chèvre fondu seront délicieux avec une salade de tomates fraîches et de tomates séchées.

TEMPS : 15 MINUTES – 4 PERSONNES

---

6 à 8 petites tomates

12 tomates séchées à l'huile

3 c. à soupe d'huile d'olive vierge extra

1 c. à soupe de vinaigre balsamique

Sel et poivre noir

Une baguette

4 à 5 c. à soupe de pesto rouge ou 2 c. à soupe de moutarde à l'ancienne

175 g (6 oz) de fromage de chèvre frais

---

1 Préchauffez le gril au maximum. Coupez les tomates fraîches en rondelles fines et disposez-les dans 4 assiettes. Égouttez les tomates séchées et ciselez-les au-dessus des précédentes.

2 Arrosez avec l'huile et le vinaigre. Salez et poivrez.

3 Taillez en diagonale 12 tranches de baguette de 2,5 cm (1 po), environ. Tartinez de pesto ou de moutarde, recouvrez d'une cuillerée à soupe de chèvre et poivrez.

4 Placez les croûtons sous le gril pendant 1 à 2 minutes, pour que le fromage fonde très légèrement.

5 Disposez 3 croûtons garnis dans chaque assiette et servez.

VALEUR NUTRITIONNELLE PAR PERSONNE
Calories : 567. Glucides : 27 g (sucres : 6 g). Protéines : 17 g. Lipides : 44 g (acides gras saturés : 11 g). Riche en vitamines A, B, C et E.

CONSEILS ET IDÉES PRATIQUES

Préparez les croûtons à l'avance, conservez-les dans le réfrigérateur et faites-les griller juste avant de servir.

TROIS ENTRÉES FACILES

CRÈME D'AVOCAT AU CRESSON

Cette crème, où le piquant du cresson équilibre la douceur de l'avocat, se consomme avec une salade verte et du pain grillé.

TEMPS : 18 MINUTES – 4 PERSONNES

Un bouquet de cresson
Quelques brins de persil
Quelques oignons verts
1 gousse d'ail
1 citron
Quelques feuilles de basilic
4 c. à soupe d'huile d'olive
Sel et poivre noir
2 gros avocats
1 c. à soupe de poivre vert en saumure

1 Détachez les feuilles des tiges de cresson et des brins de persil, lavez-les et essuyez-les.
2 Lavez les oignons verts et hachez la partie verte en réservant le blanc pour un autre plat. Passez ce hachis au robot culinaire avec le cresson et le persil.
3 Pelez l'ail. Écrasez-le au-dessus des herbes. Brossez le citron sous l'eau chaude, râpez son zeste et pressez sa pulpe. Ajoutez le zeste et le jus à la préparation. Lavez et essuyez le basilic, réservez quelques feuilles pour la décoration, hachez le reste et ajoutez-le, avec l'huile d'olive, à la préparation. Salez et poivrez.
4 Coupez les avocats en deux et dénoyautez-les. Évidez-les sans abîmer les écorces. Passez la pulpe au robot avec les autres éléments jusqu'à obtention d'une crème lisse.
5 Remplissez les écorces avec la crème, parsemez de grains de poivre vert égoutté et des feuilles de basilic réservées et servez.

VALEUR NUTRITIONNELLE PAR PERSONNE
Calories : 321. Glucides : 2 g (sucres : 1 g). Protéines : 3 g. Lipides : 33 g (acides gras saturés : 6 g). Riche en vitamines B, C et E.

CRÊPES AUX POIS CHICHES ET TREMPETTE AUX HERBES

Ces petites crêpes parfumées à la farine de pois chiches et servies avec une trempette aux herbes fraîches offrent une entrée très originale.

TEMPS : 30 MINUTES – 4 PERSONNES

Pour la trempette :

Quelques branches de basilic, de ciboulette, d'aneth et/ou de persil
200 ml (¾ tasse) de crème épaisse
½ citron
1 petite gousse d'ail
Sel et poivre

Pour les crêpes :

115 g (½ tasse) de farine de pois chiches (gram) ou d'autres féculents
115 g (½ tasse) de farine ordinaire
2 c. à soupe d'huile d'olive
400 ml (1⅔ tasse) d'eau tiède

1 Préparez la trempette : lavez, essuyez et hachez l'équivalent de 4 cuillerées à soupe d'herbes. Mettez-les dans un bol avec la crème et 1 cuillerée à soupe de jus de citron. Pelez l'ail et écrasez-le au-dessus, salez, poivrez, mélangez.
2 Tamisez les farines au-dessus d'un bol. Incorporez peu à peu l'huile et l'eau. Fouettez bien. Versez dans une tasse à mesurer.
3 Posez sur feu vif une poêle antiadhésive de 15 cm (6 po) de diamètre. Versez-y 50 ml (¼ tasse) de pâte, en tournant la poêle pour recouvrir uniformément le fond. Faites dorer la crêpe 30 secondes, retournez-la et faites-la cuire 15 secondes encore.
4 Faites glisser la crêpe sur une assiette et roulez-la. Tenez-la au chaud pendant que vous faites cuire les autres, puis coupez-les en deux et servez avec la trempette.

VALEUR NUTRITIONNELLE PAR PERSONNE
Calories : 429. Glucides : 38 g (sucres : 3 g). Protéines : 10 g. Lipides : 27 g (acides gras saturés : 14 g). Riche en vitamines B et E.

RILLETTES DE SAUMON

Le Tabasco donne un véritable coup de fouet à ce pâté crêmeux à servir en entrée ou en garniture d'un succulent sandwich.

TEMPS : 30 MINUTES – 4 PERSONNES

Un petit bouquet de ciboulette
Un petit bouquet d'aneth
Un petit bouquet de persil
1 boîte (418 g / 14½ oz) de saumon
1 paquet de 125 g (4½ oz) de fromage à la crème
1 citron
1 c. à thé de Tabasco
Sel et poivre noir

Pour servir : pain de blé entier grillé ou craquelins

1 Lavez, essuyez, hachez et mélangez la ciboulette, l'aneth et le persil.
2 Égouttez le saumon. Retirez la peau et les arêtes éventuelles. Versez la chair dans un saladier et incorporez-y le fromage à la crème.
3 Pressez le citron. Ajoutez son jus peu à peu à la préparation jusqu'à ce que son acidité vous convienne. Ajoutez le Tabasco et les herbes hachées. Écrasez au mélangeur à main, au moulin à légumes ou à la cuillère en bois jusqu'à obtention d'une purée lisse.
4 Assaisonnez de sel, de poivre et, éventuellement, de jus de citron, puis versez dans un récipient creux ou des ramequins et mettez 15 minutes au réfrigérateur. Servez avec le pain de votre choix.

VALEUR NUTRITIONNELLE PAR PERSONNE
Calories : 362. Glucides : 16 g (sucres : 2 g). Protéines : 22 g. Lipides : 24 g (acides gras saturés : 12 g). Riche en vitamines A, B, E et en sélénium.

TROIS ENTRÉES CRÉMEUSES :
CRÈME D'AVOCAT AU CRESSON *(en haut, à gauche)* ; RILLETTES DE SAUMON *(au centre)* ; CRÊPES AUX POIS CHICHES ET TREMPETTE AUX HERBES *(en bas)*.

GALETTES DE MAÏS ET SALADE À L'AVOCAT

*Les galettes de maïs, relevées de Tabasco, sont servies chaudes
avec une salade à l'avocat et au poivron et une sauce fraîche à l'aneth.*

TEMPS : 30 MINUTES – 4 PERSONNES

1 boîte (199 ml / 7 oz) de maïs à grains entiers
100 ml (½ tasse) de lait
Sel et poivre noir
Quelques gouttes de Tabasco
1 laitue iceberg moyenne
2 avocats
1 poivron jaune
4 c. à soupe d'huile d'olive
1 c. à soupe de vinaigre de vin
100 g (¾ tasse) de farine préparée
2 gros œufs
2 à 3 c. à soupe d'huile d'arachide

Pour la sauce :

3 oignons verts
4 ou 5 brins d'aneth
150 ml (⅔ tasse) de crème épaisse
Sel et poivre noir

1 Égouttez le maïs. Mélangez le lait et le Tabasco dans un bol. Salez et poivrez.

2 Préparez la sauce : épluchez, lavez et hachez finement les oignons verts (y compris les tiges). Lavez l'aneth. Réservez-en un brin pour décorer et ciselez le reste. Mélangez la crème avec les oignons et l'aneth. Salez et poivrez.

3 Lavez et épongez la laitue et mettez-la dans un saladier. Pelez et émincez les avocats. Épépinez et émincez le poivron. Ajoutez à la salade. Mélangez l'huile d'olive et le vinaigre. Salez et poivrez. Versez sur la salade et mélangez délicatement.

4 Versez la farine dans un bol de bonne taille. Creusez un puits au centre. Cassez-y les œufs. Versez le lait assaisonné en remuant pour obtenir une pâte lisse, puis incorporez le maïs.

5 Posez 2 poêles sur le feu. Faites chauffer une bonne cuillerée à soupe d'huile d'arachide dans chacune d'elles, puis versez-y 6 cuillerées à soupe de pâte. Faites cuire 4 à 5 minutes. Quand les 12 galettes sont dorées et saisies tout autour, retournez-les et faites revenir encore 1 à 2 minutes.

6 Répartissez la salade dans des assiettes. Égouttez les galettes et disposez-en 3 dans chaque assiette. Garnissez avec l'aneth réservé et servez la sauce à part.

VALEUR NUTRITIONNELLE PAR PERSONNE
Calories : 667. Glucides : 40 g (sucres : 12 g). Protéines : 13 g. Lipides : 52 g (acides gras saturés : 13 g). Riche en vitamines A, B, C, E et en folates et calcium.

TARTINES À LA POMME ET AU FROMAGE

*Utilisez des tranches épaisses de pain de blé entier pour ces rôties
dont la garniture de fromage fondu repose sur un lit de pomme.*

TEMPS : 15 MINUTES – 4 PERSONNES

| 1 grosse pomme rouge |
| 4 tranches épaisses de pain de blé entier |
| 150 g (5 oz) d'emmental ou de cheddar |
| Beurre pour tartiner |
| 8 feuilles de sauge |
| Poivre noir |

1 Préchauffez le gril. Lavez les pommes, coupez-les, épépinez-les et taillez-les en tranches fines.

2 Faites griller les tranches de pain sous le gril, d'un seul côté. Émincez ou râpez le fromage.

3 Retournez les tranches de pain et tartinez de beurre le côté non grillé. Disposez dessus les tranches de pomme et recouvrez de fromage. Faites griller 4 à 5 minutes : le fromage doit être fondu et la pomme chaude jusqu'au centre.

4 Pendant ce temps, lavez et hachez la sauge. Quand les rôties sont prêtes, parsemez-les de sauge et de poivre noir. Servez aussitôt.

*VALEUR NUTRITIONNELLE PAR PERSONNE
Calories : 357. Glucides : 26 g (sucres : 5 g).
Protéines : 14 g. Lipides : 23 g (acides gras
saturés : 14 g). Riche en vitamines A, B, E
et en calcium et sélénium.*

CONSEILS ET IDÉES PRATIQUES
*L'emmental et le cheddar fondent bien et
apportent une saveur de noisette, mais
vous pouvez aussi opter pour
un fromage aux noix ou du roquefort,
qui se marient bien avec la pomme.*

ŒUFS COCOTTE AU CRABE

Cuits au four dans des ramequins, ces œufs posés sur une couche de crabe parfumé de cognac constituent un en-cas simple et riche.

TEMPS : 25 MINUTES – 4 PERSONNES

Beurre pour graisser
2 boîtes de crabe de 120 g (4 oz)
4 c. à thé de cognac
4 gros œufs
Sel et poivre noir
4 c. à soupe de crème légère
Piment de Cayenne
Pour garnir : quelques brins de cerfeuil ou de persil
Pour servir : pain grillé et beurre

1 Préchauffez le four à 190 °C (375 °F). Beurrez 4 ramequins.

2 Répartissez la chair de crabe dans les 4 ramequins. Arrosez avec le cognac.

3 Cassez délicatement un œuf dans chaque ramequin. Salez et poivrez. Versez une cuillerée à soupe de crème autour de chaque jaune d'œuf. Saupoudrez légèrement de piment de Cayenne.

4 Posez les ramequins sur une plaque de cuisson et faites cuire au four pendant 10 à 15 minutes : les blancs doivent être pris mais les jaunes encore coulants.

5 Pendant cette cuisson, lavez, essuyez et hachez le cerfeuil ou le persil. Faites griller le pain et beurrez-le.

6 Servez les œufs chauds, dans leur cocotte, parsemés de cerfeuil ou de persil, avec le pain grillé beurré.

VARIANTE

Vous pouvez remplacer le crabe par du saumon fumé parfumé de xérès, ou encore utiliser 2 filets d'anchois hachés avec un peu de thym émietté et un soupçon de cognac.

VALEUR NUTRITIONNELLE PAR PERSONNE
Calories : 293. Glucides : 25 g (sucres : 2 g).
Protéines : 19 g. Lipides : 13 g (acides gras
saturés : 5 g). Riche en vitamines A, B, E et
en sélénium et zinc.

CONSEILS ET IDÉES PRATIQUES

Choisissez, si possible, un crabe de bonne qualité, ne comportant que peu de déchets.
Le cognac met remarquablement en valeur les plats à base de crustacés.

PIZZAS PITAS

*Si vous n'avez pas le temps de réaliser une pâte à pizza, essayez cette délicieuse version
à base de pita garni de tomate pimentée, de trois fromages et de divers légumes savoureux.*

TEMPS : 25 MINUTES – 2 PERSONNES

Huile pour graisser
2 pitas au blé entier
3 c. à soupe de ketchup
½ c. à thé de Tabasco
60 g (2 oz) chacun de mozzarella, de vieux cheddar et de pont-l'évêque ou de chaumes
1 oignon rouge
2 tomates moyennes
½ gros poivron rouge ou vert
1 gousse d'ail
1 c. à soupe d'huile d'olive
4 olives noires

Pour garnir : **quelques brins de marjolaine et de basilic frais, 25 g (2 c. à thé) de parmesan**

1 Préchauffez le four à 190 °C (375 °F). Huilez légèrement une tôle à pâtisserie. Fendez les pitas en deux avec un couteau tranchant et séparez les 2 moitiés.

2 Mélangez le ketchup avec le Tabasco. Badigeonnez-en les pains. Disposez sur la tôle huilée.

3 Râpez la mozzarella et le cheddar. Parsemez-en les pains.

4 Coupez le pont-l'évêque ou le chaumes en lamelles. Déposez-les sur le fromage râpé.

5 Pelez l'oignon et taillez-le en rondelles fines. Lavez et essuyez les tomates et le poivron. Coupez les tomates en tranches. Épépinez et émincez finement le poivron. Disposez oignon et tomates sur les fromages et parsemez de poivron.

6 Épluchez et écrasez l'ail. Mélangez-le avec l'huile d'olive. Aspergez-en les pizzas. Posez une olive au centre. Faites cuire dans le haut du four pendant 10 minutes.

7 Durant la cuisson, lavez et essuyez les herbes. Mettez les feuilles dans un bol. Ajoutez le parmesan râpé au-dessus du bol et mélangez.

8 Sortez les pizzas du four, parsemez avec le mélange d'herbes et de parmesan.

VARIANTE
Vous pouvez remplacer les pitas au blé entier, tendres, par des pitas blancs, plus croustillants.

VALEUR NUTRITIONNELLE PAR PERSONNE
*Calories : 628. Glucides : 53 g (sucres : 16 g).
Protéines : 27 g. Lipides : 36 g (acides gras
saturés : 13 g). Riche en vitamines A, B, C, E
et en folates, calcium et zinc.*

MELON ET AVOCAT AUX CREVETTES

SALADES

*Saveurs rafraîchissantes des légumes et des herbes d'été,
arômes des huiles et des épices, richesse infinie
des ingrédients – voici de quoi faire des salades,
toutes simples ou complètes, pour chaque repas.*

SALADE DE SAUMON AUX ASPERGES

*Une sauce veloutée à la mangue, au yogourt et à la moutarde, légèrement anisée,
apporte au saumon frais un raffinement exotique digne d'un élégant dîner d'été.*

TEMPS : 25 MINUTES — 4 PERSONNES

4 filets de saumon (675 g / 1½ lb)

**1 c. à soupe d'huile d'olive
ou de tournesol**

200 g (½ lb) d'asperges vertes

1 grosse branche de céleri

**250 g (⅔ lb) de salade mélangée
toute prête**

Pour la sauce :

2 mangues

4 brins de ciboulette

**1 petit pot (125 g)
de yogourt nature**

1 c. à thé de moutarde à l'ancienne

1 c. à soupe d'alcool d'anis

Poivre noir

1 Faites chauffer de l'eau. Retirez la peau du saumon, enlevez les arêtes éventuelles et coupez en gros dés. Faites chauffer l'huile dans une poêle. Faites revenir le saumon 3 ou 4 minutes de chaque côté, puis égouttez-le sur du papier absorbant.
2 Épluchez les asperges, lavez-les et coupez-les en tronçons de 4 cm (1½ po). Arrosez-les avec l'eau bouillante et faites blanchir 2 minutes. Rafraîchissez sous l'eau froide, égouttez.
3 Préparez la sauce : pelez les mangues. Coupez en cubes l'équivalent de 500 g (1 lb) de pulpe. Passez au mélangeur. Lavez et épongez la ciboulette. Ciselez-la au-dessus de la mangue. Ajoutez le yogourt, la moutarde et l'alcool d'anis. Poivrez à volonté.
4 Effilez, lavez et émincez finement le céleri. Mettez-le dans un saladier avec le saumon et les asperges. Incorporez délicatement la sauce pour éviter de briser le saumon.
5 Disposez la salade mélangée dans 4 assiettes. Répartissez au centre la garniture au saumon.
VARIANTE
Vous pouvez remplacer l'alcool d'anis par du vermouth.

VALEUR NUTRITIONNELLE PAR PERSONNE
Calories : 576. Glucides : 33 g (sucres : 32 g). Protéines : 48 g. Lipides : 28 g (acides gras saturés : 5 g). Riche en vitamines A, B, C, E et en folates, sélénium et zinc.

CONSEILS ET IDÉES PRATIQUES
Vous pouvez à l'avance préparer la sauce et faire cuire le saumon. Réservez-les dans le réfrigérateur et assemblez la salade à la dernière minute.

SALADE DE RIZ SAUVAGE AU FENOUIL

*Orange et raisin procurent leur douceur à cette salade rustique
de riz sauvage mêlé de noisettes et d'huile de noix.*

TEMPS : 30 MINUTES – 4/6 PERSONNES

175 g (6 oz) de mélange riz sauvage-riz à grains longs
Sel
2 concombres moyens (250 g)
1 gros bulbe de fenouil (250 g)
6 oignons verts
125 g (4 oz) de raisin bleu sans pépins
50 g (2 oz) de noisettes mondées
25 g (2 c. à soupe) de raisins secs
1 orange

Pour l'assaisonnement :

3 brins de cerfeuil, 6 brins d'estragon et 2 brins de persil
6 c. à soupe d'huile de noix ou de noisette
1 c. à soupe de vinaigre de vin blanc

1 Portez ½ litre (2 tasses) d'eau salée à ébullition. Jetez-y le riz, couvrez et faites cuire 20 minutes.

2 Pendant la cuisson, lavez le fenouil, les oignons verts et le raisin frais. Pelez et épépinez les concombres et coupez-les en petits dés, épluchez le fenouil, émincez-le finement avec les oignons et coupez les raisins en deux. Mettez ces ingrédients dans un saladier avec les noisettes hachées et les raisins secs.

3 Brossez l'orange sous l'eau tiède et râpez son zeste au-dessus de la salade. Pressez l'orange.

4 Préparez l'assaisonnement : versez dans un bol 3 cuillerées à soupe de jus d'orange, les herbes hachées, l'huile et le vinaigre. Salez et poivrez. Fouettez pour mélanger.

5 Égouttez le riz cuit et rafraîchissez-le rapidement à l'eau froide. Égouttez bien, mélangez au contenu du saladier et arrosez avec l'assaisonnement. Garnissez avec les brins d'estragon.

VALEUR NUTRITIONNELLE PAR PERSONNE (EN COMPTANT 4 PERSONNES) Calories : 459. Glucides : 50 g (sucres : 12 g). Protéines : 7 g. Lipides : 26 g (acides gras saturés : 2 g). Riche en vitamines B, C et E.

CONSEILS ET IDÉES PRATIQUES

Vous pouvez préparer la salade à l'avance et la laisser reposer 30 minutes avant de servir. Elle accompagne à merveille gibier ou volaille.

SALADE DE BŒUF À LA THAÏLANDAISE

Cette salade, à base de bœuf tendre et de légumes croquants, aromatisée d'herbes
et d'aromates typiques de l'Extrême-Orient, constitue un excellent plat principal.

TEMPS : 30 MINUTES – 4 PERSONNES

1 pomme de laitue Iceberg (350 g)
1 concombre (175 g)
2 carottes de taille moyenne
125 g (¼ lb) de pousses de soja fraîches
1 gousse d'ail
1 branche de schénanthe
500 g (1 lb) de rumsteck ou de faux-filet

Un petit bouquet de coriandre
Un petit bouquet de basilic
2 c. à thé d'huile à cuisson
2 limes
2 c. à soupe d'huile d'olive
1 c. à thé de sauce au piment sucrée

1 Lavez la laitue et coupez-la en lanières. Lavez le concombre et taillez-le en dés. Pelez et râpez les carottes. Rincez et égouttez les pousses de soja. Disposez-les dans un grand plat ou des assiettes.

2 Pelez et écrasez l'ail. Retirez les feuilles qui entourent le schénanthe. Hachez une cuillerée à thé de tige. Coupez le bœuf en lamelles. Hachez les herbes.

3 Faites chauffer l'huile à cuisson dans une grande poêle. Faites-y revenir doucement l'ail et le schénanthe pendant 30 secondes.

4 Dès qu'ils sont dorés, ajoutez-y le bœuf. Faites cuire sur feu vif 1 à 2 minutes en remuant pour saisir uniformément la viande. Retirez les lamelles à l'écumoire et disposez-les sur les légumes.
5 Versez 2 cuillerées à soupe de jus de lime dans la poêle. Ajoutez les herbes, l'huile d'olive et la sauce au piment. Chauffez un peu, puis versez sur la préparation.

VALEUR NUTRITIONNELLE PAR PERSONNE
Calories : 272. Glucides : 7 g (sucres : 6 g).
Protéines : 29 g. Lipides : 14 g (acides gras
saturés : 4 g). Riche en vitamines A, B, C, E.

SALADE À LA GRECQUE

Cette version de la célèbre salade à la feta remplace les tomates classiques par des tomates-cerises, plus sucrées.

TEMPS : **15** MINUTES – **4/6** PERSONNES

20 tomates-cerises
1 concombre
375 g (13 oz) de feta
4 c. à soupe d'huile d'olive vierge extra
½ citron
12 grosses olives noires à la grecque
Poivre

1 Coupez les tomates en deux et mettez-les dans un saladier. Fendez le concombre en deux, coupez-le en tranches de 1 cm (½ po) d'épaisseur et ajoutez-le aux tomates.
2 Égouttez le fromage. Émiettez-le au-dessus du saladier. Arrosez avec l'huile d'olive et une cuillerée à soupe de jus de citron. Ajoutez les olives. Poivrez seulement (la feta est salée). Mélangez bien et servez.

VALEUR NUTRITIONNELLE PAR PERSONNE
*(EN COMPTANT **4** PERSONNES) Calories : 365.*
Glucides : 5 g (sucres : 5 g). Protéines : 16 g.
Lipides : 31 g (acides gras saturés : 15 g).
Riche en vitamines A, B, C, E et en calcium.

SALADE THAÏLANDAISE AU LAIT DE COCO

*L'onctuosité du lait de coco, le moelleux du beurre d'arachide et l'ardeur du piment
se combinent au piquant de la lime pour rendre cette salade parfaitement exotique.*

TEMPS : 25 MINUTES – 4 PERSONNES

200 g (½ lb) de chou chinois

3 branches de céleri de taille moyenne

2 carottes de taille moyenne

½ boîte (398 ml / 14 oz) de
de maïs miniature

4 oignons verts

Pour la sauce :

2 limes

5 c. à soupe de lait de coco

3 c. à soupe de beurre d'arachide

½ c. à thé de sauce Tabasco

1 c. à thé de nuoc-mâm
ou de sauce soja (facultatif)

Sel et poivre noir

1 Lavez et égouttez les feuilles de chou. Hachez-les grossièrement et mettez-les dans un saladier.
2 Effilez et lavez le céleri. Grattez les carottes. Coupez ces ingrédients en julienne et versez dans le saladier.
3 Lavez le maïs miniature et les oignons. Taillez-les en tronçons, en diagonale, et ajoutez-les à la salade.
4 Préparez la sauce : pressez les limes. Versez 3 cuillerées à soupe de jus dans un gobelet muni d'un couvercle. Ajoutez le lait de coco, le beurre d'arachide, la sauce Tabasco et, éventuellement, le nuoc-mâm ou la sauce soja. Salez

et poivrez. Fermez le couvercle et secouez.
5 Versez la sauce sur la salade, mélangez bien et servez aussitôt.

VALEUR NUTRITIONNELLE PAR PERSONNE
Calories : 165. Glucides : 15 g (sucres : 6 g).
Protéines : 6 g. Lipides : 9 g (acides gras saturés : 2 g). Riche en vitamines A, B, C, E et en folates.

CONSEILS ET IDÉES PRATIQUES

Le chou chinois, pommé ou non, est entièrement comestible, une fois les feuilles fanées qui l'entourent retirées.

Mozzarella aux tomates séchées

Ici présentée avec de la salade verte mélangée, la mozzarella, parfumée de tomates séchées au soleil et d'herbes, peut aussi servir à garnir des pâtes ou des pizzas.

TEMPS : 15 MINUTES – 4 PERSONNES

125 g (¼ lb) de salade verte mélangée toute prête

500 g (1 lb) de mozzarella fraîche

Pour la sauce :

½ bocal (300 ml) de tomates séchées à l'huile

Un petit bouquet de basilic

Un petit bouquet de persil

Un petit bouquet de marjolaine (ou origan)

1 c. à soupe de vinaigre balsamique

1 c. à soupe de câpres

1 gousse d'ail (facultatif)

Poivre noir

1 Préparez la sauce : égouttez les tomates séchées et passez-les au mélangeur. Versez 150 ml (⅔ tasse) de leur huile dans une tasse à mesurer. Au besoin, complétez avec de l'huile d'olive. Lavez et égouttez les herbes fraîches.

2 Ajoutez dans le bol du mélangeur les herbes, le vinaigre et les câpres. Pelez l'ail, si vous désirez en mettre, et écrasez-le au-dessus du bol. Ajoutez l'huile. Réduisez en purée.

3 Poivrez la sauce (ne salez pas car les câpres sont déjà salées).

4 Disposez la salade mélangée dans 4 assiettes.

5 Égouttez la mozzarella et coupez-la en tranches régulières. Disposez ces dernières sur la salade, nappez avec la sauce et servez aussitôt.

VARIANTE
Pour éviter d'avoir à tailler la mozzarella en tranches, achetez le fromage présenté en toutes petites boules : le résultat sera très esthétique.

VALEUR NUTRITIONNELLE PAR PERSONNE
Calories : 520. Glucides : 7 g (sucres : 1 g). Protéines : 33 g. Lipides : 40 g (acides gras saturés : 17 g). Riche en vitamines A, B, E et en calcium.

SALADE DE CANARD À LA POMME

*Les lamelles de viande grillée, posées toutes chaudes sur un lit de pomme
et de salade croquantes, s'accompagnent d'une sauce au vin rouge.*

TEMPS : 30 MINUTES – 4 PERSONNES

700 g de filets de canard (2 magrets)
Sel et poivre noir
2 cœurs de laitue
1 petite pomme de trévise
1 botte de cresson
1 petit oignon rouge
1 pomme rouge
1 c. à soupe d'huile d'olive
2 à 3 c. à soupe de vin rouge

Pour l'assaisonnement :

Une poignée de menthe ou de persil frais
1 gousse d'ail
Sel et poivre
1 c. à thé de sucre
2 c. à thé de moutarde forte ou à l'ancienne
2 c. à soupe de vin rouge
3 c. à soupe d'huile d'olive

1 Retirez la peau des filets de canard, fendez-les en deux dans l'épaisseur. Salez et poivrez.

2 Préparez l'assaisonnement : lavez, égouttez et hachez la menthe ou le persil. Mettez dans un saladier. Pelez l'ail et écrasez-le au-dessus. Salez et poivrez. Ajoutez le sucre, la moutarde, le vin et l'huile. Fouettez pour obtenir une émulsion crémeuse.

3 Épluchez, lavez et égouttez la laitue, la trévise et le cresson. Coupez les feuilles en petits morceaux.

Pelez et émincez l'oignon. Lavez et essuyez la pomme, coupez-la en quartiers, épépinez-la et coupez-la en tranches. Ajoutez ces ingrédients à l'assaisonnement. Mélangez délicatement.

4 Faites chauffer l'huile dans une poêle. Ajoutez les filets de canard. Faites-les revenir 4 à 5 minutes de chaque côté : ils doivent être dorés, mais roses à l'intérieur. Si vous les aimez à point, prolongez la cuisson quelques minutes.

5 Transférez les filets sur une planche à découper et laissez-les reposer 2 à 3 minutes. Pendant ce temps, videz la graisse de cuisson du canard, posez la poêle sur feu vif, versez-y le vin rouge et portez à ébullition en grattant le fond du récipient.

6 Taillez les filets en lamelles, en biais. Disposez-les sur la salade. Arrosez avec le jus, mélangez et servez.

VARIANTE

Vous pouvez remplacer les filets de canard par des blancs de poulet. Utilisez alors du vin blanc et prolongez légèrement la cuisson : le poulet doit être cuit à point.

VALEUR NUTRITIONNELLE PAR PERSONNE
*Calories : 397. Glucides : 8 g (sucres : 7,5 g).
Protéines : 36 g. Lipides : 23 g (acides gras
saturés : 5 g). Riche en vitamines B, C, E
et en folates, fer et zinc.*

SALADE DE HARICOTS AU YOGOURT

Légumes frais, haricots et lentilles en conserve, agrémentés
de yogourt au basilic et à la moutarde, composent une salade nourrissante et pleine de saveur.

TEMPS : 25 MINUTES – 4 PERSONNES

250 g (½ lb) de haricots verts
1 boîte (549 ml / 19 oz) de haricots rouges
1 boîte (549 ml / 19 oz) de haricots blancs
1 boîte (549 ml / 19 oz) de lentilles au naturel
1 bocal (170 ml / 6 oz) de cœurs d'artichauts en vinaigrette
150 g de champignons (15 petits)
5-6 oignons verts
1 cœur de laitue

Pour la sauce :

250 g de yogourt nature
½ citron
1 ou 2 c. à thé de moutarde forte
Une grosse poignée de basilic frais
Sel et poivre noir

1 Portez une casserole d'eau à ébullition. Équeutez et lavez les haricots verts. Coupez-les en deux. Faites-les cuire 8 minutes : ils doivent être juste tendres. Passez-les sous l'eau froide et égouttez-les.
2 Rincez les haricots et les lentilles. Épongez-les sur un linge.
3 Égouttez les cœurs d'artichauts sur du papier absorbant. Coupez-les en quatre. Nettoyez et émincez les champignons. Équeutez, lavez et hachez les oignons verts.
4 Préparez la sauce : versez le yogourt dans un saladier, pressez le citron au-dessus, ajoutez la moutarde et mélangez.
5 Lavez le basilic. Réservez quelques brins pour décorer. Ciselez le reste au-dessus de la sauce. Salez et poivrez.

6 Lavez et égouttez la laitue. Disposez-la dans un plat. Ajoutez tous les légumes à la sauce au yogourt. Versez au centre du plat et décorez avec le basilic réservé.
VARIANTE
Vous pouvez ajouter des crevettes décortiquées ou des dés de fromage, de jambon, de poulet ou de dinde.

VALEUR NUTRITIONNELLE PAR PERSONNE
Calories : 598. Glucides : 64 g (sucres : 9 g).
Protéines : 32 g. Lipides : 24 g (acides gras saturés : 5 g). Riche en vitamines B, C et en folates.

MELON ET AVOCAT AUX CREVETTES

Le melon et l'avocat parfumés ainsi que les crevettes roses
et la coriandre composent une jolie salade d'été, légère et complète.

TEMPS : 20 MINUTES – 6 PERSONNES

Quelques brins de coriandre

1 petit melon cantaloup

2 avocats

50 g (2 oz) de salade verte
mélangée toute prête

350 g (¾ lb) de crevettes de Matane
(décortiquées)

Pour la vinaigrette :

1 petite échalote

125 ml (½ tasse) de crème épaisse

2 c. à soupe d'huile d'olive
vierge extra

2 c. à soupe de vinaigre
de cidre

Une pincée de sucre

Sel et poivre noir

1 Préparez la vinaigrette : pelez et émincez l'échalote. Mettez-la dans un bol. Ajoutez la crème, l'huile d'olive, le vinaigre et le sucre. Mélangez. Salez et poivrez.
2 Lavez la coriandre. Détachez les feuilles et réservez-les pour garnir.
3 Coupez le melon en quatre. Épépinez-le. Retirez l'écorce et coupez la pulpe en tranches fines.

4 Coupez les avocats en deux, dénoyautez-les, pelez-les et coupez la chair, dans la longueur, en tranches d'épaisseur identique à celle des tranches de melon.
5 Disposez la salade dans 6 assiettes. Ajoutez les tranches de melon et d'avocat, puis les crevettes. Arrosez avec la vinaigrette, garnissez avec la coriandre et servez.

VALEUR NUTRITIONNELLE PAR PERSONNE
Calories : 324. Glucides : 7 g (sucres : 6 g).
Protéines : 16 g. Lipides : 26 g (acides gras saturés : 9 g). Riche en vitamines B, C et E.

SALADE D'ENDIVES AU ROQUEFORT

Additionnée de noix de Grenoble, voici une salade élégante qui allie la saveur corsée
du roquefort à l'amertume de l'endive et au fondant de la poire.

TEMPS : 15 MINUTES – 4/6 PERSONNES

6 noix de Grenoble entières
ou 12 cerneaux de noix

3 endives

2 poires williams

100 g (3½ oz) de roquefort

Pour garnir (facultatif) : un bouquet
de cerfeuil ou 4 brins d'estragon

Pour la vinaigrette :
2 c. à soupe de vinaigre
de vin

Sel

2 c. à soupe d'huile d'olive
vierge extra

3 c. à soupe d'huile de noix

1 Brisez les coquilles des noix et
hachez grossièrement les fruits.

2 Détachez les feuilles des endives
et garnissez-en des assiettes. Lavez
les poires, coupez-les en quatre,
épépinez-les et taillez chaque
quartier en 3 lamelles. Disposez-les
sur les endives.
3 Émiettez le roquefort. Parsemez-
en la salade avec les noix. Lavez les
fines herbes, détachez-en les feuilles.
4 Préparez la vinaigrette : versez le
vinaigre dans un bol. Salez. Ajoutez
les huiles en fouettant, puis répartissez sur la salade. Garnissez de
cerfeuil ou d'estragon.

VALEUR NUTRITIONNELLE PAR PERSONNE
(EN COMPTANT 4 PERSONNES) Calories : 306.
Glucides : 9 g (sucres : 7 g). Protéines : 6 g.
Lipides : 28 g (acides gras saturés : 7 g).
Riche en vitamine B.

VITE FAIT, BIEN FAIT!

Les noix fraîches, disponibles
en automne, doivent peser lourd
dans la main. Pour les préparer,
cassez la coquille, retirez le fruit
et débarrassez-le de la pellicule
brune amère qui le recouvre.

SALADE NIÇOISE

*Ce grand classique à base d'œufs durs et d'anchois connaît une multitude de variantes,
ce qui vous permet de le réaliser toute l'année à partir des produits de votre placard à provisions.*

TEMPS : 25 MINUTES – 4 PERSONNES

4 œufs
2 boîtes de thon à l'eau de 170 g (6 oz) chacune
1 oignon rouge
1 boîte (50 g / 1¾ oz) de filets d'anchois à l'huile
3 c. à soupe (50 g) de câpres
100 g (3½ oz) d'olives noires
3 cœurs de laitues
175 g (6 oz) de tomates-cerises

Pour les croûtons :

2 tranches de pain de blé entier
1 gousse d'ail
2 c. à soupe d'huile d'olive

Pour la vinaigrette :

½ c. à thé de sucre
1 c. à soupe de vinaigre de vin blanc
Sel
1 gousse d'ail
1 à 2 c. à thé de moutarde de Dijon
3 c. à soupe d'huile d'olive vierge

1 Mettez les œufs dans une casserole, couvrez d'eau, portez à ébullition et laissez cuire 6 minutes. Retirez la casserole du feu, couvrez et laissez reposer.

2 Préparez les croûtons : taillez le pain en cubes de 1 cm (½ po). Pelez l'ail, écrasez-le au-dessus d'une poêle, ajoutez l'huile et faites revenir sur feu moyen. Ajoutez les croûtons. Faites-les frire en les retournant. Dès qu'ils sont dorés et croustillants, égouttez-les.

3 Préparez la vinaigrette : mettez le sucre et le vinaigre dans un saladier. Salez (peu, car les anchois sont déjà fortement salés). Écrasez l'ail au-dessus, mélangez, puis incorporez la moutarde et l'huile en fouettant pour émulsionner.

4 Égouttez le thon. Défaites-le en morceaux au-dessus de la vinaigrette. Pelez l'oignon, émincez-le finement et mettez-le dans le saladier ainsi que les anchois avec leur huile, les câpres et les olives. Mélangez délicatement.

5 Détachez les feuilles des laitues, lavez-les, égouttez-les, coupez-les en morceaux et ajoutez-les à la salade. Lavez les tomates-cerises et coupez-les en deux. Parsemez-en la salade.

6 Écalez les œufs et coupez-les en quatre. Mélangez soigneusement les éléments de la salade, puis ajoutez les œufs durs. Servez les croûtons à part.

VARIANTE
Au moment d'incorporer les tomates à la salade, vous pouvez y ajouter des cœurs d'artichauts, des lamelles de poivron rouge ou des haricots verts cuits à la vapeur, refroidis.

VALEUR NUTRITIONNELLE PAR PERSONNE
Calories : 525. Glucides : 17 g (sucres : 6 g). Protéines : 33 g. Lipides : 37 g (acides gras saturés : 6 g). Riche en vitamines A, B, C, E et en folates, sélénium et zinc.

SALADE DE HARICOTS DE LIMA AUX CREVETTES

*Parsemée de menthe, cette salade aromatisée d'une sauce au citron
et à l'ail offre d'intéressants contrastes de saveurs et de couleurs.*

TEMPS : 20 MINUTES – 4 PERSONNES

1 boîte (540 ml / 19 oz) de haricots
de Lima ou 500 g (1 lb) surgelés

2 ou 3 brins de menthe fraîche

200 g (½ lb) de feta

200 g (½ lb) de crevettes de Matane

Pour la sauce :

1 gros citron

6 c. à soupe d'huile d'olive vierge

1 gousse d'ail

Sel et poivre noir

1 Faites bouillir de l'eau. Mettez les haricots de Lima dans une casserole avec un brin de menthe. Couvrez d'eau bouillante, faites frémir 6 minutes, puis égouttez et rafraîchissez. Égouttez à nouveau.

2 Égouttez la feta. Coupez-la en dés. Mettez-la dans un saladier. Ajoutez les crevettes.

3 Préparez la sauce : pressez la moitié du citron. Mélangez 2 cuillerées à soupe de son jus avec l'huile d'olive. Pelez l'ail. Écrasez-le au-dessus. Lavez et hachez finement le reste de la menthe. Incorporez-la à la sauce. Salez et poivrez.

4 Versez les haricots de Lima dans le saladier. Ajoutez la sauce, mélangez et garnissez avec le reste du citron coupé en quartiers.

VALEUR NUTRITIONNELLE PAR PERSONNE
*Calories : 428. Glucides : 16 g (sucres : 2 g).
Protéines : 29 g. Lipides : 28 g (acides gras
saturés : 9 g). Riche en vitamines B, C, E
et en calcium et zinc.*

SALADE AUX GERMES DE SOJA ET À LA FETA

Ce mélange nutritif de crudités, de fromage frais et de noisettes grillées,
assaisonné d'une sauce à l'orange, fait une excellente salade d'hiver.

TEMPS : 20 MINUTES – 4 PERSONNES

5 cm (2 po) de concombre
2 branches de céleri
350 g (¾ lb) de germes de soja frais
100 g (3½ oz) de noisettes mondées
1 orange
150 g (5 oz) de feta
Pour garnir : une botte de cresson

Pour l'assaisonnement :

1 orange
2 c. à soupe d'huile de noisette ou de noix
Sel et poivre noir
1 c. à thé de moutarde à l'ancienne

1 Préchauffez le four à 200 °C (400 °F). Portez une casserole d'eau à ébullition.

2 Lavez et essuyez le concombre et le céleri. Coupez-les en petits dés. Mettez-les dans un saladier.

3 Plongez les germes de soja dans l'eau bouillante. Faites blanchir 1 minute, égouttez et rafraîchissez.

4 Fendez les noisettes en deux en les pressant au rouleau à pâtisserie. Étalez-les sur une tôle et faites dorer au four 3 à 4 minutes.

5 Pelez l'orange à vif, en retirant la peau blanche, au-dessus du saladier pour en récupérer le jus. Détachez les quartiers de leur peau et laissez-les tomber dans le saladier.

6 Préparez la sauce : pressez la pulpe restante de l'orange et versez son jus dans un bol. Ajoutez l'huile, du sel, du poivre et la moutarde en fouettant.

7 Égouttez la feta. Émiettez-la au-dessus du saladier, puis ajoutez les germes de soja et les noisettes. Arrosez avec l'assaisonnement, mélangez et garnissez de cresson.

VALEUR NUTRITIONNELLE PAR PERSONNE
Calories : 352. Glucides : 9 g (sucres : 7 g).
Protéines : 13 g. Lipides : 30 g (acides gras
saturés : 7 g). Riche en vitamines B, C, E
et en folates et calcium.

Petites salades d'accompagnement

Salade de pois mange-tout

Cette salade toute simple, où le gingembre domine, est délicieuse avec du bœuf, du poisson ou du poulet grillés ou rôtis.

Temps : 15 minutes – 4 personnes

| 350 g (¾ lb) de pois mange-tout |
| Sel |
| Un petit bouquet de ciboulette |

Pour la sauce :

| 50 g (1¾ oz) de gingembre mariné |
| 3 c. à soupe de yogourt nature |
| Poivre noir |

1 Portez une casserole d'eau à ébullition. Salez. Équeutez et lavez les pois mange-tout. Faites-les cuire 6 à 8 minutes à l'eau bouillante : ils doivent rester légèrement croquants. Égouttez-les.
2 Préparez la sauce : versez dans un saladier le gingembre et son liquide. Séparez les morceaux. Ajoutez le yogourt et du poivre noir. Mélangez pour obtenir un mélange crémeux.
3 Ajoutez les pois. Mélangez bien. Lavez et essuyez la ciboulette. Ciselez-la au-dessus de la salade.

Variante
Vous pouvez remplacer le gingembre par une cuillerée à thé de poivre vert en saumure ; rincez les grains mais laissez-les entiers.

Valeur nutritionnelle par personne
Calories : 60. Glucides : 7 g (sucres : 6 g). Protéines : 5 g. Lipides : 1 g (acides gras saturés : 0,60 g). Riche en vitamines B, C et E.

Conseils et idées pratiques
Le gingembre finement émincé au vinaigre accompagne les repas japonais. Vous en trouverez au rayon exotique de certains supermarchés, dans les épiceries orientales et dans les magasins de produits naturels.

Salade de carottes aux raisins secs

Avec son assaisonnement acidulé, relevé de gingembre et adouci de miel, cette salade est parfaite pour accompagner du poisson grillé.

Temps : 30 minutes – 4 personnes

| 125 g (½ tasse) de raisins secs de Smyrne |
| 400 g (¾ lb) de carottes nouvelles |
| Sel |
| ½ c. à thé de miel ou de sucre |
| 1 sachet (60 g) de noix de Grenoble ou de pacanes, concassées |

Pour la sauce :

| Un morceau de racine de gingembre fraîche de 5 cm (2 po) |
| 1 citron |
| 1 orange |
| 225 ml (½ tasse) de crème sure ou de yogourt nature |

1 Portez de l'eau à ébullition. Rincez les raisins secs, mettez-les dans un bol, arrosez avec l'eau bouillante et réservez.
2 Préparez la sauce : pelez le gingembre et râpez-le finement au-dessus d'un bol.
3 Lavez et essuyez le citron et l'orange. Râpez la moitié de leur zeste au-dessus du bol. Pressez la moitié de leur pulpe. Ajoutez les jus d'agrumes au gingembre. Incorporez la crème sure ou le yogourt.
4 Pelez les carottes et râpez-les au-dessus d'un saladier. Égouttez les raisins secs et ajoutez-les.
5 Arrosez avec la sauce, salez et ajoutez le miel ou le sucre. Mélangez bien. Incorporez enfin les noix concassées et servez.

Valeur nutritionnelle par personne
Calories : 315. Glucides : 35 g (sucres : 33 g). Protéines : 7 g. Lipides : 18 g (acides gras saturés : 8 g). Riche en vitamines A, B et E.

Salade aux noix et à l'oignon doux

Mélange de douceur et d'amertume, cette salade est idéale après un plat riche, un faisan rôti, par exemple.

Temps : 10 minutes – 4 personnes

| 1 salade frisée |
| 1 endive |
| 1 pied de trévise |
| 250 g (½ lb) de concombre |
| 1 petit oignon doux |
| 50 g (1¾ oz) de cerneaux de noix de Grenoble |

Pour la vinaigrette :

| 1 gousse d'ail |
| 1 c. à soupe de vinaigre de vin blanc |
| Sel et poivre noir |
| 3 c. à soupe d'huile de noix |

1 Séparez, lavez et égouttez les feuilles de frisée, d'endive et de trévise. Mettez-les dans un saladier et mélangez.
2 Pelez le concombre et l'oignon. Taillez-les en fines rondelles. Mettez-les dans le saladier. Ajoutez les noix.
3 Préparez la vinaigrette : pelez l'ail et écrasez-le au-dessus d'un bol. Incorporez-y l'huile de noix et le vinaigre. Salez et poivrez. Fouettez pour mélanger.
4 Au moment de servir, arrosez avec la vinaigrette et mélangez délicatement.

Valeur nutritionnelle par personne
Calories : 187. Glucides : 5 g (sucres : 4 g). Protéines : 4 g. Lipides : 17 g (acides gras saturés : 2 g). Riche en vitamine B.

Salades d'accompagnement :
Salade aux noix et à l'oignon doux *(en haut)* ; Salade de pois mange-tout *(au centre)* ; Salade de carottes aux raisins secs *(en bas)*.

SALADE CÉSAR

Les anchois relèvent la saveur de ce mélange de romaine, de parmesan et de croûtons, assaisonné d'une sauce à l'œuf et au citron.

TEMPS : 25 MINUTES – 4 PERSONNES

| 2 romaines |
| 5 tranches épaisses de pain de mie |
| 2 c. à soupe d'huile d'arachide |
| 8 c. à soupe d'huile d'olive |
| 2 gousses d'ail |
| 1 œuf |
| 8 filets d'anchois à l'huile |
| 1 citron |
| Sel et poivre noir |
| 100 g (3½ oz) de parmesan |

1 Épluchez les romaines, lavez-les et mettez-les dans un saladier.

2 Portez une petite casserole d'eau à ébullition pour l'œuf.

3 Préparez les croûtons : retirez la croûte des tranches de pain et coupez-les en dés de 1 cm (½ po) de côté. Faites chauffer l'huile d'arachide et 2 cuillerées à soupe d'huile d'olive dans une poêle. Pelez l'ail, écrasez-le au-dessus de l'huile, ajoutez les croûtons et faites frire en remuant. Épongez sur du papier absorbant.

4 Quand l'eau bout, plongez-y l'œuf. Laissez bouillir 2 minutes, puis égouttez. Hachez grossièrement les anchois.

5 Préparez la sauce : pressez le citron. Mélangez 2 cuillerées à soupe de jus avec le reste de l'huile d'olive. Salez et poivrez. Incorporez l'œuf en fouettant.

6 Versez la sauce sur la salade, mélangez, puis ajoutez les anchois et les croûtons. Mélangez à nouveau.

7 Taillez le parmesan en lamelles fines au-dessus de la salade et servez.

VALEUR NUTRITIONNELLE PAR PERSONNE
Calories : 523. Glucides : 27 g (sucres : 3 g). Protéines : 18 g. Lipides : 39 g (acides gras saturés : 9 g). Riche en vitamines B, E et en folates, calcium et sélénium.

PASTÈQUE AU CONCOMBRE ET AUX RADIS

Cette superbe combinaison de fruits et de légumes, parfumée au miel
et à l'huile de noix, accompagne à merveille viandes et volailles froides ou fumées.

TEMPS : 20 MINUTES – 4 PERSONNES

500 g (1 lb) de pastèque
1 petit concombre (100 g)
Sel
Huile pour friture
25 g (2 c. à soupe combles) d'amandes effilées
100 g (3½ oz) de germes de soja frais
8-10 radis moyens (150 g)
4 oignons verts
Un petit bouquet de cresson

Pour la vinaigrette :

1½ c. à thé de miel liquide
3 c. à soupe d'huile de noix
1 c. à soupe de vinaigre de cidre
Poivre noir

1 Épépinez la pastèque et coupez-la en dés. Lavez le concombre. Coupez-le en dés. Mettez pastèque et concombre dans une passoire, salez et mélangez. Couvrez avec une assiette et laissez dégorger.
2 Faites chauffer un peu d'huile dans une poêle. Faites-y dorer les amandes, puis égouttez-les sur du papier absorbant.
3 Lavez et égouttez les germes de soja. Épluchez et lavez les radis et les oignons. Coupez les radis en quatre et les oignons en lamelles. Mélangez dans un saladier.
4 Mélangez les différents ingrédients prévus pour la vinaigrette à l'aide d'un fouet. Versez sur la salade.

5 Équeutez et lavez le cresson. Disposez-le dans un plat de service creux. Ajoutez la pastèque et le concombre à la salade, mélangez délicatement, puis disposez sur le cresson. Parsemez avec les amandes grillées et servez.

VALEUR NUTRITIONNELLE PAR PERSONNE
Calories : 231. Glucides : 15 g (sucres : 14 g). Protéines : 4 g. Lipides : 18 g (acides gras saturés : 2 g). Riche en vitamines B, C et E.

101

SALADE DE POMMES DE TERRE À LA CAJUN

« Sainte Trinité » de la cuisine cajun, poivron vert, céleri et oignon forment la base d'innombrables recettes, dont cette salade substantielle, idéale pour un pique-nique ou un barbecue.

TEMPS : 30 MINUTES – 4 PERSONNES

3 pommes de terre moyennes (500 g / 1 lb) à chair ferme
Sel et poivre noir
1 petit poivron vert
2 branches de céleri
1 petit oignon rouge

Pour la sauce :

150 ml (²⁄₃ tasse) de mayonnaise
2 c. à thé de moutarde forte
Quelques gouttes de Tabasco

1 Pelez les pommes de terre. Mettez-les dans une casserole d'eau. Salez. Portez à ébullition, puis laissez frémir 20 minutes.

2 Pendant ce temps, lavez, essuyez, coupez en deux et épépinez le poivron. Coupez-le en lanières. Versez dans un saladier. Effilez et lavez le céleri. Émincez-le. Réservez les feuilles pour décorer. Ajoutez les côtes au poivron. Pelez l'oignon, coupez-le en deux dans sa longueur, émincez et défaites en demi-anneaux. Ajoutez au reste.

3 Préparez la sauce : mélangez dans un bol la mayonnaise et la moutarde. Relevez de Tabasco.

4 Rafraîchissez les pommes de terre sous l'eau froide, puis ajoutez-les à la salade. Versez la sauce, poivrez et mélangez. Décorez de feuilles de céleri.

VARIANTE
Pour transformer cette salade en plat complet, incorporez-y des œufs durs hachés ou des œufs mollets.

VALEUR NUTRITIONNELLE PAR PERSONNE
Calories : 346. Glucides : 19 g (sucres : 4 g). Protéines : 3 g. Lipides : 29 g (acides gras saturés : 4 g). Riche en vitamines B, C et E.

> CONSEILS ET IDÉES PRATIQUES
>
> *Pour vos salades de pommes de terre, utilisez des petites variétés à chair ferme, comme les pommes de terre rouges.*

SALADE D'ÉPINARDS AU MAÏS MINIATURE

*De succulents morceaux d'avocat dans la vinaigrette donnent du moelleux
à cette salade croquante d'épinards, de roquette et d'épis de maïs miniature.*

TEMPS : 15 MINUTES – 4 PERSONNES

| 8 épis (100 g) de maïs miniature |
| Sel |
| 1 botte de feuilles de roquette |
| 1 sac (250 g) de jeunes pousses d'épinards |

Pour la sauce :

| 1 avocat |
| 1 gousse d'ail |
| 3 c. à soupe d'huile d'olive vierge extra |
| 1 c. à soupe de vinaigre de vin blanc |
| 1 c. à thé de sucre |
| 1 c. à thé de Tabasco |

1 Portez une petite casserole d'eau à ébullition. Salez. Coupez les épis de maïs en deux. Faites-les cuire 1 minute à petits frémissements, puis égouttez-les.

2 Lavez les feuilles de roquette et d'épinards. Laissez-les s'égoutter.

3 Préparez la sauce : coupez l'avocat en deux, dénoyautez-le et retirez sa pulpe avec une cuillère. Mettez dans un saladier. Pelez l'ail. Écrasez-le au-dessus de l'avocat.

Ajoutez l'huile, le vinaigre, le sucre et le Tabasco. Salez. Mélangez sans trop écraser l'avocat.

4 Ajoutez à la sauce le maïs, la roquette et les épinards bien égouttés, mélangez et servez.

VARIANTE
Si vous ne trouvez pas de roquette, remplacez-la par du cresson.

VALEUR NUTRITIONNELLE PAR PERSONNE
Calories : 174. Glucides : 8 g (sucres : 3 g). Protéines : 3 g. Lipides : 15 g (acides gras saturés : 3 g). Riche en vitamines A, B, C, E et en folates.

103

SOLE GRILLÉE À LA FONDUE DE COURGETTES

POISSONS
ET FRUITS
DE MER

De la sole grillée aux pétoncles à la thaïlandaise,
vous trouverez dans ce chapitre des recettes
aussi variées que faciles à réaliser.

FILETS DE TRUITE AUX NOIX DE GRENOBLE

Ces filets de truite grillés sont mis en valeur par les noix de Grenoble, les herbes fraîches, le vinaigre parfumé et un soupçon de paprika.

TEMPS : 25 MINUTES – 4 PERSONNES

2 c. à thé d'huile
4 filets de truite de 175 g (6 oz), environ, chacun
¼ c. à thé de paprika
10 cerneaux de noix de Grenoble
125 g (4½ oz) de roquette, de cresson ou de salade verte mélangée

Pour la vinaigrette :

1 échalote ou 2 oignons verts
Quelques brins d'aneth ou des feuilles de céleri
2 c. à soupe de vinaigre de xérès
6 c. à soupe d'huile de noix
Sel et poivre noir

1 Préchauffez le gril au maximum. Préparez la vinaigrette : épluchez et émincez l'échalote ou les oignons. Mettez-les dans un bol. Ciselez l'aneth ou le céleri au-dessus du bol. Ajoutez le vinaigre et l'huile. Salez et poivrez. Mélangez bien.

2 Graissez un plat avec une cuillerée à thé d'huile. Placez les filets de truite de sorte que le côté qui porte la peau soit contre le plat. Saupoudrez de sel et de paprika. Faites griller d'un seul côté 5 à 8 minutes, à 10 cm (4 po) de la source de chaleur : la chair doit être opaque et dorée sur les bords.

3 Pendant la cuisson des filets, faites chauffer le reste de l'huile dans une petite poêle. Faites-y dorer les noix en les retournant sans cesse. Égouttez-les sur du papier absorbant et hachez-les.

4 Lavez et essuyez la salade. Disposez-la dans 4 assiettes. Posez un filet de truite au centre de chacune d'elles. Émulsionnez la vinaigrette, nappez-en le poisson et parsemez de noix hachées.

SUGGESTION D'ACCOMPAGNEMENT
Les petites pommes de terre nouvelles s'harmonisent bien avec ce plat. Mettez-les à cuire à l'eau bouillante avant d'entamer la cuisson des filets de truite.

VALEUR NUTRITIONNELLE PAR PERSONNE
Calories : 451. Glucides : 1 g (sucres : 0,5 g). Protéines : 37 g. Lipides : 33 g (acides gras saturés : 4 g). Riche en vitamines B₁ et C.

GALETTES AUX FRUITS DE MER

Ces galettes croustillantes à base de crabe et de crevettes se servent avec
des quartiers de citron, de la sauce tartare, de la laitue ou des tomates.

TEMPS : 30 MINUTES – 4 PERSONNES

| 2 tranches de pain rassis : 125 g (4½ oz), environ, au total |
| 100 ml (½ tasse) de lait |
| 2 boîtes de crabe de 120 g (4 oz) |
| 250 g (½ lb) de crevettes de Matane |
| 2 gros œufs |
| 2 c. à thé de moutarde forte |
| 1 c. à soupe de sauce Worcestershire |
| 60 g (½ tasse) de poudre d'amande |
| Une pincée de piment de Cayenne |
| 1 c. à soupe de mayonnaise |
| Une poignée de persil |

Pour la panure :

| 40 g (⅓ tasse) de farine |
| 150 g (1½ tasse) de chapelure |
| Huile de tournesol pour la friture |

1 Faites tremper les tranches de pain 5 minutes dans le lait. Égouttez la chair de crabe, puis émiettez-la dans un bol. Hachez les crevettes et ajoutez-les.

2 Cassez les œufs en séparant les blancs des jaunes. Ajoutez au crabe les jaunes, la moutarde, la sauce Worcestershire, la poudre d'amande, le piment de Cayenne et la mayonnaise. Hachez l'équivalent d'une cuillerée à soupe de persil. Versez dans le bol.

3 Essorez le pain trempé, ajoutez au crabe et mélangez pour obtenir une préparation molle, mais non détrempée. Au besoin, ajoutez un peu de chapelure.

4 Préparez la panure : étalez la farine et la chapelure dans deux assiettes. Battez légèrement les blancs d'œufs avec une cuillerée à soupe d'eau. Divisez la préparation au crabe en 8 portions. Façonnez-les en galettes. Passez dans la farine, secouez pour faire tomber l'excédent, puis plongez dans les blancs d'œufs et passez enfin dans la chapelure.

5 Faites chauffer 1 cm (½ po) d'huile dans une grande poêle, sur feu vif. Faites frire les galettes 2 ou 3 minutes de chaque côté. Dès qu'elles sont dorées et croustillantes, égouttez-les et épongez-les sur du papier absorbant.

VALEUR NUTRITIONNELLE PAR PERSONNE
Calories : 595. Glucides : 56 g (sucres : 6 g). Protéines : 38 g. Lipides : 26 g (acides gras saturés : 4 g). Riche en vitamines A, E et en calcium, sélénium et zinc.

Pizzas saumon et yogourt

Le saumon fait une garniture de pizza originale, à laquelle le yogourt à l'aneth donne
une consistance crémeuse mieux adaptée au poisson que la garniture classique de fromage.

TEMPS : 30 MINUTES – 4 PERSONNES

250 g (½ lb) de pâte à pizza

2 petits filets de saumon sans peau :
325 g (¾ lb), environ, au total

2 grosses tomates

1 petit oignon doux, blanc ou rouge

Sel et poivre noir

8 brins d'aneth frais

1 petit pot (175 g / 6 oz) de yogourt
nature, ferme

Pour servir (facultatif) : 4 c. à soupe
de chutney à la mangue

1 Préchauffez le four à 220 °C
(425 °F). Étalez la pâte sur une tôle
en 2 disques de 25 cm (10 po).

2 Retirez les arêtes du saumon,
s'il y en a. Coupez la chair en dés.
3 Lavez et essuyez les tomates.
Pelez l'oignon. Hachez-les finement. Recouvrez-en les fonds de
pâte. Ajoutez les dés de saumon.
Salez et poivrez. Faites cuire 15 à
20 minutes en faisant pivoter les
tôles à mi-cuisson.
4 Lavez et essuyez l'aneth.
Réservez quelques brins pour
garnir. Hachez finement le reste,
puis mélangez au yogourt. Poivrez.
5 Sortez les pizzas du four
(elles doivent être dorées),
nappez-les de sauce au yogourt
et garnissez avec l'aneth réservé.

6 Coupez les pizzas en quatre.
Servez-en 2 portions par personne,
avec, si désiré, du chutney à la
mangue.

VALEUR NUTRITIONNELLE PAR PERSONNE
Calories : 509. Glucides : 37 g (sucres : 6 g).
Protéines : 25 g. Lipides : 29 g (acides gras
saturés, 15 g). Riche en vitamines B et E.

CONSEILS ET IDÉES PRATIQUES
La graisse du saumon évite d'avoir à
huiler la garniture avant la cuisson, ce
qui fait de ces pizzas un plat beaucoup
plus diététique que d'ordinaire.

CRABE À LA MAYONNAISE AU PIMENT

*Mélangée à de la ricotta, du poivron vert, du piment et des oignons, la chair
de crabe forme un plat nourrissant et esthétique. Elle est servie avec une mayonnaise relevée.*

TEMPS : 20 MINUTES – 4 PERSONNES

1 piment vert
1 petit poivron vert
1 petit oignon rouge
3 oignons verts
500 g (1 lb) de chair de crabe
85 g (3 oz) de ricotta
Sel et poivre noir
300 ml (1¼ tasse) de mayonnaise
1 c. à thé de piment séché
4 tranches de pain de mie ou de pain blanc

1 Si vous n'avez pas de grille-pain, préchauffez le gril du four.

2 Lavez, essuyez, épépinez et émincez finement le piment vert et le poivron. Pelez l'oignon rouge et coupez-le en lamelles fines. Épluchez les oignons verts, lavez-les, essuyez-les et émincez-les avec une partie de leur tige verte. Mettez tous ces ingrédients dans un saladier.

3 Ôtez les cartilages du crabe. Ajoutez la chair égouttée dans le saladier de même que la ricotta. Mélangez bien. Salez et poivrez.

4 Incorporez le piment sec à la mayonnaise. Vérifiez l'assaisonnement ; salez et poivrez

si nécessaire. Versez dans une saucière.

5 Faites griller le pain, coupez en triangles et disposez dans un plat de service. Répartissez la préparation au crabe au centre.

6 Servez avec la saucière de mayonnaise dont chacun nappera à volonté les rôties recouvertes de préparation au crabe.

*VALEUR NUTRITIONNELLE PAR PERSONNE
Calories : 821. Glucides : 22 g (sucres : 4 g).
Protéines : 33 g. Lipides : 68 g (acides gras
saturés : 11 g). Riche en vitamines B, C, E
et en sélénium et zinc.*

DARNES DE MORUE AU BROCOLI

Les tranches de poisson cuiront toutes seules au four tandis que vous préparez la garniture à la crème et à l'estragon.

TEMPS : 30 MINUTES – 4 PERSONNES

4 darnes épaisses de morue :
175 g (6 oz), environ, chacune

2 c. à soupe d'huile d'olive
vierge extra

Sel et poivre noir

1 échalote

350 g (¾ lb) de bouquets de brocoli

10 brins d'estragon frais

200 ml (¾ tasse) de crème épaisse

1 Préchauffez le four à 180 °C (350 °F). Rincez et épongez les tranches de poisson. Badigeonnez-les avec une cuillerée à soupe d'huile. Salez et poivrez.

2 Découpez 4 morceaux d'aluminium ménager assez grands pour envelopper les darnes. Posez celles-ci au centre, rapprochez les bords sans serrer et roulez-les pour fermer les papillotes. Posez-les sur la lèchefrite du four et laissez cuire 15 minutes.

3 Pendant la cuisson des darnes, pelez et émincez l'échalote. Lavez le brocoli. Séparez-le en bouquets.

4 Faites chauffer le reste de l'huile dans une sauteuse. Faites-y fondre l'échalote. Dès qu'elle est translucide, ajoutez-y le brocoli. Arrosez avec 150 ml (⅔ tasse) d'eau, portez à ébullition, puis couvrez et laissez frémir 4 à 5 minutes. Quand le brocoli est tendre, ôtez le couvercle et faites bouillir sur feu vif, sans laisser brûler, jusqu'à ce qu'il ne reste plus qu'une ou deux cuillerées à soupe d'eau.

5 Lavez et essuyez l'estragon. Réservez-en 4 brins pour décorer. Hachez les feuilles des 6 autres brins. Ajoutez-les au brocoli. Nappez de crème. Salez et poivrez. Tenez au chaud.

6 Sortez les papillotes du four, ouvrez-les et transférez les darnes dans des assiettes. Recouvrez avec le brocoli, décorez avec les brins d'estragon réservés et servez.

VALEUR NUTRITIONNELLE PAR PERSONNE
Calories : 473. Glucides : 3 g (sucres : 3 g).
Protéines : 37 g. Lipides : 35 g (acides gras saturés : 18 g). Riche en vitamines A, B, C, E et en folates et sélénium.

MORUE À LA GRECQUE

Voici une préparation très méditerranéenne de la morue. Les Grecs préparent volontiers
ce poisson avec de la tomate, du poivron et du vin blanc.

Temps : 30 minutes – 4/6 personnes

2 c. à soupe d'huile d'olive
1 oignon moyen
1 poivron vert
6 tomates italiennes
2 gousses d'ail
750 g (1½ lb) de filets de morue sans peau
1 citron et demi
1 poignée de persil
3 c. à soupe de vin blanc sec
3 c. à soupe de concentré de tomates
Sel et poivre

1 Faites chauffer l'huile sur feu doux dans une cocotte. Pelez et émincez l'oignon. Lavez, essuyez et épépinez le poivron. Coupez-le en lanières fines. Lavez et essuyez les tomates. Taillez-les en rondelles.
2 Versez ces légumes dans la cocotte. Pelez l'ail et écrasez-le au-dessus. Couvrez et faites cuire de 6 à 8 minutes sur feu vif, en secouant de temps en temps la cocotte.
3 Pendant ce temps, taillez la morue en dés de 5 cm (2 po) de côté. Arrosez avec le jus du demi-citron. Lavez, égouttez et hachez le persil.
4 Incorporez aux légumes le vin blanc et le concentré de tomates. Lavez et essuyez le citron entier. Coupez-le en rondelles très fines. Disposez celles-ci sur les légumes, sur une seule couche.
5 Posez le poisson sur les rondelles de citron. Salez et poivrez. Parsemez avec le persil haché. Réduisez le feu, couvrez et laissez juste frémir pendant 15 minutes ; si la sauce est trop liquide, retirez le couvercle 5 minutes avant la fin de la cuisson. Vérifiez que le poisson est cuit : sa chair doit être opaque et se défaire facilement.

Suggestion d'accompagnement
Servez ce plat avec du riz créole et une salade verte aux olives noires et à la feta ou au chèvre frais.

Variante
Vous pouvez préparer de la même façon d'autres poissons blancs à chair ferme.

Valeur nutritionnelle par personne
(en comptant 4 personnes) *Calories : 256.*
Glucides : 11 g (sucres : 10 g). Protéines : 35 g.
Lipides : 8 g (acides gras saturés : 1 g).
Riche en vitamines A, B, C et E.

111

MORUE RÔTIE AU PESTO

Accompagné de pommes de terre écrasées à la crème et à l'ail,
ce poisson parfumé au basilic constitue un excellent plat familial.

TEMPS : 30 MINUTES – 4 PERSONNES

---

4 pommes de terre moyennes
(700 g / 1½ lb) à chair farineuse

Sel et poivre noir

---

4 tranches épaisses de morue :
175 g (6 oz), environ, chacune

---

1 c. à soupe de pesto
vert ou rouge

---

1 c. à soupe d'huile d'olive

---

1 gousse d'ail

---

50 g (3 c. à soupe) de beurre

---

50 ml (¼ tasse) de crème légère

Pour garnir : 4 brins de basilic

---

1 Préchauffez le four à 200 °C
(400 °F). Pelez les pommes de
terre, lavez-les et coupez-les en
cubes de 2 cm (¾ po). Mettez-les
dans une casserole d'eau salée,
couvrez, portez à ébullition et
laissez cuire 15 minutes, environ.

2 Tapissez un petit plat à rôtir
d'aluminium ménager. Rincez et
épongez les tranches de poisson.
Disposez-les dans le plat. Étalez
le pesto dessus. Salez et poivrez.
Arrosez avec l'huile d'olive. Faites
cuire dans la partie supérieure du
four de 15 à 20 minutes : la chair
doit se défaire facilement.

3 Égouttez les pommes de terre.
Reversez-les dans la casserole.
Pelez l'ail, hachez-le au-dessus
et écrasez le tout à la fourchette.
Incorporez le beurre et la crème.
Faites réchauffer sur feu doux.
Servez avec le poisson et décorez
de basilic.

SUGGESTION D'ACCOMPAGNEMENT
Servez avec des courgettes ou des
haricots verts cuits à la vapeur.

VALEUR NUTRITIONNELLE PAR PERSONNE
Calories : 431. Glucides : 23 g (sucres : 2 g).
Protéines : 37 g. Lipides : 22 g (acides gras
saturés : 10 g). Riche en vitamines B, C et E.

CONSEILS ET IDÉES PRATIQUES

Le pesto est un condiment italien fait
de basilic frais, de pignons de pin, d'ail,
d'huile d'olive et de parmesan ou de
pecorino pilés ensemble.
Le pesto rouge comporte également
des tomates séchées au soleil.

HARENGS FRITS À LA SUÉDOISE

Les filets de hareng fourrés d'oignon rouge et d'aneth et maintenus en sandwiches avec de l'œuf battu constituent un plat parfumé et économique.

TEMPS : 20 MINUTES – 4 PERSONNES

4 gros harengs en filets
1 petit œuf
Sel et poivre noir
1 gros oignon rouge
3 branches d'aneth
Farine pour enrober le poisson
Huile pour friture

1 Lavez les filets et essuyez-les bien. Fouettez l'œuf dans un bol avec du sel et du poivre.

2 Pelez l'oignon, puis coupez 2 rondelles fines au milieu et défaites en anneaux. Hachez finement le reste. Lavez et égouttez l'aneth. Hachez-en l'équivalent d'une cuillerée à soupe. Réservez 4 brins pour décorer.

3 Saupoudrez largement de farine votre planche à découper. Disposez dessus la moitié des filets de hareng, peau contre la planche. Badigeonnez d'œuf battu. Répartissez au centre l'oignon et l'aneth hachés, sur toute la longueur.

4 Badigeonnez d'œuf battu le côté chair des autres filets. Recouvrez-en les filets garnis, peau vers le haut. Pressez pour souder les sandwiches. Farinez et frottez légèrement pour faire tomber l'excédent.

5 Faites chauffer dans une grande poêle juste assez d'huile pour couvrir le fond. Quand elle est très chaude, placez-y délicatement les harengs farcis. Faites frire 2 à 3 minutes sur feu un peu vif. Dès que le dessous est doré, retournez et faites frire encore 2 à 3 minutes.

6 Égouttez les harengs sur du papier absorbant, disposez dans un plat, garnissez avec les anneaux d'oignon et les brins d'aneth. Servez.

SUGGESTION D'ACCOMPAGNEMENT
Servez avec des pommes de terre rouges cuites à l'eau et de la betterave ou avec des tranches de pomme sautées.

VALEUR NUTRITIONNELLE PAR PERSONNE
Calories : 520. Glucides : 5 g (sucres : 2 g). Protéines : 45 g. Lipides : 36 g (acides gras saturés : 9 g). Riche en vitamines B, E et en zinc.

CONSEILS ET IDÉES PRATIQUES

Procurez-vous des harengs de première fraîcheur, avec une peau franchement argentée et des yeux brillants. Demandez au poissonnier de lever les filets et préparez-les le jour même.

BEURRES COMPOSÉS ET POISSONS

SAUMON
AU BEURRE DE LIME

*La coriandre, la lime et
le gingembre donnent à ce beurre un
caractère nettement extrême-oriental.*

TEMPS : 30 MINUTES – 4 PERSONNES

5 cm (2 po) de racine de gingembre
12 brins de coriandre
2 limes
125 g (¼ lb) de beurre
Piment de Cayenne
Sel et poivre noir
2 c. à soupe d'huile de tournesol
4 filets de saumon de 175 g (6 oz) chacun

1 Préchauffez le four à 220 °C
(425 °F). Pelez le gingembre,
coupez-le en lamelles et mettez-le
dans le bol du robot culinaire.
Lavez et épongez la coriandre.
Réservez-en quelques brins pour
décorer. Ajoutez le reste au gingembre. Lavez les limes. Coupez-
en une en quartiers pour la garniture. Râpez le zeste de la seconde
et pressez-la. Ajoutez dans le bol
le zeste et le jus de lime, le beurre
et le piment de Cayenne. Salez et
poivrez. Mélangez.
2 Façonnez le beurre en boudin,
enveloppez-le dans de l'aluminium
et mettez au congélateur.
3 Huilez la lèchefrite du four.
Allongez-y les filets de saumon.
Badigeonnez-les d'huile. Salez.
Faites cuire 8 minutes, environ.
4 Disposez les filets de saumon
dans des assiettes. Posez une
rondelle de beurre sur chacun
d'eux. Garnissez avec la coriandre
et les quartiers de lime.
SUGGESTION D'ACCOMPAGNEMENT
Servez avec du couscous que vous
laisserez gonfler pendant la cuisson
du saumon.

*VALEUR NUTRITIONNELLE PAR PERSONNE
Calories : 624. Glucides : 2 g (sucres : 0,4 g).
Protéines : 26 g. Lipides : 57 g (acides gras
saturés : 33 g). Riche en vitamines A et E.*

STEAKS DE THON
AU BEURRE DE WASABI

*L'Orient et l'Occident se rencontrent
dans ce beurre aromatisé de wasabi,
une plante de la cuisine japonaise.*

TEMPS : 25 MINUTES – 4 PERSONNES

1 c. à thé de graines de sésame
½ citron
Quelques brins de basilic, ciboulette, coriandre et persil plat
125 g (¼ lb) de beurre
1 c. à soupe de pâte de wasabi
1 c. à soupe de sauce soja
3 gouttes de Tabasco
4 steaks de thon de 175 g (6 oz) chacun
1 c. à soupe d'huile d'olive ou de tournesol

1 Faites griller le sésame à sec
dans une petite poêle.
2 Ajoutez une cuillerée à thé de
jus de citron au sésame. Lavez,
essuyez et hachez les fines herbes
en réservant quelques brins pour
décorer. Ajoutez au sésame les
herbes, le beurre, le wasabi, la
sauce soja et le Tabasco. Travaillez
pour obtenir un mélange lisse.
3 Façonnez le beurre en boudin,
enveloppez-le dans de l'aluminium
et mettez au congélateur.
4 Faites chauffer un gril de
contact ou une poêle sur feu
moyen. Huilez les steaks de thon
des deux côtés. Faites-les cuire
3 à 4 minutes de chaque côté.
Disposez-les dans des assiettes.
Posez une rondelle de beurre sur
chacun d'eux et garnissez avec les
fines herbes.
SUGGESTION D'ACCOMPAGNEMENT
Les pommes vapeur mais aussi les
germes de soja et le cresson font
d'excellents accompagnements.

*VALEUR NUTRITIONNELLE PAR PERSONNE
Calories : 512. Glucides : 1 g (sucres : 0,8 g).
Protéines : 42 g. Lipides : 38 g (acides gras
saturés : 19 g). Riche en vitamines A, B, E
et en sélénium.*

FLÉTAN
AU BEURRE DE RAIFORT

*La ciboulette et le raifort apportent
leur saveur à ce beurre qui donne de
l'élégance à un simple poisson sauté.*

TEMPS : 25 MINUTES – 4 PERSONNES

Un petit bouquet de ciboulette
1½ c. à soupe de raifort en pot
125 g (¼ lb) de beurre
4 tranches ou filets de flétan de 175 g (6 oz), environ, chacun
Sel et poivre noir
2 c. à thé d'huile de maïs

1 Ciselez environ 2 cuillerées à
soupe de ciboulette au-dessus d'un
bol. Réservez 1 cuillerée à soupe de
beurre. Ajoutez le reste du beurre
et le raifort à la ciboulette.
2 Roulez en boudin dans de l'aluminium et mettez au congélateur.
3 Salez et poivrez les deux côtés
du poisson. Faites chauffer l'huile
et le reste du beurre dans une
poêle. Faites revenir les morceaux
de poisson de 4 à 6 minutes sur
feu vif (les filets cuiront plus vite
que les tranches).
4 Coupez le beurre en 4 rondelles. Disposez les morceaux de
poisson dans des assiettes. Placez
les rondelles de beurre dessus.
SUGGESTION D'ACCOMPAGNEMENT
Des épinards ou des Carottes à
l'orange et au sésame (voir p. 256)
sont excellents avec ce plat de
poisson.

*VALEUR NUTRITIONNELLE PAR PERSONNE
Calories : 438. Glucides : 1 g (sucres : 1 g).
Protéines : 38 g. Lipides : 31 g (acides gras
saturés : 18 g). Riche en vitamines A, B et E.*

TROIS POISSONS SAVOUREUX :
FLÉTAN AU BEURRE DE RAIFORT *(en haut)* ;
STEAKS DE THON AU BEURRE DE WASABI
(au centre) ; SAUMON AU BEURRE
DE LIME *(en bas)*.

RAIE BRAISÉE AU FOUR

Après une simple cuisson au four avec du beurre et un vinaigre parfumé,
des câpres et des cornichons complètent l'assaisonnement de ce poisson à chair tendre.

TEMPS : 30 MINUTES – 4 PERSONNES

2 échalotes
3 petits cornichons surs
80 g (5 c. à soupe) de beurre
2 ailes de raie pelée de 500 g (1 lb), environ, chacune
2 c. à soupe de vinaigre balsamique ou de xérès
Sel et poivre
2 c. à soupe de câpres

1 Préchauffez le four à 190 °C (375 °F). Pelez et émincez les échalotes et les cornichons, sans les mélanger.

2 Beurrez largement un plat à rôtir assez grand pour contenir les ailes de raie sur une seule couche. Rincez le poisson, coupez les ailes en deux et disposez-les dans le plat. Ajoutez le reste du beurre en petits dés.

3 Parsemez le poisson avec les échalotes. Arrosez avec le vinaigre. Salez et poivrez. Faites cuire au four 20 minutes, environ, sans couvrir : si vous essayez de détacher délicatement avec une fourchette un point de la partie la plus épaisse de la raie, la chair doit se défaire facilement.

4 Parsemez la raie avec les câpres et les cornichons hachés. Arrosez avec le jus de cuisson au moment de servir.

SUGGESTION D'ACCOMPAGNEMENT
Servez avec des tomates coupées en deux, rôties autour du poisson, ou avec des pommes de terre nouvelles qui, cuites à l'eau pendant la cuisson de la raie, équilibreront la saveur forte de ce plat.

VALEUR NUTRITIONNELLE PAR PERSONNE
Calories : 321. Glucides : 0,5 g (sucres : 0,5 g).
Protéines : 38 g. Lipides : 18 g (acides gras
saturés : 12 g). Riche en vitamines A, B et E.

SAUMON AUX FRUITS TROPICAUX

Le mélange de mangue et de papaye assaisonné de gingembre,
de menthe et de lime donne une touche exotique au classique saumon grillé.

TEMPS : 25 MINUTES – 4 PERSONNES

| 4 steaks de saumon sans peau de 175 g (6 oz), environ, chacun |
| 1 c. à soupe d'huile d'olive |

Pour la garniture :

| 1 petite mangue |
| 1 petite papaye |
| Un morceau de 2,5 cm (1 po) de racine de gingembre |
| Une poignée de feuilles de menthe |
| 1 lime |
| Sel et poivre noir |

1 Préchauffez le gril à température moyenne. Couvrez la grille d'aluminium ménager. Coupez la pulpe de la mangue de chaque côté du noyau ; ôtez-la et coupez-la en dés. Ouvrez la papaye en deux, ôtez les graines, retirez la chair et coupez-la en dés.

2 Pelez le gingembre. Râpez-le au-dessus des fruits. Lavez, essuyez et hachez la menthe. Ajoutez-la à la garniture.

3 Lavez et essuyez la lime. Prélevez quelques lanières de zeste pour décorer. Râpez le reste au-dessus de la préparation. Pressez la lime. Ajoutez la moitié de son jus à la préparation.

4 Salez les fruits, poivrez largement et mélangez bien.

5 Posez les steaks de saumon sur la grille garnie d'aluminium ménager, côté peau vers le bas. Badigeonnez d'huile d'olive. Salez et poivrez. Arrosez avec le reste du jus de lime. Faites griller 6 à 8 minutes à 10 cm (4 po) de la source de chaleur sans retourner le poisson.

6 Décorez le saumon avec les lanières de zeste. Servez avec la préparation aux fruits.

SUGGESTION D'ACCOMPAGNEMENT
Servez ce saumon avec une simple salade verte et, éventuellement, quelques pommes de terre nouvelles.

VALEUR NUTRITIONNELLE PAR PERSONNE
Calories : 424. Glucides : 15 g (sucres : 14 g). Protéines : 26 g. Lipides : 29 g (acides gras saturés : 15 g). Riche en vitamines A, C et E.

TOUT FRAIS SORTI DE LA BOÎTE

Une armoire à provisions bien remplie est la meilleure façon d'affronter les repas improvisés et les cuisiniers ont toujours eu recours à l'ouvre-boîtes pour les urgences. Certains ingrédients, tels que le thon en conserve, sont indispensables car ils constituent la base d'une multitude de plats.

BRUSCHETTA DE SARDINES À LA TOMATE

Sur du pain grillé, les sardines prennent une allure nouvelle.

POUR 2 PERSONNES

  4 tranches de pain de campagne
  1 gousse d'ail
  2 ou 3 tomates mûres mais fermes
  Sel et poivre noir
  Huile d'olive
  1 boîte (124 g / 4½ oz)
    de sardines à l'huile
  Basilic, roquette ou cresson
  Jus de citron ou vinaigre
    balsamique (facultatif)

Faites griller 4 tranches de pain épaisses. Frottez-les d'un côté avec l'ail coupé en deux. Concassez les tomates. Recouvrez-en les rôties. Salez et poivrez. Arrosez largement d'huile d'olive. Égouttez les sardines. Disposez-les sur la tomate. Entourez les rôties de feuilles de basilic, de roquette ou de cresson. Éventuellement, arrosez la salade avec un peu de jus de citron ou de vinaigre balsamique pour compenser la dominante huileuse.

CHAUSSONS AU SAUMON ET AUX ASPERGES

Pour cette recette, utilisez de la pâte feuilletée fraîche, déjà étalée.

POUR 2 PERSONNES (PLAT PRINCIPAL)
OU 4 PERSONNES (ENTRÉE)

  25 g (2 c. à soupe) de beurre
  25 g (3 c. à soupe) de farine
  250 ml (1 tasse) de lait
  1 boîte (213 g / 7½ oz)
    de saumon rose
  ½ boîte (341 ml / 12 oz)
    de pointes d'asperge
  Un brin d'aneth frais ou
    ½ c. à thé d'aneth séché
  Sel et poivre noir
  225 g (½ lb) de pâte feuilletée

Préchauffez le four à 220 °C (425 °F). Rincez les asperges et laissez-les égoutter. Préparez une béchamel : fouettez ensemble le beurre fondu avec la farine et 200 ml (¾ tasse) de lait sur feu doux. Portez à ébullition en remuant. Faites épaissir 1 minute, puis versez dans un saladier. Égouttez le saumon, retirez les arêtes éventuelles, défaites-le en morceaux et ajoutez-le à la sauce ainsi que les pointes d'asperges. Incorporez l'aneth ciselé. Salez et poivrez largement.

Farinez le plan de travail. Posez-y la pâte feuilletée et abaissez-la. Coupez-la en 4 carrés égaux. Mettez une cuillerée de préparation au saumon au centre de chaque carré. Rassemblez les coins pour former des paquets. Badigeonnez avec le reste de lait. Disposez sur une tôle à pâtisserie. Faites cuire au four 15 à 20 minutes.

VARIANTE

Vous pouvez utiliser de la pâte filo plutôt que de la pâte feuilletée. La cuisson se fait alors à 190 °C (375 °F) pendant 12 à 15 minutes, après que l'on a badigeonné la pâte filo de beurre fondu.

TARTE AU CRABE ET AUX PETITS POIS

Utilisez un fond de tarte précuit pour réaliser, avec une garniture crémeuse au crabe, ce flan appétissant.

POUR 4 PERSONNES

  2 œufs
  Sel et poivre noir
  3 pincées de noix muscade
  2 boîtes de crabe de 120 g (4 oz)
  ½ tasse (100 g) de petits pois
    en boîte
  2 oignons verts
  100 ml (⅓ tasse) de crème épaisse
  3 c. à soupe de madère
  2 c. à soupe de parmesan râpé
  Un fond de tarte précuit de 23 cm
    (9 po) de diamètre

Allumez le four à 200 °C (400 °F). Battez les œufs avec du sel, du poivre et la noix muscade. Incorporez la chair de crabe avec son jus. Égouttez les petits pois. Hachez les oignons verts. Ajoutez à la préparation les petits pois, les oignons, la crème, le madère et la moitié du parmesan. Mélangez.

Versez la préparation dans le fond de tarte. Posez ce dernier, avec son emballage d'aluminium, sur une tôle de cuisson. Saupoudrez avec le reste du parmesan. Faites cuire 20 minutes dans le tiers supérieur du four.

VARIANTE

Vous pouvez aussi utiliser des petits pois surgelés. Dans ce cas, plongez-les dans de l'eau bouillante pour les décongeler, puis égouttez-les.

PÂTES À LA SAUCE AUX ANCHOIS

Cette sauce toute simple que l'on prépare en Sicile et à Venise doit son intérêt au parfum intense des anchois.

POUR 4 PERSONNES

  250 g (½ lb) de pâtes
  2 c. à soupe de raisins secs
  1 grosse gousse d'ail
  1 brin de romarin frais
  3 c. à soupe d'huile d'olive
  1 citron
  2 boîtes d'anchois à l'huile
    de 50 g (2 oz)
  2 c. à soupe de pignons de pin
  Poivre noir
  Menthe fraîche (facultatif)

Faites cuire les pâtes dans une grande casserole d'eau en suivant les conseils portés sur l'emballage. Mettez les raisins secs à tremper dans une cuillerée à soupe d'eau bouillante prélevée sur la cuisson des pâtes. Faites revenir l'ail et le romarin sur feu doux dans l'huile d'olive. Dès qu'ils colorent, jetez-les. Râpez le zeste du citron. Posez la poêle sur la casserole de cuisson des pâtes. Versez-y les anchois avec leur huile, les pignons de pin, les raisins secs égouttés et le zeste de citron.

Faites ainsi cuire très doucement jusqu'à ce que les anchois fondent. Si le mélange est trop épais, ajoutez 1 ou 2 cuillerées d'eau de cuisson des pâtes. Poivrez. Versez cette préparation sur les pâtes et parsemez, éventuellement, de menthe hachée.

SALADE AU THON
Préparez si possible cette salade à l'avance pour que les parfums aient le temps de se mélanger.
POUR 4 PERSONNES

   4 œufs
   ½ boîte (341 ml / 12 oz)
      de petits pois
   500 g (1 lb) de pommes de
      terre cuites
   2 boîtes de thon à l'huile
      de 170 g (6 oz)
   2 carottes moyennes
   1 citron
   Sel et poivre noir
   300 ml (1¼ tasse) de mayonnaise
   Un bouquet de ciboulette
      ou de persil plat

Faites durcir les œufs. Égouttez les pommes de terre, rincez-les, essuyez-les et tranchez-les au-dessus d'un saladier. Égouttez le thon en récupérant son huile dans une tasse à mesurer. Émiettez-le et versez dans le saladier. Pelez les carottes. Râpez-les au-dessus.

Égouttez les petits pois. Rafraî-chissez et écalez les œufs durs. Coupez-les en quatre. Ajoutez ces éléments à la salade.

Pressez le citron. Ajoutez son jus à l'huile du thon. Salez et poivrez. Ajoutez assez de mayonnaise pour avoir 350 ml (1½ tasse) de sauce. Fouettez et incorporez à la salade. Parsemez de ciboulette ou de persil, couvrez et mettez au réfrigérateur. Décorez de ciboulette.

UN GRAND CLASSIQUE :
SALADE AU THON.

SAUMON FUMÉ AUX LÉGUMES SAUTÉS

Cette préparation réunit de tout petits légumes et du saumon fumé, avec une touche d'assaisonnement extrême-oriental.

225 g (½ lb) de salade mélangée
1 piment vert
85 g (3 oz) de haricots verts extrafins
85 g (3 oz) de carottes miniatures
100 g (3½ oz) d'échalotes
100 g (3½ oz) de fines asperges vertes
1 c. à soupe d'huile d'olive
1 c. à soupe d'huile de sésame
1 gousse d'ail
100 ml (⅓ tasse) de xérès sec
125 g (¼ lb) de chutes ou de tranches de saumon fumé
1 c. à soupe de sauce soja
½ c. à thé de sucre
Pour garnir : quelques feuilles de coriandre

1 Disposez la salade dans un plat.
2 Lavez, essuyez, épépinez et émincez le piment. Lavez, essuyez et équeutez les haricots et les carottes. Fendez celles-ci en deux si elles sont un peu épaisses.
3 Pelez les échalotes. Coupez-les en quatre. Lavez les asperges. Coupez-les en tronçons de 2 à 3 cm (1 po). Lavez et essuyez les feuilles de coriandre.
4 Faites chauffer les huiles dans une grande poêle. Pelez l'ail. Écrasez-le au-dessus de la poêle. Ajoutez le piment. Faites revenir 1 minute à feu moyen. Ajoutez les haricots et les carottes. Faites encore revenir 1 ou 2 minutes.
5 Ajoutez les échalotes et les asperges. Mélangez 1 minute, puis incorporez le xérès, couvrez la poêle et faites cuire 1 minute.
6 Coupez le saumon en lanières. Ajoutez à la préparation, couvrez et faites cuire 1 minute. Incorporez la sauce soja et le sucre ; mélangez.
7 Disposez la préparation sur la salade et parsemez de coriandre.

SUGGESTION D'ACCOMPAGNEMENT
Servez avec ce plat des pommes de terre nouvelles cuites à la vapeur.

VALEUR NUTRITIONNELLE PAR PERSONNE
Calories : 155. Glucides : 5 g (sucres : 4 g). Protéines : 10 g. Lipides : 8 g (acides gras saturés : 1 g). Riche en vitamines A, B, C, E et en folates.

MAQUEREAUX GRILLÉS À L'ANETH

Une mayonnaise au yogourt, parfumée d'aneth et de câpres,
relève les filets de poisson grillés et les pommes de terre nouvelles.

TEMPS : 30 MINUTES – 4 PERSONNES

Un petit bouquet d'aneth	
700 g (1½ lb) de petites pommes de terre nouvelles	
Sel	
1 c. à thé de grains de poivres mélangés	
Huile pour graisser	
4 filets de maquereaux de 175 g (6 oz), environ, chacun	
4 c. à soupe de mayonnaise	
4 c. à soupe de yogourt nature	
25 g (1 c. à soupe comble) de câpres	
Pour garnir : 1 citron	

1 Lavez et essuyez l'aneth, détachez les petites feuilles des tiges.

2 Brossez les pommes de terre sous l'eau froide. Mettez-les dans une grande casserole d'eau froide avec les tiges d'aneth. Salez. Portez à ébullition et laissez cuire 15 à 20 minutes.

3 Pendant ce temps, préchauffez le gril au maximum. Écrasez les poivres au rouleau à pâtisserie ou dans un mortier. Huilez légèrement une grille, allongez les filets de poisson dessus, la peau contre la grille, et parsemez de poivre concassé.

4 Faites griller 5 minutes à 10 cm (4 po) de la source de chaleur, puis retournez les filets, et laissez cuire encore 8 minutes.

5 Mélangez la mayonnaise et le yogourt. Hachez l'aneth. Ajoutez-le à la sauce ainsi que les câpres.

6 Quand les filets sont cuits, salez légèrement le côté chair. Égouttez les pommes de terre et jetez les tiges d'aneth. Servez avec les pommes de terre, la sauce et des quartiers de citron.

SUGGESTION D'ACCOMPAGNEMENT
Vous pouvez servir ce plat avec des Poireaux et carottes sautés (p. 256) ou une salade verte aux tomates-cerises.

VALEUR NUTRITIONNELLE PAR PERSONNE
Calories : 883. Glucides : 26 g (sucres : 3 g). Protéines : 39 g. Lipides : 70 g (acides gras saturés : 32 g). Riche en vitamines B, C et E.

CONSEILS ET IDÉES PRATIQUES

Il vous faut deux gros maquereaux parfaitement frais. Achetez-les le jour même de la préparation et demandez au poissonnier d'en lever les filets.

SOLE GRILLÉE À LA FONDUE DE COURGETTES

Ce poisson grillé, léger et délicat, accompagné de courgettes émincées au beurre, convient parfaitement à un élégant dîner d'été.

TEMPS : 30 MINUTES – 4 PERSONNES

---

600 g (1¼ lb) de courgettes

Sel et poivre noir

4 soles de 450 g (1 lb), environ, chacune, débarrassées de leur peau noire et de leur tête

Un petit bouquet de ciboulette

Quelques brins de cerfeuil

Quelques brins de persil

70 g (5 c. à soupe) de beurre

Huile pour graisser

1½ citron

---

1 Faites chauffer un gril de contact sur feu vif. Lavez les courgettes, débarrassez-les de leurs extrémités, puis hachez-les grossièrement au robot. Versez-les dans une passoire. Saupoudrez-les légèrement de sel, mélangez et laissez dégorger.

2 Lavez et essuyez les soles. Incisez chacune d'elles de 3 entailles en diagonale du côté recouvert de peau blanche.

3 Lavez, séchez et hachez suffisamment de ciboulette, de cerfeuil et de persil pour obtenir une cuillerée à soupe de chaque herbe. Mélangez ce hachis dans un bol avec 40 g (3 c. à soupe) de beurre. Salez bien, écrasez à la fourchette, partagez en quatre et réservez.

4 Faites fondre le reste du beurre dans une poêle. Mettez-y les courgettes à revenir à feu moyen pendant 10 minutes : elles doivent être cuites mais encore fermes. Secouez la poêle de temps en temps pour les empêcher d'attacher.

5 Huilez légèrement le gril. Posez les soles, peau blanche vers le haut. Faites griller 5 minutes, puis retournez les soles et arrosez-les avec le jus du demi-citron. Laissez cuire 2 ou 3 minutes : la chair doit se détacher facilement.

6 Taillez le citron entier en 8 quartiers. Posez un morceau de beurre aux herbes sur chaque poisson. Servez avec les courgettes et les quartiers de citron.

SUGGESTION D'ACCOMPAGNEMENT
Faites griller des tomates coupées en deux avec les soles et servez avec des Pommes de terre nouvelles au four (voir p. 267).

VARIANTE
Vous pouvez préparer de la même façon de la morue ou du saumon.

VALEUR NUTRITIONNELLE PAR PERSONNE
Calories : 554. Glucides : 2 g (sucres : 2 g). Protéines : 84 g. Lipides : 23 g (acides gras saturés : 10 g). Riche en vitamines A, B, C, E et en folates, fer, sélénium et zinc.

CONSEILS ET IDÉES PRATIQUES

Si votre gril n'est pas assez grand pour 4 soles, disposez ces dernières sur la grille du four. Préchauffez le four à 220 °C (425 °F). Faites cuire les soles 15 à 20 minutes, peau blanche en haut.

HADDOCK AUX VERMICELLES DE RIZ

Original et facile à préparer, ce délicat poisson fumé est servi sur un lit de petits légumes sautés avec des vermicelles de riz, enrichis d'une sauce aigre-douce.

TEMPS : 30 MINUTES – 4 PERSONNES

4 filets de haddock fumé de 175 g (6 oz), environ, chacun
250 g (½ lb) de vermicelles de riz
1 piment vert
85 g (3 oz) de petites carottes
85 g (3 oz) de haricots verts extrafins
250 g (½ lb) de petites asperges vertes
1 c. à soupe d'huile
1 gousse d'ail
1 à 2 c. à soupe de nuoc-mâm ou de sauce soja
3 c. à soupe de vin blanc
1 c. à soupe de miel liquide
1 c. à soupe d'huile de sésame

1 Faites bouillir de l'eau. Retirez la peau du poisson (voir p. 11). Mettez les vermicelles dans un bol, recouvrez d'eau bouillante, laissez gonfler 5 minutes, puis égouttez.

2 Pendant ce temps, lavez, essuyez, épépinez et émincez le piment. Pelez les carottes. Équeutez et lavez les haricots et les asperges. Coupez ces dernières en tronçons de la taille des haricots verts.

3 Faites chauffer l'huile dans un wok ou une grande poêle. Pelez l'ail. Écrasez-le au-dessus de l'huile, ajoutez le piment et faites fondre 2 minutes sur feu doux.

4 Ajoutez les légumes, augmentez le feu, puis incorporez le nuoc-mâm ou la sauce soja, le vin et le miel.

5 Allongez les filets de haddock sur la préparation, couvrez et laissez cuire 5 minutes. Retirez le poisson et tenez-le au chaud.

6 Ajoutez aux légumes les vermicelles égouttés, mélangez, puis incorporez l'huile de sésame. Mélangez 1 ou 2 minutes pour réchauffer les pâtes.

7 Répartissez la préparation dans 4 assiettes. Disposez les filets de haddock dessus.

VALEUR NUTRITIONNELLE PAR PERSONNE
Calories : 451. Glucides : 59 g (sucres : 7 g). Protéines : 38 g. Lipides : 6 g (acides gras saturés : 1 g). Riche en vitamines A, B, E et en folates.

POISSON ENTIER À LA VAPEUR À LA CHINOISE

*Ce poisson entier préparé à la chinoise avec du gingembre
et de la sauce soja produit un effet spectaculaire.*

TEMPS : 30 MINUTES – 4 PERSONNES

1 poisson entier rond (bar ou vivaneau) de 1 kg (2 lb), environ, vidé
Sel
5 cm (2 po) de racine de gingembre
4 oignons verts
2 c. à soupe de sauce soja
1 c. à soupe d'huile de sésame
4 gousses d'ail
3 c. à soupe d'huile

1 Lavez soigneusement le poisson. Frottez délicatement l'intérieur et l'extérieur de sel. Laissez reposer 10 minutes.

2 Pelez et râpez le gingembre. Lavez les oignons verts, coupez-les en tronçons de 7 à 8 cm (3 po), puis en lanières fines. Mélangez dans un bol la sauce soja et l'huile de sésame.

3 Versez 5 cm (2 po) d'eau dans le compartiment inférieur d'un cuit-vapeur.

4 Rincez le poisson salé à l'eau courante. Épongez-le avec du papier absorbant. Posez-le dans un plat résistant à la chaleur, parsemez-le de gingembre et disposez le tout dans le compartiment perforé du cuit-vapeur. Couvrez, réduisez le feu pour que l'eau frémisse juste et faites cuire 15 à 20 minutes.

5 Pendant cette cuisson, pelez l'ail et taillez-le en lamelles fines. Faites chauffer l'huile dans une petite poêle. Faites-y blondir l'ail sur feu vif.

6 Transférez le poisson dans un plat de service. Parsemez-le avec les oignons et l'ail sauté. Arrosez avec le mélange à la sauce soja et servez.

SUGGESTION D'ACCOMPAGNEMENT
Servez avec du riz créole, préparé pendant la cuisson à la vapeur, ou des nouilles chinoises, à cuisson rapide, additionnées de graines de sésame et d'un peu de piment rouge haché. Vous pouvez aussi proposer un plat de légumes sautés encore croquants.

VARIANTE
Vous pouvez cuisiner de la même façon du maquereau, de la truite de mer ou de l'omble chevalier. Pratiquez 3 ou 4 incisions jusqu'aux arêtes de chaque côté du poisson et faites-y pénétrer le sel en frottant.

VALEUR NUTRITIONNELLE PAR PERSONNE (POUR DU BAR) Calories : 372. Glucides : 2 g (sucres : 0,4 g). Protéines : 50 g. Lipides : 18 g (acides gras saturés : 2 g). Riche en vitamine B_{12}, en calcium et en fer.

CONSEILS ET IDÉES PRATIQUES

Si votre cuit-vapeur est trop petit, employez un plat à rôtir et une grille métallique. Posez le plat contenant le poisson sur la grille, enveloppez l'ensemble dans de l'aluminium ménager pour enfermer la vapeur.

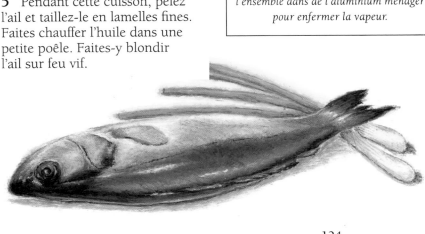

LOTTE AU VERMOUTH

La lotte cuite en sauce conserve sa texture et sa saveur exceptionnelles sans se défaire.
Elle est ici préparée avec de l'ail, des tomates, du citron et de la crème épaisse.

TEMPS : 30 MINUTES – 4 PERSONNES

500 g (1 lb) de lotte sans arêtes
Sel et poivre noir
3 c. à soupe d'huile d'olive
1 petit oignon
2 gousses d'ail
400 g (1 lb) de tomates
100 ml (⅓ tasse) de vermouth blanc ou de Martini blanc sec
1 brin d'estragon
1 citron
2 c. à soupe de crème épaisse

1 Faites bouillir de l'eau. Taillez la lotte en petits cubes. Salez et poivrez. Faites chauffer l'huile dans une poêle sur feu vif. Faites-y revenir la lotte pendant 2 minutes : elle doit être opaque et saisie en surface. Égouttez-la.

2 Pelez et hachez l'oignon et l'ail. Faites-les fondre dans l'huile restant dans la poêle.

3 Mettez les tomates dans un saladier, couvrez d'eau bouillante, laissez reposer 1 à 2 minutes, puis égouttez-les et pelez-les. Hachez la pulpe. Ajoutez-la à l'oignon.

4 Ajoutez le vermouth ou le Martini et augmentez le feu. Lavez, essuyez et hachez l'estragon. Brossez le citron sous l'eau tiède, râpez son zeste et ajoutez-le à la sauce avec l'estragon. Faites bouillir 5 minutes sur feu vif. Salez et poivrez.

5 Jetez le jus rendu par la lotte. Remettez-la dans la poêle. Incorporez la crème épaisse, réduisez le feu et faites juste frémir pendant 5 minutes, environ.

SUGGESTION D'ACCOMPAGNEMENT
Servez avec du riz pilaf, que vous ferez cuire pendant la préparation du poisson, et avec une salade verte.

VALEUR NUTRITIONNELLE PAR PERSONNE
Calories : 257. Glucides : 6 g (sucres : 5 g).
Protéines : 21 g. Lipides : 14 g (acides gras
saturés : 5 g). Riche en vitamines B, C et E.

LOTTE RÔTIE À LA PURÉE DE PETITS POIS

Une purée de petits pois tout en douceur équilibre la saveur puissante des épices indiennes qui, en rôtissant, entourent d'une croûte la chair blanche du poisson.

TEMPS : 30 MINUTES – 2 PERSONNES

1 queue de lotte de 400 g (1 lb)
1 gousse d'ail
½ à 1 piment rouge frais
1 c. à soupe d'huile d'olive
1 c. à thé de cumin en poudre
1 c. à thé de coriandre en poudre
½ c. à thé de sucre
½ citron

Pour la purée :

½ paquet (350 g / 12½ oz) de petits pois surgelés
350 ml (1½ tasse) de bouillon de légumes
1 gousse d'ail
1 c. à soupe de crème légère

1 Préchauffez le four à 200 °C (400 °F). Ôtez la peau et les nageoires de la lotte. Placez-la sur une grille dans un plat à rôtir.
2 Pelez et écrasez l'ail. Lavez, épépinez et hachez le piment. Mettez l'ail et le piment dans un bol avec l'huile d'olive, le cumin, la coriandre et le sucre. Ajoutez une cuillerée à thé de jus de citron.
3 Étalez cette pâte sur la queue de lotte. Faites rôtir au four 20 minutes.
4 Mettez les petits pois dans une casserole avec le bouillon. Portez à ébullition. Pelez l'ail, écrasez-le sur les petits pois et faites frémir 5 minutes sans couvrir, en écumant.

5 Quand les petits pois sont tendres, égouttez-les en récupérant leur liquide de cuisson. Versez ce dernier dans une tasse à mesurer. Passez les petits pois au mélangeur avec la crème légère et 150 ml (⅔ tasse) de jus de cuisson : la purée doit être épaisse. Salez et poivrez. Tenez au chaud.
6 Détachez les filets de lotte de l'arête dorsale. Répartissez la purée dans 2 assiettes. Posez les filets dessus.

*VALEUR NUTRITIONNELLE PAR PERSONNE
Calories : 259. Glucides : 10 g (sucres : 4 g).
Protéines : 37 g. Lipides : 10 g (acides gras saturés : 2 g). Riche en vitamines B, C et E.*

PÉTONCLES EN VINAIGRETTE AUX HERBES

*Une bonne poignée de fines herbes, des câpres et des olives composent
un assaisonnement piquant pour ces mollusques à chair douce, servis avec des tagliatelles.*

TEMPS : 30 MINUTES – 4 PERSONNES

500 g (1 lb) de pétoncles frais
avec ou sans corail

350 g (12 oz) de tagliatelles sèches

3 c. à soupe d'huile d'olive

Pour la vinaigrette :
Un bouquet de persil

Un bouquet de menthe

Un bouquet de ciboulette

1 citron

2 c. à soupe de vinaigre de vin blanc
ou de xérès

5 c. à soupe d'huile d'olive
vierge extra

1 c. à soupe de câpres

6 grosses olives noires dénoyautées

Sel et poivre noir

1 Portez une grande casserole
d'eau à ébullition. Préparez la
vinaigrette : lavez et essuyez les
herbes. Hachez le persil et la
menthe, ciselez la ciboulette

et mettez le tout dans une tasse
à mesurer : il vous en faut 200 ml
(³/₄ tasse).
2 Lavez et essuyez le citron.
Râpez son zeste. Ajoutez-le aux
herbes ainsi que le vinaigre et
l'huile d'olive. Hachez les câpres et
les olives. Ajoutez-les également.
Salez et poivrez. Mélangez bien.
3 Lavez et essuyez les pétoncles.
S'ils sont gros, détachez-en le corail
et coupez-les en lamelles. Salez et
poivrez.
4 Jetez les pâtes dans l'eau bouillante, salez et faites-les cuire.
5 Pendant ce temps, faites
chauffer l'huile d'olive sur feu vif
dans une grande poêle. Faites-y
revenir les pétoncles 3 à 5 minutes : ils doivent être saisis et tout
juste cuits.
6 Retirez du feu et arrosez avec
la vinaigrette. Égouttez les pâtes,
recouvrez avec la préparation et
servez.

VALEUR NUTRITIONNELLE PAR PERSONNE
Calories : 687. Glucides : 77 g (sucres : 9 g).
Protéines : 39 g. Lipides : 25 g (acides gras
saturés : 4 g). Riche en vitamine E.

VITE FAIT, BIEN FAIT !

Si vos pétoncles sont très gros,
taillez-les en 2 ou 3 lamelles
dans leur épaisseur pour gagner
du temps.

PÉTONCLES À LA THAÏLANDAISE

*Les parfums puissants du schénanthe et des feuilles du limettier cafre se combinent
au lait de coco pour donner à ce sauté une saveur exotique surprenante.*

TEMPS : 20 MINUTES — 4 PERSONNES

125 ml (½ tasse) de bouillon de poulet

2 échalotes

1 tige de schénanthe

3 feuilles de limettier cafre

350 g (¾ lb) de pétoncles frais

175 g (6 oz) de pois mange-tout

2 c. à soupe d'huile d'arachide

2 c. à thé de pâte de curry
verte thaïlandaise

150 ml (⅔ tasse) de lait de coco

Quelques brins de coriandre

1 Faites chauffer le bouillon dans
une petite casserole sur feu doux.
2 Pelez et hachez les échalotes.
Retirez la partie externe du
schénanthe. Hachez la tige. Hachez
ou émiettez les feuilles de limettier.

3 Rincez les pétoncles. Épongez-
les avec du papier absorbant. Si les
noix sont grosses, coupez-les en
lamelles dans l'épaisseur. Lavez les
pois mange-tout et coupez-les en
deux, en biais.
4 Faites chauffer l'huile dans une
poêle. Versez-y les échalotes, le
schénanthe, les feuilles de limettier,
les pétoncles et les pois. Faites
revenir 3 minutes sur feu vif.
5 Délayez la pâte de curry avec le
bouillon. Ajoutez à la préparation
en même temps que le lait de coco.
Portez à ébullition, puis réduisez le
feu et laissez frémir 3 minutes.
6 Pendant ce temps, lavez et
hachez la coriandre. Versez la
préparation de pétoncles dans un
plat et parsemez de coriandre.

SUGGESTION D'ACCOMPAGNEMENT
Pour un menu complètement
thaïlandais, pensez aux salades
inspirées de cette cuisine exotique
(pages 86 et 88).

VALEUR NUTRITIONNELLE PAR PERSONNE
Calories : 186. Glucides : 7 g (sucres : 4 g).
Protéines : 23 g. Lipides : 8 g (acides gras
saturés : 1 g). Riche en vitamines B, C et E.

CONSEILS ET IDÉES PRATIQUES

*Les feuilles et le zeste du limettier cafre
présentent une saveur prononcée,
intermédiaire entre le citron et la lime.
Vous trouverez ses feuilles, fraîches ou
séchées, dans certains supermarchés et
dans les épiceries orientales.*

THON GRILLÉ, SAUCE AU PIMENT

*Une purée de poivrons, de piment, d'oignon et d'ail rivalise de vigueur
avec ces steaks de la mer grillés rapidement sur feu vif.*

TEMPS : 20 MINUTES – 4 PERSONNES

4 steaks de thon ou d'espadon
de 175 g (6 oz), environ, chacun

Pour la sauce :

2 poivrons rouges moyens

1 oignon moyen

2 gousses d'ail

1 petit piment rouge frais

1 grosse tranche de pain complet

1 lime

1 c. à soupe de concentré de tomates

4 c. à soupe d'huile d'olive

Sel et poivre noir

1 Préchauffez le gril du four.
Préparez la sauce : lavez les poivrons, fendez-les en longueur et
épépinez-les. Coupez l'oignon en
deux. Posez les légumes à 10 cm
(4 po) du gril, peau vers le haut.
Ajoutez les gousses d'ail dans leur
peau. Faites griller 10 minutes,
environ : les peaux doivent être
légèrement carbonisées.
2 Pendant la cuisson des poivrons, lavez, épépinez et hachez
le piment. Coupez le pain en dés.
Lavez et essuyez la lime. Râpez le
zeste et pressez la pulpe.
3 Dès que les légumes sont prêts,
retirez-les du gril et pelez-les.
Mettez-les dans le bol d'un robot
avec le piment, le pain, le concentré de tomates et 3 cuillerées à
soupe d'huile. Ajoutez la moitié du
zeste et du jus de lime. Réduisez
la préparation en purée. Salez et
poivrez. Versez dans une saucière.
4 Badigeonnez avec le reste de
l'huile un gril en fonte ou une
poêle à fond épais. Posez sur feu
très vif. Salez et poivrez légèrement
les morceaux de thon. Faites-les
griller 4 à 6 minutes en les retournant à mi-cuisson : ils doivent être
vivement saisis et cuits à cœur.

5 Versez le reste du zeste et du jus
de lime sur les steaks. Servez avec
la sauce à part.

SUGGESTION D'ACCOMPAGNEMENT
Servez avec une Salade d'épinards
au maïs miniature (p. 103) dont la
fraîcheur équilibrera le piquant
de la sauce.

VALEUR NUTRITIONNELLE PAR PERSONNE
*Calories : 409. Glucides : 14 g (sucres : 7 g).
Protéines : 44 g. Lipides : 20 g (acides gras
saturés : 4 g). Riche en vitamines A, B, C, E
et en sélénium.*

POISSON BLANC À LA MODE DE LOUISIANE

*Une croûte de farine de maïs mélangée d'épices et d'aromates entoure
des filets de poisson blanc grillés vivement dans la tradition cajun.*

TEMPS : 20 MINUTES – 4 PERSONNES

1 c. à thé de poivre en grains

1 c. à thé de graines de fenouil

1 c. à thé d'origan séché

1 c. à thé de thym émietté

½ à 1 c. à thé de piment
de Cayenne

Sel

3 gousses d'ail

2 c. à soupe de farine de maïs fine

4 filets de morue ou de dorade
de 175 à 225 g (6-8 oz) chacun,
sans peau

3 c. à soupe d'huile d'arachide

Pour garnir : 1 citron

1 Mélangez dans un plat creux
le poivre concassé, les herbes, les
graines de fenouil, l'origan, le
thym, le piment de Cayenne et du
sel. Pelez l'ail, écrasez-le au-dessus,
puis ajoutez la farine de maïs et
mêlez bien le tout.
2 Passez les filets de poisson
dans la préparation au maïs
en pressant bien pour les enrober
uniformément.
3 Faites chauffer l'huile
d'arachide dans une grande poêle.
Faites-y cuire le poisson 1 minute
à 1 minute et demie de chaque
côté : les filets doivent être
légèrement saisis et cuits à cœur.
4 Pendant ce temps, coupez
le citron en quartiers. Égouttez le
poisson sur du papier absorbant,
disposez dans un plat de service
chaud et garnissez de quartiers
de citron.

SUGGESTION D'ACCOMPAGNEMENT
Servez ce poisson épicé avec des
pommes de terre nouvelles à la
vapeur et une salade verte ou une
Salade de pommes de terre à la
cajun (p. 102).

VALEUR NUTRITIONNELLE PAR PERSONNE
*Calories : 258. Glucides : 9 g (sucres : 0,1 g).
Protéines : 34 g. Lipides : 10 g (acides gras
saturés : 2 g). Riche en vitamine E.*

DEUX PLATS DE POISSON
HAUTS EN COULEUR :
THON GRILLÉ, SAUCE AU PIMENT *(en haut)* ;
POISSON BLANC À LA MODE DE LOUISIANE
(en bas).

CALMARS FRITS À LA MENTHE

*Tendres grâce à une friture rapide, les calmars, mélangés à de la laitue nappée d'une sauce
à l'échalote et à la lime, constituent un plat principal léger ou une entrée élégante.*

TEMPS : 30 MINUTES – 4 PERSONNES

500 g (1 lb) de calmars vidés et nettoyés (sans tête ni tentacules)
3 petits cœurs de laitue
2 échalotes
2 limes
10 feuilles de menthe
75 g (5 c. à soupe) de beurre
2 gousses d'ail
3 c. à soupe d'huile
Sel et poivre noir
Pour servir : pain frais

1 Fendez les calmars en deux en longueur. Si les triangles obtenus mesurent plus de 10 cm (4 po) de long, recoupez en deux. Incisez l'intérieur avec un couteau pointu en formant des croisillons.

2 Détachez les feuilles de laitue, taillez-les en lanières et mettez-les dans un saladier.

3 Pelez et hachez les échalotes. Lavez et essuyez les limes. Râpez le zeste et pressez la pulpe de l'une d'elles. Coupez l'autre en rondelles. Lavez, essuyez et hachez finement les feuilles de menthe.

4 Faites fondre le beurre dans une casserole. Pelez l'ail et écrasez-le au-dessus. Ajoutez les échalotes. Faites cuire 1 minute, environ, sur feu très doux. Incorporez le zeste et le jus de lime. Versez le mélange sur la laitue.

5 Faites chauffer l'huile dans une grande poêle. Quand elle est très chaude, faites frire les calmars, en plusieurs fois, pendant 2 à

3 minutes, chaque fois : les morceaux doivent être opaques et enroulés sur eux-mêmes.

6 Versez le contenu de la poêle, jus de cuisson compris, dans le saladier. Salez et poivrez. Mélangez délicatement.

7 Parsemez de menthe hachée et servez avec les rondelles de lime réservées et le pain chaud.

SUGGESTION D'ACCOMPAGNEMENT
Servez ces calmars méditerranéens avec une chaleureuse Salade à la grecque (p. 87).

VALEUR NUTRITIONNELLE PAR PERSONNE
*Calories : 536. Glucides : 47 g (sucres : 3 g).
Protéines : 28 g. Lipides : 26 g (acides gras saturés : 13 g). Riche en vitamines A, B, E et en folates et sélénium.*

CREVETTES À LA CRÈME DE COCO

*D'inspiration indienne, voici une recette simple à base de crevettes
où s'équilibrent la douceur de la crème de coco et le piquant des épices.*

TEMPS : 20 MINUTES – 4 PERSONNES

1 oignon moyen
2 gousses d'ail
5 cm (2 po) de racine de gingembre
2 c. à soupe d'huile de tournesol
2 c. à thé de coriandre en poudre
2 c. à thé de cumin en poudre
1 c. à thé de curcuma en poudre
400 g (1 lb) de grosses crevettes cuites décortiquées
200 ml (¾ tasse) de crème de coco en boîte
Sel et poivre noir
Un petit bouquet de coriandre

1 Pelez et hachez finement l'oignon, l'ail et le gingembre, séparément. Faites chauffer l'huile dans une poêle à fond épais. Ajoutez l'oignon et l'ail. Faites fondre quelques minutes. Ajoutez le gingembre et les épices en poudre. Faites cuire encore 1 ou 2 minutes en remuant.

2 Ajoutez les crevettes et la crème de coco. Goûtez, salez et poivrez. Portez à ébullition, réduisez le feu et faites frémir 2 à 3 minutes.

3 Lavez et essuyez la coriandre. Réservez quelques brins pour décorer. Hachez le reste. Versez la préparation de crevettes dans un plat creux. Ajoutez la coriandre hachée. Décorez avec les brins réservés.

SUGGESTION D'ACCOMPAGNEMENT
Servez tout simplement avec du riz cuit à l'eau ou du pain naan. Pour constituer un repas complet à l'indienne, joignez-y un Curry de légumes (p. 253) et du Dahl (p. 252).

VALEUR NUTRITIONNELLE PAR PERSONNE
*Calories : 341. Glucides : 7 g (sucres : 5 g).
Protéines : 26 g. Lipides : 24 g (acides gras
saturés : 16 g). Riche en vitamines B, E
et en sélénium et zinc.*

CÔTES DE PORC GLACÉES AUX PRUNES ET AU CHOU

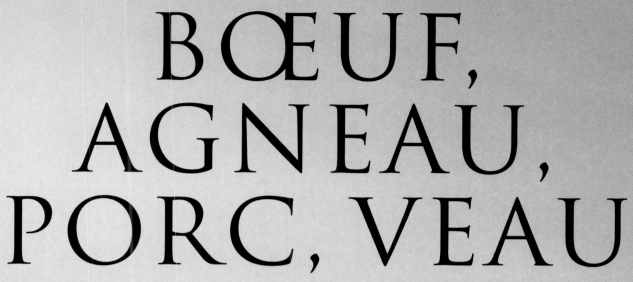

BŒUF,
AGNEAU,
PORC, VEAU

*Voici une gamme de mets savoureux allant du classique
steak au gratin de jambon aux poireaux, en passant par
le filet mignon à la cantonaise et les côtes de porc
glacées aux prunes et au chou.*

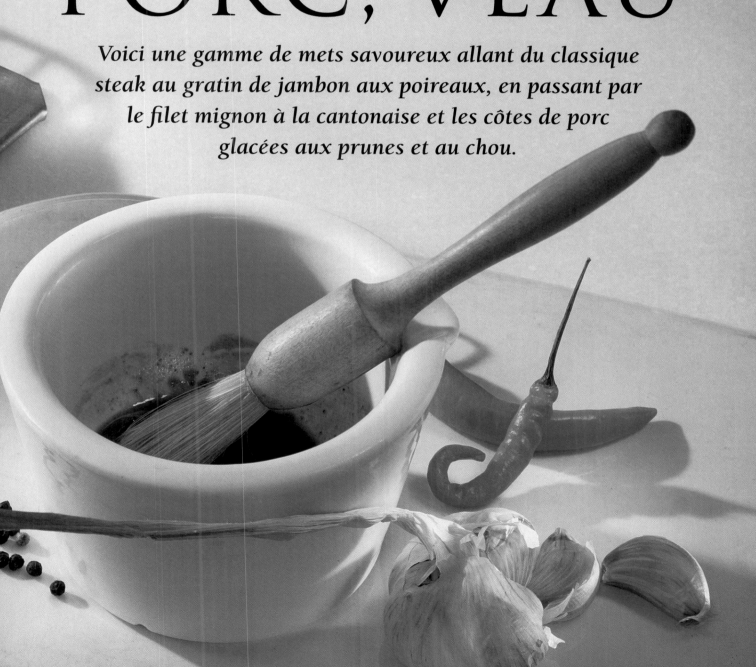

BŒUF STROGONOV

*On renouvelle ce plat traditionnel en ajoutant des petits cornichons et
du poivre vert aux lamelles de viande, aux champignons et à la crème épaisse habituels.*

TEMPS : 30 MINUTES – 4 PERSONNES

3 c. à soupe d'huile d'olive
1 gros oignon rouge
250 g (½ lb) de petits champignons
600 g (1⅓ lb) de filet de bœuf
2 c. à thé de grains de poivre vert en saumure
Sel
2 c. à soupe de moutarde forte de Dijon
300 ml (1¼ tasse) de crème sure
8 petits cornichons surs égouttés
Quelques brins de ciboulette

1 Faites chauffer une cuillerée à soupe d'huile dans une grande poêle. Épluchez et émincez l'oignon et faites-le fondre 2 à 3 minutes dans l'huile à feu modéré.

2 Pendant ce temps, nettoyez les champignons et coupez-les en deux. Ajoutez-les à l'oignon et faites cuire le tout à feu un peu plus vif jusqu'à ce que l'eau des champignons se soit évaporée (5 minutes, environ).

3 Pendant que les champignons cuisent, coupez la viande en tranches minces, puis en fines lamelles (pour aller plus vite, empilez plusieurs tranches et coupez-les en une seule fois).

4 Quand les champignons sont cuits, versez le contenu de la poêle dans un bol.

5 Versez une cuillerée à soupe d'huile dans la poêle, et faites-y revenir la moitié de la viande 2 à 3 minutes. Quand elle est légèrement dorée, retirez-la. Ajoutez une autre cuillerée d'huile et faites cuire le reste de la viande de la même manière.

6 Remettez la viande déjà cuite et le mélange d'oignon et de champignons dans la poêle. Écrasez le poivre vert et ajoutez-le. Salez et laissez chauffer 1 à 2 minutes.

7 Mélangez la moutarde et la crème sure, ajoutez-les dans la poêle ainsi que les cornichons. Faites chauffer sans laisser bouillir. Lavez et essuyez la ciboulette. Ciselez-la, parsemez-en le plat et servez.

SUGGESTION D'ACCOMPAGNEMENT
Servez avec du riz, de la purée de pommes de terre ou des pâtes qui auront cuit pendant que vous prépariez le bœuf Strogonov. Accompagnez d'une salade verte.

VARIANTE
Le filet de porc, le blanc de poulet et le filet d'agneau se préparent de la même manière. Si vous le préférez, vous pouvez hacher les cornichons.

VALEUR NUTRITIONNELLE PAR PERSONNE
Calories : 563. Glucides : 14 g (sucres : 11 g). Protéines : 35 g. Lipides : 41 g (acides gras saturés : 16 g). Riche en vitamines A, B, E et en folates, fer, sélénium et zinc.

STEAK ÉPICÉ ET RATATOUILLE RAPIDE

Ce mélange fondant de courgettes, d'aubergines et de tomates, aromatisé
de vin et d'herbes, accompagnera à la perfection les steaks frottés d'épices.

TEMPS : 30 MINUTES – 4 PERSONNES

4 c. à soupe d'huile d'olive
2 ou 3 échalotes
2 gousses d'ail
500 g (1 lb) de courgettes
300 g (⅔ lb) de petites aubergines
½ c. à thé de thym séché
½ c. à thé d'origan séché
4 c. à soupe de vin rouge
1 boîte (540 ml / 19 oz) de tomates, concassées
2 c. à soupe de concentré de tomates
Sel
1 c. à thé de coriandre en poudre
1 c. à thé de cumin en poudre
1 c. à thé de paprika
½ c. à thé de piment de Cayenne
4 tranches de faux-filet ou de rumsteck de 175 g (6 oz), environ, chacune

1 Faites chauffer 2 cuillerées à soupe d'huile dans une grande poêle. Épluchez les échalotes et l'ail et hachez-les. Faites-les cuire 3 à 4 minutes à feu moyen.

2 Pendant ce temps, lavez et essuyez les courgettes et les aubergines. Épluchez-les et coupez-les en morceaux de 1 cm (½ po). Mettez dans la poêle et ajoutez le thym et l'origan. Laissez cuire 5 minutes à petit feu.

3 Ajoutez le vin, les tomates et leur jus, et le concentré de tomates. Salez, couvrez et laissez mijoter 15 minutes en remuant de temps en temps.

4 Pendant que la ratatouille cuit, mélangez les épices, ajoutez une pincée de sel et saupoudrez les steaks de ce mélange.

5 Faites chauffer le reste de l'huile dans une poêle à fond épais. Faites-y cuire les steaks en les retournant à mi-cuisson. La durée de la cuisson dépend de l'épaisseur de la viande et des goûts individuels : 2 à 2 min 30 de chaque côté pour un steak bleu, 3 à 4 minutes pour une viande saignante. Servez avec la ratatouille.

VALEUR NUTRITIONNELLE PAR PERSONNE
Calories : 407. Glucides : 9 g (sucres : 8 g). Protéines : 46 g. Lipides : 20 g (acides gras saturés : 5 g). Riche en vitamines A, B, C, E et en folates, fer et zinc.

SAUCES SAVOUREUSES FAITES EN DÉGLAÇANT LA POÊLE

*Que l'on fasse cuire un steak, une poitrine de poulet, des côtelettes d'agneau
ou des côtes de porc, le fond de la poêle est toujours tapissé de sucs savoureux
que l'on transforme facilement en sauce en appliquant un procédé appelé déglaçage.*

Chacune des sauces suivantes fournira de quoi accompagner quatre portions de viande. Une fois que la viande est cuite, retirez-la de la poêle et gardez-la au chaud dans le four. Conservez l'équivalent d'une cuillerée à soupe de la matière grasse qui reste dans la poêle en veillant à ne pas laisser les sucs s'écouler. Faites ensuite la sauce de votre choix.

SAUCE À L'ÉCHALOTE
C'est l'un des accompagnements classiques du faux-filet et de l'entrecôte.

Émincez quatre échalotes. Pressez une gousse d'ail. Faites revenir le tout 1 à 2 minutes dans la poêle tapissée de jus, puis ajoutez 250 ml (1 tasse) de vin rouge et 1 cuillerée à soupe de persil haché. Portez à ébullition à feu moyen en remuant. Laissez réduire le liquide jusqu'à ce qu'il n'en reste qu'un tiers. Assaisonnez, puis versez sur les steaks et parsemez de persil haché.

SAUCE À LA MOUTARDE
Cette sauce apportera une touche sophistiquée à du poulet ou à du veau cuit dans du beurre.

Versez 300 ml (1¼ tasse) de crème épaisse dans la poêle, puis ajoutez 2 cuillerées à soupe de moutarde (la moutarde à l'estragon convient bien pour le poulet). Dès l'ébullition, ajoutez sel et poivre noir et versez la sauce sur la viande.

Pour aller encore plus vite, ajoutez la moutarde, le sel et le poivre à la crème pendant que la viande cuit, puis déglacez la poêle avec ce mélange.

STEAK POÊLÉ

Voici un plat de viande des plus simples et des plus délicieux.

1 Badigeonnez une poêle à fond plat ou cannelé avec de l'huile et faites chauffer.

2 Poivrez les steaks et faites-les cuire 1 à 1 min 30 de chaque côté.

3 Poursuivez la cuisson en retournant les steaks à mi-cuisson. Comptez 3 minutes pour une viande bleue, 4 min 30 pour une viande à point et 5 à 7 minutes si vous la voulez bien cuite. Les steaks bleus se font cuire à feu très vif. Pour les autres, réduisez la chaleur après avoir saisi la viande et poursuivez la cuisson à feu moyen.

SAUCE À LA SAUGE
Cette sauce est particulièrement savoureuse avec des côtes de porc.

Râpez une pomme sans la peler et retirez le cœur. Hachez 8 feuilles de sauge fraîche et ajoutez-en la moitié à la pomme avec 1 cuillerée à soupe de vinaigre de cidre et 2 ou 3 cuillerées à soupe d'eau. Faites cuire en remuant jusqu'à ce que la pomme soit tendre, en ajoutant un peu d'eau, si nécessaire, et en veillant à ce que la sauce reste grumeleuse. Ajoutez un petit oignon rouge haché ainsi que le reste de la sauge. Assaisonnez et servez.

SAUCE AU VIN ROUGE ÉPICÉ ET À LA GELÉE DE GROSEILLE
Cette sauce est excellente avec les côtelettes d'agneau et le gibier.

Versez dans la poêle 2 cuillerées à thé de cumin et ½ cuillerée à thé de paprika, de cannelle et de coriandre en poudre. Ajoutez 300 ml (1¼ tasse) de vin rouge. Remuez bien jusqu'à ébullition, puis ajoutez 3 cuillerées à soupe de gelée de groseille en tournant pour la faire fondre. Poursuivez la cuisson 5 minutes sans cesser de remuer. Quand le liquide a réduit de moitié, salez et versez sur la viande.

SAUCE À LA TOMATE
Cette sauce se marie bien avec les saucisses, l'agneau et le porc.

Faites revenir une gousse d'ail émincée dans le jus de cuisson de la viande. Quand l'ail est tendre, ajoutez 200 g (1 tasse) de tomates concassées et leur jus. Faites bouillir à feu vif pendant quelques minutes en remuant bien. Une fois que la sauce a épaissi, ajoutez du sel, du poivre, 1 cuillerée à thé de sauce Worcestershire et quelques gouttes de Tabasco.

SAUCE AU COGNAC
Cette sauce onctueuse accompagne à perfection la viande rouge, surtout le bœuf et le gibier à poil.

Versez 4 cuillerées à soupe de cognac dans la poêle tapissée de sucs et laissez bouillir doucement 2 minutes en remuant et en grattant le fond de la poêle. Ajoutez 1 cuillerée à thé de thym, 1 cuillerée à soupe de concentré de tomates et 1 cuillerée à soupe de vinaigre balsamique. Laissez cuire 1 minute en remuant pour éliminer les grumeaux. Terminez en ajoutant 100 ml (½ tasse) de crème épaisse. Portez à ébullition, salez, poivrez et versez sur la viande.

SAUCE INSTANTANÉE :
SAUCE À L'ÉCHALOTE.

CHILI CON CARNE

*Ce plat mexicain à base de bœuf haché et de haricots rouges se sert brûlant
avec des tortillas : un plat convivial des plus reconstituants.*

...ES – 4 PERSONNES

...ivron rouge
...ent rouge frais
1 oignon moyen
2 c. à soupe d'huile de tournesol
500 g (1 lb) de bœuf haché
1 c. à soupe de paprika
1 c. à soupe de cumin en poudre
3 gousses d'ail
1 boîte (540 ml / 19 oz) de tomates, concassées
2 c. à thé de concentré de tomates
1 c. à soupe d'origan sec
100 ml (½ tasse) de vin rouge ou de bouillon de bœuf
Sel
½ c. à thé de sucre
2 oignons verts
1 boîte (540 ml / 19 oz) de haricots rouges
8 tortillas
4 c. à soupe de crème sure

1 Lavez le poivron et le piment, épépinez-les et hachez-les séparément. Épluchez l'oignon et hachez-le.

2 Faites chauffer l'huile dans une grande sauteuse ; faites-y revenir le poivron, l'oignon, la viande, le paprika et le cumin à feu modéré en remuant, jusqu'à ce que la viande soit dorée.

3 Épluchez l'ail, pressez-le au-dessus de la sauteuse. Ajoutez le piment, les tomates et leur jus, le concentré de tomates, l'origan, le vin ou le bouillon, le sucre et le sel. Portez à ébullition, réduisez le feu, couvrez et laissez mijoter 15 minutes.

4 Lavez les oignons verts et hachez-les. Rincez les haricots, ajoutez-les à la préparation, remuez et laissez cuire 5 minutes. Faites chauffer les tortillas sous le gril.

5 Répartissez la préparation dans les assiettes, ajoutez une cuillerée à soupe de crème sure et les oignons verts. Servez avec les tortillas.

SUGGESTION D'ACCOMPAGNEMENT
Servez avec une salade verte bien croquante additionnée de dés de gruyère ou de cheddar.

VALEUR NUTRITIONNELLE PAR PERSONNE
Calories : 575. Glucides : 53 g (sucres : 12 g). Protéines : 39 g. Lipides : 22 g (acides gras saturés : 8 g). Riche en vitamines A, B, C, E et en fer et zinc.

CONSEILS ET IDÉES PRATIQUES

Les tortillas sont des crêpes minces et souples faites de farine de maïs ou de blé. Elles se mangent roulées et fourrées avec une sauce épicée à la viande ou aux haricots. Si possible, choisissez de préférence des haricots rouges.

BOULETTES DE VIANDE À LA SAUCE CRÉOLE

Faciles à préparer, ces boulettes de viande constituent un plat familial nourrissant.
Elles sont servies avec une sauce aigre-douce dans laquelle des légumes croquants ont cuit.

TEMPS : 30 MINUTES – 4 PERSONNES

Pour les boulettes :
1 gros oignon
600 g (1⅓ lb) de bœuf haché
1 gros œuf
3 c. à soupe de farine
¼ c. à thé de piment de Cayenne
¼ c. à thé de paprika fort
Sel et poivre noir
2 c. à soupe d'huile d'olive

Pour la sauce :
1 c. à soupe d'huile d'olive
1 poivron vert
1 poivron rouge
2 gousses d'ail
2 petites branches de céleri, haché
1 boîte (540 ml / 19 oz) de tomates, concassées
1 feuille de laurier
1 c. à thé de piment de Cayenne
1 c. à thé de paprika fort
1 c. à soupe de miel

1 Préparez les boulettes : épluchez l'oignon et hachez-le. Mettez-en la moitié dans un bol avec la viande, l'œuf, la farine, le piment de Cayenne, le paprika, du sel et du poivre. Malaxez le tout.

2 Préparez la sauce : faites chauffer l'huile à feu modéré dans une grande sauteuse et faites-y fondre l'oignon restant ; lavez les poivrons, retirez les graines, hachez-les et ajoutez-les à l'oignon.

3 Épluchez l'ail, pressez-le au-dessus de la sauteuse. Ajoutez le céleri haché. Laissez cuire 2 minutes de plus.

4 Ajoutez les tomates et leur jus, le laurier, le piment de Cayenne, le paprika, le miel et 100 ml (½ tasse) d'eau. Portez à ébullition, puis laissez mijoter 15 minutes à découvert pour faire épaissir la sauce tout en laissant les légumes croquants.

5 Pendant que la sauce mijote, faites cuire les boulettes. Versez l'huile dans une grande poêle et faites-la chauffer lentement. Trempez-vous les mains dans l'eau et façonnez 16 boulettes de viande de la taille d'une balle de golf. Déposez celles-ci dans la poêle et laissez-les cuire 10 minutes à feu vif pour qu'elles soient dorées à l'extérieur et tout juste cuites à l'intérieur.

6 Salez et poivrez la sauce ; servez-la avec les boulettes.

SUGGESTION D'ACCOMPAGNEMENT
Un mélange de riz blanc et de riz sauvage ou la Salade de pommes de terre à la cajun (p. 102) conviendront bien avec ces boulettes.

VALEUR NUTRITIONNELLE PAR PERSONNE
Calories : 526. Glucides : 19 g (sucres : 10 g).
Protéines : 35 g. Lipides : 35 g (acides gras saturés : 12 g). Riche en vitamines A, B, C, E et en folates et zinc.

BALTI DE BŒUF

Le balti est un plat épicé originaire du Cachemire.
Il est traditionnellement servi avec des pains indiens (naans).

TEMPS : 25 MINUTES – 4 PERSONNES

2 c. à soupe d'huile de tournesol	1 poivron rouge
1 oignon moyen	3 tomates moyennes
500 g (1 lb) de bifteck	½ citron
1 gousse d'ail	1 c. à soupe de garam masala
4 cm (1½ po) de racine de gingembre	1 c. à thé de cumin en poudre
1 petit piment rouge frais	Sel
1 poivron vert	*Pour garnir :* 3 c. à soupe de noix de coco séchée, en copeaux
	Pour servir : 4 naans

1 Préchauffez le four à 80 °C (175 °F). Faites chauffer une cuillerée à soupe d'huile dans une sauteuse ou un wok. Épluchez et émincez l'oignon, faites-le revenir à feu vif en remuant, jusqu'à ce qu'il soit blond (3 à 4 minutes).

2 Coupez la viande en languettes. Épluchez l'ail et pressez-le ; épluchez le gingembre et râpez-le ; retirez les graines du piment et hachez-le. Ajoutez ces ingrédients à l'oignon et poursuivez la cuisson à feu vif en remuant de temps en temps. Quand la viande a pris couleur, versez dans un plat et mettez celui-ci au four pour qu'il reste chaud.

3 Lavez les poivrons, retirez les graines et hachez-les. Mettez-les dans la sauteuse en ajoutant le reste de l'huile, si nécessaire. Faites revenir jusqu'à ce que les légumes soient tendres et légèrement dorés (3 minutes).

4 Lavez les tomates et hachez-les grossièrement ; pressez le citron ; préchauffez le gril.

5 Ajoutez le garam masala et le cumin au contenu de la sauteuse et prolongez la cuisson 1 minute en remuant sans arrêt. Ajoutez les tomates et le jus de citron ; salez et laissez mijoter 3 à 4 minutes en ajoutant un peu d'eau, si nécessaire.

6 Humectez les pains et passez-les sous le gril 1 minute de chaque côté. Remettez la viande dans la sauteuse et faites-la chauffer. Parsemez le plat avec la noix de coco et servez avec les pains.

VALEUR NUTRITIONNELLE PAR PERSONNE
Calories : 923. Glucides : 90 g (sucres : 16 g).
Protéines : 43 g. Lipides : 46 g (acides gras
saturés : 12 g). Riche en vitamines A, B, C, E
et en folates, calcium, fer, sélénium et zinc.

CONSEILS ET IDÉES PRATIQUES

On fait cuire le naan en le plaquant sur la paroi d'un four appelé tandoori. Pour le consommer chez vous, mouillez-le légèrement avant de le passer sous le gril, il gonflera et deviendra délicieusement léger et moelleux.

BROCHETTES DE BŒUF AUX OIGNONS

Très tendres, ces cubes de viande sont arrosés d'une sauce relevée pendant la cuisson.
Vous les enfilerez sur des brochettes en les faisant alterner avec des oignons croquants.

TEMPS : 25 MINUTES – 4 PERSONNES

700 g (1½ lb) de faux-filet ou
de rumsteck, dégraissé

2 oignons rouges moyens

8 gros oignons verts

1 c. à soupe de moutarde de Dijon

1 c. à thé de sauce Worcestershire

½ c. à thé de vinaigre de vin rouge

Sel et poivre noir

4 c. à soupe d'huile d'olive
vierge extra

Pour la sauce (facultatif) :
6 c. à soupe de vin rouge

1 Préchauffez le gril à température maximale. Découpez la viande de façon à obtenir 20 cubes de même taille. Épluchez les oignons rouges, coupez-les en quatre. Lavez les oignons verts, équeutez-les en laissant 10 cm (4 po) de tige et coupez-les en deux dans le sens de la longueur.

2 Garnissez des brochettes métalliques de 40 cm (16 po) de longueur en alternant cubes de viande, morceaux d'oignon rouge et d'oignon vert.

3 Posez les brochettes sur la lèchefrite du four en faisant reposer leurs extrémités sur le rebord de la plaque.

4 Mélangez la moutarde, la sauce Worcestershire, le vinaigre, du sel et du poivre dans un bol ; incorporez-y l'huile.

5 Badigeonnez les brochettes avec la moitié de ce mélange et glissez-les sous le gril, près de la source de chaleur. Laissez-les cuire 3 à 5 minutes, puis retournez-les et badigeonnez le côté cru avec le reste du mélange. Faites cuire 3 à 5 minutes. Éloignez les brochettes de la source de chaleur, si nécessaire.

6 Gardez les brochettes au chaud. Versez le vin dans la lèchefrite et faites-le chauffer à feu moyen en grattant le fond de la lèchefrite pour dissoudre les sucs. Laissez réduire de moitié, puis assaisonnez et servez avec les brochettes.

VALEUR NUTRITIONNELLE PAR PERSONNE
Calories : 375. Glucides : 8 g (sucres : 6 g).
Protéines : 43 g. Lipides : 20 g (acides gras
saturés : 5 g). Riche en vitamines B, E
et en zinc.

BŒUF À LA MODE ARABE ET PAIN ORIENTAL

Viande hachée, pignons de pin, épices et salade, tels sont les ingrédients de ce plat oriental sans prétention, servi avec des tortillas ou des pitas.

TEMPS : 30 MINUTES – 4 PERSONNES

100 g (1 tasse) de pignons de pin
1 c. à soupe d'huile d'olive
1 gros oignon
500 g (1 lb) de viande de bœuf ou d'agneau hachée
1 c. à soupe de poudre de cumin
½ c. à thé de quatre-épices
1 boîte (284 ml / 10 oz) de tomates, concassées
Feuilles de coriandre
1 concombre
½ laitue

Pour servir : 200 ml (¾ tasse) de crème sure, 8 tortillas ou 4 pains pita

1 Préchauffez le four à 80 °C (175 °F). Faites griller les pignons de pin à sec dans une grande poêle en secouant de temps en temps jusqu'à ce qu'ils soient légèrement dorés. Mettez-les dans un bol.

2 Faites chauffer lentement l'huile d'olive dans la poêle. Coupez l'oignon en deux, épluchez-le, hachez-le et faites-le fondre 3 minutes à feu modéré dans l'huile. Ajoutez la viande et faites-la dorer en la remuant pour l'empêcher de s'agglomérer. Ajoutez le cumin, le quatre-épices et les tomates avec leur jus et laissez mijoter 10 à 15 minutes en remuant de temps en temps.

3 Lavez et essuyez les feuilles de coriandre ; hachez-en suffisamment pour obtenir 4 cuillerées à soupe. Lavez et hachez le concombre ; lavez et coupez la laitue en lanières. Mettez ces ingrédients dans des bols séparés. Faites réchauffer les tortillas au four.

VITE FAIT, BIEN FAIT !

Vous pouvez servir cette préparation avec des pitas. Procédez de la façon suivante : fendez le pain sur le côté, placez une cuillerée de viande à l'intérieur, puis des lanières de laitue et de concombre. Ajoutez un peu de crème sure, refermez le pita et dégustez avec les doigts.

4 Quand la viande est cuite, ajoutez la coriandre hachée et les pignons de pin, réchauffez le tout 1 à 2 minutes et versez dans un plat creux. Pour que les tortillas restent chaudes, mettez-les dans un panier recouvert d'une serviette.

5 Invitez les convives à déposer une cuillerée de viande au milieu d'une tortilla, à la recouvrir de salade, de concombre et de crème sure, puis à rouler la crêpe et à la déguster avec les doigts.

VALEUR NUTRITIONNELLE PAR PERSONNE
Calories : 689. Glucides : 41 g (sucres : 10 g). Protéines : 38 g. Lipides : 43 g (acides gras saturés : 13 g). Riche en vitamines A, B, C, E et en folates, fer et zinc.

FOIE DE VEAU AU VINAIGRE BALSAMIQUE

Accompagné d'une sauce à la crème relevée de vinaigre balsamique et de moutarde,
le foie de veau à l'oignon, parsemé de sauge fraîche, est un mets délectable.

TEMPS : 25 MINUTES – 4 PERSONNES

---

1 gros oignon rouge

---

2 c. à soupe d'huile d'olive

---

1 branche de sauge fraîche

---

4 tranches de foie de veau
de 125 g (4½ oz), environ, chacune

Poivre noir

Pour la sauce :

3 c. à soupe de vinaigre
balsamique

---

100 ml (½ tasse) de crème légère

---

1 c. à soupe de moutarde de Dijon

---

1 Préchauffez le four à 80 °C
(175 °F). Épluchez et émincez
l'oignon.

2 Faites chauffer une cuillerée à
soupe d'huile d'olive à feu vif dans
une grande poêle et faites-y revenir l'oignon 1 minute en remuant.

Réduisez le feu, couvrez et laissez
blondir (6 minutes, environ).
Gardez l'oignon au chaud dans
le four. Lavez, effeuillez et hachez
la sauge.

3 Salez et poivrez le foie. Faites
chauffer le reste d'huile d'olive
dans la poêle. Faites-y revenir le
foie jusqu'à ce qu'il ait changé de
couleur (1 minute, environ) en le
retournant à mi-cuisson. Retirez du
feu et gardez au chaud.

4 Pour faire la sauce : versez
le vinaigre et 3 cuillerées à soupe
d'eau dans la poêle ; laissez bouillir
en remuant et en grattant le fond
du récipient. Réduisez la chaleur et
ajoutez la crème et la moutarde.

5 Remettez le foie et l'oignon dans
la poêle, réchauffez le tout à feu très
doux 1 à 2 minutes, parsemez de
sauge et servez.

SUGGESTION D'ACCOMPAGNEMENT
Servez avec une purée de pommes
de terre. Faites cuire les pommes de
terre avant de faire revenir l'oignon,
passez-les pendant que vous
réchauffez le foie.

VARIANTE
La sauce peut être servie avec du
poulet ou du porc cuits à la poêle.

VALEUR NUTRITIONNELLE PAR PERSONNE
Calories : 271. Glucides : 8 g (sucres : 6 g).
Protéines : 25 g. Lipides : 15 g (acides gras
saturés : 5 g). Riche en vitamines A, B, C, E
et en folates, fer, sélénium et zinc.

CONSEILS ET IDÉES PRATIQUES

Choisissez un vinaigre balsamique de
qualité. Sa saveur aigre-douce s'harmo-
nise parfaitement avec le foie de veau.

PICCATA DE VEAU À LA SAUGE

*Une feuille de sauge appliquée sur une escalope de veau imprègne celle-ci d'une délicate
saveur qui fait l'originalité de ce plat. Une sauce acidulée au beurre et au citron l'accompagne.*

TEMPS : 15 MINUTES – 2 PERSONNES

1 c. à soupe de farine
Sel et poivre noir
2 escalopes de veau de 100 g (3½ oz), environ, chacune
6 feuilles de sauge fraîche
1 c. à soupe d'huile
40 g (3 c. à soupe) de beurre
½ citron
4 c. à soupe de bouillon de poulet ou d'eau

1 Préchauffez le four à 80 °C
(175 °F). Farinez une planche ou
une assiette et saupoudrez de sel et
de poivre. Coupez les escalopes en
trois, appliquez une feuille de sauge
sur chaque morceau de viande et
passez ceux-ci dans la farine.
2 Faites chauffer l'huile et la
moitié du beurre dans une poêle.
Quand le beurre est fondu, ajoutez
les morceaux de viande et faites-les
cuire 2 minutes de chaque côté.
Déposez-les sur un plat et gardez-
les au chaud dans le four.
3 Déglacez le fond de la poêle
avec le jus du demi-citron. Ajoutez
le bouillon ou l'eau. Quand le
liquide a réduit de moitié, ajoutez
le reste du beurre et poursuivez la
cuisson jusqu'à ce que tout le
beurre soit incorporé.
4 Remettez la viande dans la poêle
et réchauffez-la quelques secondes
en la retournant une fois. Servez
immédiatement.

SUGGESTION D'ACCOMPAGNEMENT
Servez avec des pommes de terre
nouvelles et un légume vert (petits
pois surgelés, brocoli frais...). Les
Endives à l'italienne (p. 258) ou
les Courgettes et pommes persillées
(p. 260) sont aussi de bons
accompagnements.

VALEUR NUTRITIONNELLE PAR PERSONNE
Calories : 324. Glucides : 4 g (sucres : 0,2 g).
Protéines : 24 g. Lipides : 24 g (acides gras
saturés : 12 g). Riche en vitamines A, B, E
et en zinc.

CÔTES D'AGNEAU À LA PROVENÇALE

Le romarin frais donne à ces côtelettes un délicieux accent du Midi.
La purée de pommes de terre à l'ancienne qui les accompagne ajoute à la saveur du terroir.

TEMPS : 30 MINUTES – 4 PERSONNES

700 g de pommes de terre farineuses
(4 pommes de terre moyennes)

Sel et poivre noir

1 c. à soupe d'huile d'olive

2 oignons moyens

2 gousses d'ail

8 côtelettes d'agneau
de 100 g (3½ oz), environ, chacune

4 brins de romarin frais

225 g (½ lb) de tomates italiennes

200 ml (¾ tasse) de bouillon
de poulet

1 boîte (540 ml / 19 oz)
de haricots blancs

Sel au céleri

3 ou 4 c. à soupe de lait

1 Faites chauffer de l'eau dans une grande casserole. Pelez les pommes de terre et coupez-les en cubes. Salez l'eau bouillante et ajoutez les pommes de terre. Couvrez et laissez cuire jusqu'à ce qu'elles soient tendres (15 à 20 minutes).

2 Pendant ce temps, faites chauffer l'huile dans une grande sauteuse. Ajoutez les oignons épluchés et émincés et l'ail pressé. Faites revenir à feu assez vif jusqu'à ce que les oignons soient tendres et bien dorés. Réservez-les.

3 Déposez les côtelettes dans la sauteuse et faites-les revenir à feu moyen jusqu'à ce qu'elles soient légèrement dorées de chaque côté (2 à 3 minutes).

4 Pendant que les côtelettes cuisent, lavez le romarin et effeuillez-le. Lavez les tomates et hachez-les grossièrement.

5 Remettez la moitié du mélange d'oignon et d'ail dans la sauteuse. Ajoutez les tomates et le romarin et augmentez la chaleur.

6 Égouttez les haricots et ajoutez-les au contenu de la sauteuse. Salez avec le sel au céleri et poivrez. Portez à ébullition, puis laissez mijoter à découvert 8 à 10 minutes.

7 Égouttez les pommes de terre, écrasez-les, ajoutez-y le lait et le reste du mélange d'oignons et d'ail ainsi que quelques feuilles de romarin haché. Assaisonnez et servez avec les côtelettes.

VALEUR NUTRITIONNELLE PAR PERSONNE
Calories : 711. Glucides : 45 g (sucres : 7 g). Protéines : 39 g. Lipides : 43 g (acides gras saturés : 18 g). Riche en vitamines B, C, E et en folates et zinc.

MÉDAILLONS D'AGNEAU À L'ORIENTALE

Du gingembre frais et de la sauce soja donnent une saveur orientale à ces succulentes tranches de filet d'agneau servies avec une poêlée de légumes verts croquants et de jeunes épis de maïs.

TEMPS : 30 MINUTES – 4 PERSONNES

1 morceau de racine de gingembre de 1 cm (½ po)
125 g (¼ lb) de brocoli
125 g (¼ lb) de blancs de poireaux
1 botte de cresson
125 g (¼ lb) de pois mange-tout
125 g (¼ lb) d'épis de maïs miniature
500 g (1 lb) de filet d'agneau
1 à 2 c. à soupe d'huile d'olive
Sel et poivre noir
2 c. à soupe d'huile d'arachide
3 c. à soupe de bouillon de poulet
1 à 2 c. à soupe de sauce soja

1 Pelez et hachez le gingembre. Lavez les légumes. Séparez le brocoli en petits bouquets, coupez le poireau en languettes de la taille d'une allumette. Hachez le cresson.

2 Coupez la viande en 8 médaillons de 2,5 cm (1 po) d'épaisseur. Badigeonnez-les d'huile d'olive, salez et poivrez.

3 Faites chauffer la poêle à feu moyen, déposez-y la viande et faites-la dorer 2 minutes. Retournez-la et poursuivez la cuisson jusqu'à ce qu'elle soit cuite mais encore rose à l'intérieur (3 à 4 minutes). Couvrez la poêle et gardez-la au chaud.

4 Faites chauffer l'huile d'arachide dans une grande poêle. Ajoutez le gingembre et tous les légumes et faites sauter le tout 3 à 4 minutes. Les légumes doivent être tendres.

5 Ajoutez le bouillon et la sauce soja. Poursuivez la cuisson 2 minutes à couvert en remuant de temps en temps. Assaisonnez.

6 Disposez 2 médaillons d'agneau sur chaque assiette et ajoutez les légumes.

SUGGESTION D'ACCOMPAGNEMENT
Servez avec la Salade de riz sauvage et de fenouil (p. 85).

VALEUR NUTRITIONNELLE PAR PERSONNE
Calories : 405. Glucides : 8 g (sucres : 3 g). Protéines : 30 g. Lipides : 28 g (acides gras saturés : 10 g). Riche en vitamines A, B, C, E et en zinc.

CONSEILS ET IDÉES PRATIQUES
À défaut de filet d'agneau, utilisez pour cette recette la partie charnue de 8 côtelettes d'agneau.

CÔTES DE GIGOT AUX GROSEILLES

Ces côtes de gigot recouvertes d'une croûte épicée, accompagnées d'une sauce aux groseilles et au vin rouge, sont dignes d'être servies à des invités de marque.

TEMPS : **25 MINUTES** – **4 PERSONNES**

4 côtes de gigot de 125 g (4½ oz) chacune

Pour garnir : ½ botte de cresson

Pour la sauce :

2 c. à thé de graines de cumin

1 c. à soupe de coriandre en poudre

1 c. à thé de cannelle en poudre

1 c. à thé de paprika

Poivre noir

200 ml (¾ tasse) de vin rouge

50 g (3 c. à soupe) de sucre

200 g (1 casseau) de groseilles rouges fraîches

1 Préchauffez le gril au maximum. Préparez la sauce : mélangez les épices avec une bonne pincée de poivre. Mettez la moitié de ce mélange dans une petite casserole avec le vin et le sucre.

2 Lavez les groseilles, égrenez-les après avoir réservé quelques grappes pour la décoration. Ajoutez-les au contenu de la casserole et portez à ébullition à feu modéré en remuant délicatement. Réduisez la chaleur et laissez mijoter jusqu'à ce que le liquide ait pris une consistance légèrement sirupeuse (12 à 15 minutes).

3 Appliquez le reste du mélange d'épices sur les deux côtés de la viande et faites griller 4 à 6 minutes en retournant à mi-cuisson. Lavez le cresson et éliminez les grosses tiges.

4 Versez un peu de sauce dans chaque assiette et déposez une côte. Garnissez avec les grappes de groseille et les feuilles de cresson.

VARIANTE

On peut remplacer les groseilles par des canneberges.

VALEUR NUTRITIONNELLE PAR PERSONNE
Calories : 400. Glucides : 16 g (sucres : 15 g). Protéines : 24 g. Lipides : 24 g (acides gras saturés : 11 g). Riche en vitamines B, C, E et en fer et zinc.

NOISETTES D'AGNEAU AUX ÉPINARDS

*Ces noisettes d'agneau badigeonnées de moutarde et cuites au four sont servies
avec des épinards rapidement poêlés et parsemés de raisins secs et de pignons de pin.*

TEMPS : 30 MINUTES – 4 PERSONNES

2 c. à soupe d'huile d'olive
2 c. à soupe de moutarde à l'ancienne ou à l'estragon
8 à 12 noisettes d'agneau : 800 g (1¾ lb), environ, au total
2 grands brins de romarin (facultatif)
Sel et poivre noir
½ oignon
3 gousses d'ail
1 tomate moyenne
50 g (3 c. à soupe combles) de pignons de pin
40 g (3 c. à soupe combles) de raisins secs
500 g (2 sacs) d'épinards

1 Préchauffez le four à 220 °C (425 °F). Huilez légèrement la lèchefrite.

2 Badigeonnez le dessus des noisettes d'agneau avec la moitié de la moutarde. Hachez le romarin et parsemez-en la moitié sur la viande. Salez et poivrez.

3 Épluchez et émincez l'oignon et l'ail. Lavez et hachez la tomate.

4 Glissez les noisettes d'agneau dans la partie supérieure du four et laissez-les cuire 10 minutes. Retournez-les, badigeonnez-les avec le reste de la moutarde, parsemez-les du reste du romarin. Salez et poivrez. Poursuivez la cuisson en comptant 5 à 8 minutes pour une viande un peu rose.

5 Pendant que la viande cuit, faites chauffer le reste de l'huile dans une grande poêle. Ajoutez l'oignon et l'ail, couvrez et laissez cuire 5 minutes à feu doux sans laisser dorer. Ajoutez les pignons de pin et les raisins secs et prolongez la cuisson 3 minutes.

6 Équeutez les épinards, lavez-les et essorez-les. Ajoutez la tomate au contenu de la poêle et faites cuire 1 minute. Ajoutez les épinards et une pincée de sel et laissez cuire 3 à 4 minutes en remuant. Si le volume des épinards vous empêche de les remuer facilement, attendez qu'ils soient « tombés », puis poursuivez la cuisson en remuant.

7 Répartissez les légumes entre les assiettes et disposez les noisettes d'agneau dessus. Accompagnez de pain croustillant tiédi au four.

*VALEUR NUTRITIONNELLE PAR PERSONNE
Calories : 705. Glucides : 48 g (sucres : 14 g).
Protéines : 54 g. Lipides : 34 g (acides gras
saturés : 9 g). Riche en vitamines A, B, C, E
et en folates, calcium, fer, sélénium et zinc.*

FOIE DE VEAU AU BACON ET AUX OIGNONS

La sauce fraîche aromatise discrètement le mélange classique de foie et de bacon qu'une onctueuse sauce à la crème et aux oignons rend plus appétissant encore.

TEMPS : 25 MINUTES − 4 PERSONNES

1 gros oignon
8 grandes feuilles de sauge fraîche
2 c. à soupe d'huile d'olive
4 tranches de foie de veau de 85 g (3 oz), environ, chacune
2 c. à soupe de farine
Sel et poivre noir
300 ml (1¼ tasse) de bouillon de bœuf
4 tranches de bacon sans gras
150 ml (⅔ tasse) de crème sure
Pour garnir : petites feuilles de sauge fraîches (facultatif)

1 Épluchez et émincez l'oignon. Lavez les grandes feuilles de sauge, essuyez-les et hachez-les.

2 Faites chauffer une cuillerée à soupe d'huile d'olive dans une poêle et faites-y revenir l'oignon à feu modéré jusqu'à ce qu'il commence à dorer (4 à 5 minutes).

3 Épongez le foie avec du papier absorbant. Passez-le dans la farine salée et poivrée.

4 Ajoutez le reste de la farine assaisonnée et la sauge hachée à l'oignon et poursuivez la cuisson pendant 1 minute en remuant. Ajoutez le bouillon et portez à ébullition sans cesser de tourner. Réduisez la chaleur et laissez mijoter.

5 Faites chauffer le reste de l'huile d'olive dans une autre poêle et faites-y cuire les tranches de bacon 1 à 2 minutes de chaque côté. Retirez-les. Saisissez le foie dans la poêle à feu assez vif en le retournant à mi-cuisson, jusqu'à ce qu'il soit légèrement doré (2 minutes de chaque côté).

6 Remettez le bacon dans la poêle. Versez la sauce et grattez le fond pour dissoudre les sucs. Laissez mijoter jusqu'à ce que le foie soit cuit, mais encore rose à l'intérieur.

7 Ajoutez la crème et assaisonnez en tenant compte du fait que le bacon est souvent très salé. Faites chauffer 1 minute à feu doux.

8 Disposez sur un plat chaud, garnissez éventuellement avec les petites feuilles de sauge et servez.

SUGGESTION D'ACCOMPAGNEMENT
Servez avec des pommes de terre, cuites à l'eau ou réduites en purée, et des courgettes sautées.

VALEUR NUTRITIONNELLE PAR PERSONNE
Calories : 374. Glucides : 10 g (sucres : 5 g). Protéines : 26 g. Lipides : 26 g (acides gras saturés : 10 g). Riche en vitamines A, B, C, E et en folates, fer, sélénium et zinc.

CÔTELETTES D'AGNEAU AUX FLAGEOLETS

Une sauce à la crème, au vin et aux câpres apporte une note acidulée à la saveur rustique de ces côtelettes d'agneau accompagnées de haricots verts et de flageolets.

TEMPS : 30 MINUTES – 4 PERSONNES

150 ml (⅔ tasse) de bouillon de poulet
125 g (¼ lb) de haricots verts très fins
Sel et poivre noir
1 c. à soupe d'huile d'olive
70 g (5 c. à soupe) de beurre
1 citron
2 brins de romarin frais
8 côtelettes d'agneau de 100 g (3½ oz), environ, chacune
1 oignon moyen
2 boîtes de flageolets de 425 g (15 oz)
2 gousses d'ail
300 ml (1¼ tasse) de vin blanc sec
2 c. à thé de fécule de maïs
4 c. à soupe de crème épaisse
2 c. à soupe de câpres

1 Mettez de l'eau à bouillir dans une grande casserole. Préchauffez le four à 80 °C (175 °F).

2 Équeutez les haricots verts. Lavez-les et coupez-les en tronçons de 2,5 cm (1 po). Plongez-les dans l'eau bouillante. Salez. Laissez-les cuire jusqu'à ce qu'ils soient tendres (6 à 8 minutes).

3 Pendant ce temps, mettez l'huile et 25 g (1½ cuillerée à soupe) de beurre dans une poêle et faites chauffer à feu modéré. Brossez le citron sous l'eau tiède, prélevez le zeste en le râpant au-dessus de la poêle. Ajoutez le romarin et augmentez la chaleur.

4 Salez et poivrez les côtelettes. Lorsque le beurre crépite, déposez les côtelettes dans la poêle. Diminuez la chaleur et faites-les cuire à feu modéré 2 à 3 minutes sur chaque face. La viande doit être dorée à l'extérieur, mais encore rose à l'intérieur.

5 Faites fondre le beurre restant dans une autre poêle. Épluchez et hachez l'oignon. Faites-le revenir à feu modéré pendant 5 minutes.

6 Rincez les flageolets dans une passoire et laissez-les s'égoutter.

7 Pelez et écrasez l'ail. Ajoutez-le à l'oignon et laissez cuire 30 secondes. Ajoutez les 2 sortes de haricots. Diminuez la chaleur et laissez chauffer en remuant de temps en temps.

8 Retirez les côtelettes et le romarin de la poêle et gardez-les au chaud dans le four. Faites chauffer le bouillon.

9 Éliminez la graisse de la poêle sans laisser les sucs s'écouler. Ajoutez le vin et le jus de la moitié du citron et faites réduire de moitié à feu vif.

10 Pendant ce temps, délayez la fécule de maïs dans une cuillerée à soupe d'eau et mélangez au bouillon.

Ajoutez ce mélange au contenu de la poêle, portez à ébullition, puis diminuez la chaleur et incorporez la crème. Salez, poivrez et ajoutez les câpres. Réchauffez cette sauce.

11 Remettez les côtelettes au romarin et le jus qu'elles ont pu rendre dans la poêle et réchauffez. Servez avec les haricots verts et les flageolets.

VALEUR NUTRITIONNELLE PAR PERSONNE
Calories : 944. Glucides : 26 g (sucres : 4 g). Protéines : 33 g. Lipides : 73 g (acides gras saturés : 39 g). Riche en vitamines A, B, E et en sélénium et zinc.

BROCHETTES D'AGNEAU ÉPICÉES ET PITAS

*Ces brochettes d'agneau épicées et grillées sont délicieuses servies dans des pitas
chauds avec des crudités et une rafraîchissante sauce grecque au yogourt.*

TEMPS : 30 MINUTES – 4 PERSONNES

2 c. à soupe d'huile d'olive

2 gousses d'ail

2 c. à soupe de cumin en poudre

½ c. à thé de piment
de Cayenne

700 g (1½ lb) de filet d'agneau

1 cœur de laitue

4 brins de menthe fraîche

½ concombre

4 tomates

1 oignon rouge

Sel et poivre noir

200 g (⅔ tasse) de yogourt
nature

8 petits pains pitas

1 Préchauffez le gril à température maximale. Mettez l'huile, l'ail pressé et les épices dans un bol.
2 Coupez la viande en cubes de 2,5 cm (1 po). Imbibez ceux-ci du mélange d'huile et d'épices, puis enfilez-les sur des brochettes.
3 Lavez la laitue, la menthe, le concombre et les tomates. Hachez la menthe et réservez-en quelques brins ; coupez le concombre en dés et hachez les tomates ; épluchez l'oignon et hachez-le ; mettez le tout dans un saladier.
4 Salez et poivrez les brochettes et faites-les griller 4 à 6 minutes en les retournant à mi-cuisson.

5 Battez le yogourt avec un peu d'eau pour l'alléger. Salez et poivrez.
6 Retirez les brochettes du four. Faites chauffer les pitas en les retournant une fois et en les laissant bien gonfler.
7 Fendez les pitas et remplissez-les de salade. Ajoutez la viande et versez un peu de sauce au yogourt dessus. Garnissez avec la menthe et servez.

*VALEUR NUTRITIONNELLE PAR PERSONNE
Calories : 899. Glucides : 95 g (sucres : 10 g). Protéines : 53 g. Lipides : 37 g (acides gras saturés : 15 g). Riche en vitamines A, B, C, E et en folates, calcium, fer, sélénium et zinc.*

SAUCISSES D'AGNEAU GRILLÉES

*Les saucisses d'agneau grillées aux épices et au yogourt,
servies avec une sauce à la tomate et du riz, sont délicieuses.*

TEMPS : 30 MINUTES – 4 PERSONNES

15 g (1 c. à soupe) de beurre

1 oignon moyen

300 g (1½ tasse) de riz blanc

Sel et poivre noir

1 lamelle de racine de gingembre

1 gousse d'ail

500 g (1 lb) d'agneau haché

1 petit bouquet de coriandre

1 c. à soupe de poudre de mangue
(amchoor) ou de jus de citron

1 c. à thé de garam masala

1 c. à thé de cumin en poudre

1 c. à thé de piment en poudre

1½ c. à soupe de farine de pois
chiches (gram) ou d'autres féculents

3 c. à soupe de yogourt nature

1 c. à soupe d'huile végétale

Pour la sauce :

3 c. à soupe d'huile d'olive

1 c. à soupe de vinaigre de vin

1 boîte (284 ml / 10 oz)
de tomates, concassées

1 gousse d'ail

1 petit piment frais, vert ou rouge

1 Mettez de l'eau à bouillir. Faites fondre le beurre dans une casserole. Épluchez l'oignon, émincez-en un quart et faites-le revenir à feu doux 3 minutes. Ajoutez le riz et continuez à faire revenir 1 minute.
2 Versez 750 ml (3 tasses) d'eau bouillante sur le riz, salez et couvrez. Attendez la reprise de l'ébullition, puis réduisez la chaleur et laissez cuire à petit feu 15 minutes. Préchauffez le gril.
3 Épluchez et hachez le gingembre et l'ail ; hachez grossièrement le reste de l'oignon. Mettez-les avec la viande dans le bol du robot.
4 Lavez la coriandre et réservez-en quelques feuilles pour la décoration. Hachez le reste et mettez-en un tiers dans le bol du robot. Ajoutez la poudre de mangue, les épices, la farine de pois chiches, le yogourt et un peu de sel et de poivre. Mixez jusqu'à obtention d'une pâte.
5 Divisez la pâte en huit portions. Façonnez-les en forme de saucisse, puis piquez-les sur des brochettes

métalliques. Huilez-les et faites-les griller 6 à 8 minutes en les retournant à mi-cuisson.
6 Pour faire la sauce : mélangez huile, vinaigre et tomates. Ajoutez l'ail épluché et pressé, le piment épépiné et haché menu et le reste de la coriandre hachée. Salez.
7 Déposez dans les assiettes les saucisses sur le riz avec un peu de sauce. Décorez avec la coriandre.

*VALEUR NUTRITIONNELLE PAR PERSONNE
Calories : 683. Glucides : 69 g (sucres : 4 g). Protéines : 36 g. Lipides : 29 g (acides gras saturés : 5 g). Riche en vitamines B, C et E.*

> CONSEILS ET IDÉES PRATIQUES
> *La farine de pois chiches et la poudre
> de mangue s'achètent dans les
> épiceries asiatiques.*

SAVEURS D'ORIENT : BROCHETTES D'AGNEAU ÉPICÉES ET PITAS (*en haut*) ; SAUCISSES D'AGNEAU GRILLÉES (*en bas*).

HAMBURGER GÉANT

Ce hamburger géant, à base de porc et d'agneau, est le support original d'une garniture de légumes recouverte de fromage – comme une pizza. Suivez les suggestions présentées ici ou faites votre propre mélange.

TEMPS : 30 MINUTES – 4 PERSONNES

Huile pour le moule
300 g (⅔ lb) de viande d'agneau maigre, hachée
300 g (⅔ lb) de viande de porc maigre, hachée, ou mélange viande de porc et chair à saucisse
2 c. à thé d'herbes de Provence séchées
1 petit œuf
80 g (3 c. à soupe) de mie de pain
Sel et poivre noir
Quelques gouttes de sauce Worcestershire
2 c. à soupe d'huile d'olive
1 oignon moyen
1 grosse gousse d'ail
1 c. à thé de piment en poudre (facultatif)
1 petit poivron rouge
2 tomates
85 g (3 oz) de champignons
125 g (¼ lb) de mozzarella
125 g (¼ lb) de cheddar jaune

1 Préchauffez le four à 190 °C (375 °F) et huilez légèrement un moule à tarte de 25 cm (10 po) de diamètre.

2 Mettez les viandes dans un bol. Incorporez-y les herbes, l'œuf, la mie de pain, le sel, le poivre et la sauce Worcestershire. Malaxez.

3 Mettez le mélange dans le moule et couvrez-en le fond d'une couche régulière. Faites cuire au four 15 à 20 minutes.

4 Pendant ce temps, faites chauffer l'huile d'olive dans une poêle. Épluchez et hachez l'oignon et l'ail et faites-les fondre dans l'huile 5 minutes. Ajoutez le piment en poudre, s'il y a lieu, puis retirez du feu.

5 Lavez le poivron et les tomates et nettoyez les champignons. Débarrassez le poivron de ses graines et coupez-le en dés ; coupez les tomates en tranches. Taillez les champignons en lamelles. Coupez la mozzarella en tranches minces et râpez le cheddar jaune.

6 Sortez la viande du four et éliminez le jus qu'elle a pu rendre. Réglez le four à 220 °C (425 °F).

7 Étalez le mélange d'oignon et d'ail sur la viande, ajoutez le poivron, les tomates et les lamelles de champignons. Recouvrez ensuite le tout de fromage. Remettez au four 5 minutes pour faire fondre les fromages.

8 Découpez en quartiers et servez avec de la salade et, éventuellement, du ketchup.

VARIANTE
Vous pouvez remplacer les herbes de Provence par un mélange romarin-menthe ou par de la sauge et ajouter du maïs en grains et des olives à la garniture. Enfin, on peut remplacer le porc par du poulet.

VALEUR NUTRITIONNELLE PAR PERSONNE
Calories : 630. Glucides : 23 g (sucres : 6 g). Protéines : 48 g. Lipides : 39 g (acides gras saturés : 15 g). Riche en vitamines A, B, C, E et en calcium et zinc.

CROQUETTES DE PORC AU GUACAMOLE

*Ces croquettes épicées, parfumées à la coriandre et au cumin, sont servies
avec une sauce à l'avocat onctueuse, relevée d'un filet de jus de citron.*

TEMPS : 30 MINUTES – 4 PERSONNES

3 c. à soupe d'huile de tournesol
2 gousses d'ail
1 petit oignon
2 piments frais, rouges ou verts
1 c. à thé de coriandre en poudre
1 c. à thé de cumin en poudre
1 petit bouquet de coriandre fraîche
500 g (1 lb) de viande de porc hachée
1 œuf
Sel et poivre noir
1 citron ou 1 lime
1 gros avocat

Pour servir : des tortillas
ou des croustilles de maïs

1 Faites chauffer une cuillerée à soupe d'huile de tournesol dans une petite poêle. Épluchez 1 gousse d'ail et pressez-la ; épluchez l'oignon et hachez-le finement ; faites-les fondre dans la poêle.

2 Épépinez les piments et hachez-les. Mettez-en la moitié dans la poêle et réservez le reste pour le guacamole. Ajoutez les épices et continuez à faire revenir le mélange 3 minutes sans le laisser dorer.

3 Lavez et essuyez la coriandre. Hachez-en suffisamment pour en obtenir 2 cuillerées à soupe. Ajoutez-en la moitié au piment haché réservé et mettez l'autre dans un bol avec le contenu de la poêle, la viande, l'œuf, du sel et du poivre. Brossez le citron sous l'eau tiède, râpez le zeste et ajoutez-le au contenu du bol. Mélangez bien.

4 Faites chauffer le reste de l'huile dans une poêle. Formez 4 croquettes de viande un peu aplaties. Faites revenir celles-ci à feu modéré 5 à 6 minutes sur chaque face. Elles doivent être cuites à cœur.

5 Préparez le guacamole. Pelez la gousse d'ail et hachez-la. Pressez une moitié du citron, ajoutez le jus au piment haché, l'ail et la chair de l'avocat. Salez et poivrez. Écrasez le tout à la fourchette.

6 Égouttez les croquettes sur du papier absorbant. Servez-les avec le guacamole et les tortillas.

VARIANTE
Introduisez les croquettes, la sauce et un peu de salade dans de petits pains ronds que vous aurez fendus et fait légèrement griller.

VALEUR NUTRITIONNELLE PAR PERSONNE
Calories : 678. Glucides : 33 g (sucres : 2 g). Protéines : 32 g. Lipides : 48 g (acides gras saturés : 11 g). Riche en vitamines B, E et en zinc.

CONSEILS ET IDÉES PRATIQUES
Utilisez un mélangeur pour réaliser le guacamole. Hachez d'abord la coriandre, puis ajoutez les ingrédients nécessaires à la préparation.

MÉDAILLONS DE PORC À LA SAUCE MOUTARDE

La moutarde à l'ancienne se marie admirablement avec le calvados, employé pour aromatiser la sauce.

TEMPS : 30 MINUTES – 4 PERSONNES

200 ml (¾ tasse) de bouillon de poulet
600 g (1⅓ lb) de filet mignon de porc
2 petites pommes à dessert
4 oignons verts
2 c. à soupe d'huile d'olive
1 c. à soupe rase de farine
1 brin de thym frais
3 c. à soupe de moutarde à l'ancienne
Sel et poivre noir
5 c. à soupe de crème épaisse
2 c. à soupe de calvados ou de cognac
Pour garnir : 4 brins de thym

1 Faites chauffer le bouillon et découpez la viande en tranches de 1 cm (½ po) d'épaisseur.

2 Épluchez les pommes, ôtez-en le cœur et coupez-les en lamelles ; épluchez les oignons et émincez-les. Réservez-les séparément.

3 Faites chauffer l'huile dans une grande poêle et faites-y légèrement dorer la viande à feu vif (1 minute sur chaque face).

4 Ajoutez la farine et laissez-la cuire 2 minutes en remuant. Ajoutez les oignons et le bouillon et portez à ébullition en continuant à remuer.

5 Émiettez le thym au-dessus de la poêle. Ajoutez les pommes et la moutarde. Salez et poivrez. Poursuivez la cuisson jusqu'à ce que la viande soit cuite à cœur (4 minutes, environ).

6 Versez la crème dans la poêle et laissez frémir 2 minutes. Ajoutez le calvados ou le cognac, augmentez légèrement la chaleur et poursuivez la cuisson 2 minutes. Répartissez le contenu de la poêle entre 4 assiettes et décorez avec les brins de thym.

SUGGESTION D'ACCOMPAGNEMENT
Des petits pois, une chiffonnade de laitue et la Purée de marrons et de céleri-rave (p. 254) compléteront à merveille ce plat.

VALEUR NUTRITIONNELLE PAR PERSONNE
Calories : 520. Glucides : 11 g (sucres : 9 g). Protéines : 36 g. Lipides : 35 g (acides gras saturés : 16 g). Riche en vitamines A, B, E et en sélénium et zinc.

FILET MIGNON À LA CANTONAISE

*Placées en sandwich entre les pommes de terre chaudes et les tranches de filet mignon,
les feuilles de cresson cuisent légèrement et s'imprègnent de la délicieuse sauce orientale.*

TEMPS : 30 MINUTES – 2 PERSONNES

Une petite botte de cresson
225 g (½ lb) de filet mignon
1 c. à thé de cinq-épices chinois
250 g (½ lb) de pommes de terre
Sel et poivre noir
2 c. à thé de graines de sésame
1 gros œuf
2 c. à thé d'huile de sésame
2 c. à soupe d'huile
½ c. à thé de fécule de maïs
3 c. à soupe de xérès sec
1 c. à soupe de sauce soja

1 Préchauffez le four à 80 °C
(175 °F). Lavez et essorez le
cresson.

2 Coupez la viande en tranches
de 1 cm (½ po) d'épaisseur.
Saupoudrez-la de cinq-épices.

3 Pelez les pommes de terre,
coupez-les en rondelles de 1 cm
(½ po) d'épaisseur et mettez-les
dans une casserole. Couvrez d'eau
froide, salez, portez à ébullition,
puis laissez cuire à point, à couvert,
à feu doux, 10 à 12 minutes.

4 Faites griller les graines de
sésame à sec, à feu modéré, en
secouant la poêle. Quand elles sont
blondes, laissez-les refroidir.

5 Battez l'œuf avec du sel, du
poivre et les graines de sésame.
Faites chauffer l'huile de sésame et
une cuillerée à soupe d'huile dans
une poêle. Versez-y l'œuf et laissez-
le s'étaler de façon à obtenir une
mince omelette. Roulez-la sur une
assiette et coupez-la en lanières.

6 Délayez la fécule de maïs dans
2½ cuillerées à soupe d'eau froide ;
ajoutez le xérès et la sauce soja.

7 Faites chauffer le reste de l'huile
dans une poêle, faites-y dorer la
viande 2 à 4 minutes de chaque
côté, déposez-la sur un plat et
gardez-la au chaud dans le four.

8 Versez la fécule de maïs dans la
poêle et faites-la épaissir à feu
modéré en remuant. Remettez la
viande dans la poêle ainsi que le

jus qu'elle a rendu et réchauffez
1 minute.

9 Disposez les pommes de terre
sur 2 assiettes ; recouvrez-les avec le
cresson, puis la viande et les
lanières d'omelette.

*VALEUR NUTRITIONNELLE PAR PERSONNE
Calories : 508. Glucides : 19 g (sucres : 1 g).
Protéines : 34 g. Lipides : 31 g (acides gras
saturés : 6 g). Riche en vitamines A, B et C
et en sélénium et zinc.*

CÔTES DE PORC GLACÉES AUX PRUNES ET AU CHOU

Ces côtes de porc généreusement épicées acquièrent une saveur originale grâce à la confiture de prunes et à la sauce soja. Le chou à l'ail et au piment est un excellent accompagnement.

TEMPS : 30 MINUTES – 4 PERSONNES

1 petit chou frisé de 700 g (1½ lb), environ
1 piment rouge frais
2 gousses d'ail
3 c. à soupe de confiture de prunes
1½ c. à soupe de sauce soja
½ c. à thé de cinq-épices chinois
¼ c. à thé de piment de Cayenne
4 côtes de porc de 175 g (6 oz), environ, chacune
2 c. à soupe de vinaigre de cidre
Sel et poivre noir
3 c. à soupe d'huile d'olive

1 Préchauffez le gril du four au maximum. Coupez le chou en deux et retirez le trognon. Hachez les feuilles, rincez-les et mettez-les à égoutter dans une passoire.

2 Lavez le piment, coupez-le en deux, ôtez les graines et émincez-le. Épluchez et hachez l'ail.

3 Mettez la confiture et la sauce soja dans une casserole, ajoutez le cinq-épices et le piment de Cayenne et faites chauffer à feu doux. Tamisez ce liquide.

4 Glissez les côtelettes sous le gril et laissez-les cuire 5 à 7 minutes en les retournant à mi-cuisson et en les badigeonnant toutes les 2 minutes avec le liquide.

5 Diluez le vinaigre dans 3 cuillerées à soupe d'eau. Salez et poivrez.

6 Faites chauffer l'huile dans une grande sauteuse, ajoutez le piment et l'ail et faites-les revenir 30 ou 40 secondes. Ajoutez le chou et remuez-le pour qu'il s'imbibe d'huile. Ajoutez le vinaigre, couvrez et poursuivez la cuisson 4 minutes.

7 Enlevez le couvercle, augmentez la chaleur et poursuivez la cuisson jusqu'à évaporation du liquide. Servez le chou avec les côtes.

VALEUR NUTRITIONNELLE PAR PERSONNE
Calories : 568. Glucides : 19 g (sucres : 18 g). Protéines : 32 g. Lipides : 41 g (acides gras saturés : 13 g). Riche en vitamines A, B, C, E et en folates, sélénium et zinc.

PORC AUX NOUILLES

Des saveurs françaises et orientales se combinent dans cette poêlée de légumes et de viande. Un mélange de crème épaisse et de moutarde à l'ancienne prête une onctuosité acidulée à la sauce qu'absorbent les pâtes.

TEMPS : 20 MINUTES – 4 PERSONNES

| Sel et poivre noir |
| 500 g (½ lb) de filet de porc |
| 8 oignons verts |
| 1 petit pied (300 g) de céleri |
| 300 g (⅔ lb) de champignons |
| 1 c. à soupe d'huile d'olive |
| 250 g (½ lb) de pâtes aux œufs très fines (spaghettinis) |
| 3 c. à soupe de moutarde à l'ancienne |
| 200 ml (¾ tasse) de crème épaisse |

1 Préchauffez le four à 80 °C (175 °F). Mettez à bouillir une grande casserole d'eau salée.

2 Coupez la viande en languettes, salez et poivrez. Émincez les oignons verts et le céleri après avoir enlevé les feuilles abîmées ; lavez et émincez les champignons.

3 Faites chauffer la moitié de l'huile d'olive à feu vif dans un wok ou une sauteuse et faites-y légèrement dorer la viande (4 à 5 minutes). Mettez-la dans un plat et gardez-la au chaud dans le four.

4 Versez le reste de l'huile dans le wok ou la sauteuse. Faites-y revenir le céleri et la moitié des oignons verts pendant 5 minutes. Ajoutez les champignons et laissez cuire jusqu'à ce qu'ils soient tendres :

5 Salez l'eau bouillante et faites-y cuire les pâtes 3 minutes. Égouttez-les soigneusement.

6 Ajoutez la crème épaisse et la moutarde aux légumes et portez à ébullition. Ajoutez la viande, faites bien réchauffer le tout, puis salez et poivrez.

7 Disposez la viande sur les pâtes, parsemez le plat avec les oignons verts restants et servez.

VALEUR NUTRITIONNELLE PAR PERSONNE
Calories : 662. Glucides : 48 g (sucres : 4 g). Protéines : 40 g. Lipides : 36 g (acides gras saturés : 16 g). Riche en vitamine B et en folates, sélénium et zinc.

161

SAUCISSES AU VIN ÉPICÉ ET AUX POMMES

Les amateurs de saucisses apprécieront particulièrement le goût délicat de celles-ci, pochées au vin blanc, revenues dans du beurre et servies avec une garniture aux pommes, parfumée à la cannelle et aux échalotes.

TEMPS : 25 MINUTES – 2 PERSONNES

300 ml (1¼ tasse) de vin blanc sec
250 g (½ lb) de saucisses de porc ou de poulet
1 échalote ou ½ oignon
2 pommes à dessert (granny smith)
70 g (5 c. à soupe) de beurre mou
200 ml (¾ tasse) de bouillon de poulet
2 c. à soupe de cassonade blonde
½ c. à thé de cannelle en poudre

1 Portez le vin à ébullition dans une sauteuse. Piquez la peau des saucisses avec une fourchette. Faites-les pocher dans le vin pendant 10 minutes à petits frémissements.

2 Pendant ce temps, épluchez et râpez l'échalote ; épluchez les pommes, retirez le cœur et coupez-les en tranches.

3 Faites fondre une noix de beurre dans une petite poêle. Retirez les saucisses de la sauteuse en réservant le vin. Faites dorer les saucisses à petit feu dans le beurre.

4 Pendant ce temps, ajoutez l'échalote au vin ainsi que les pommes, le bouillon, la cassonade, la cannelle et le reste du beurre. Portez ce mélange à ébullition, réduisez la chaleur et laissez mijoter jusqu'à ce que les pommes soient tendres et que le liquide ait la consistance d'un sirop léger. Servez les saucisses avec la garniture aux pommes.

SUGGESTION D'ACCOMPAGNEMENT
En plat principal, servez ces saucisses avec des pommes de terre en purée, une salade verte et les Oignons glacés (p. 272) ou les Choux de Bruxelles sautés (p. 255).

VALEUR NUTRITIONNELLE PAR PERSONNE
Calories : 929. Glucides : 42 g (sucres : 31 g). Protéines : 15 g. Lipides : 69 g (acides gras saturés : 34 g). Riche en vitamines A, B et E.

LA SUGGESTION DU CHEF

Il est indispensable que les saucisses soient de bonne qualité mais elles ne doivent pas avoir un goût trop fort car elles risqueraient de ne pas faire bon ménage avec la garniture aux pommes.

ROULEAUX ITALIENS AUX TOMATES-CERISES

Toujours très savoureuses, les tomates-cerises cuites sur un lit d'origan, de piment et d'ail, jusqu'à ce qu'elles éclatent, mettent en valeur le goût épicé d'une saucisse italienne.

TEMPS : 30 MINUTES – 4 PERSONNES

500 g (1 lb) de salsiccia (saucisse italienne longue et très mince), poivrée ou épicée
2 c. à soupe d'huile d'olive
2 gousses d'ail
1 c. à thé d'origan séché
½ c. à thé de piment séché
700 g (1½ lb) de tomates-cerises
Sel et poivre
Pour garnir : feuilles de basilic frais

1 Préchauffez le gril du four au maximum. Coupez la saucisse en quatre et enroulez chacun des morceaux sur lui-même. Maintenez le rouleau obtenu en y enfonçant une brochette en métal.

2 Faites chauffer l'huile dans une grande poêle. Pelez l'ail et pressez-le au-dessus de la poêle. Ajoutez l'origan et le piment écrasé ; faites revenir le tout 30 secondes en veillant à ce que l'ail ne change pas de couleur.

3 Disposez les tomates en une seule couche au fond de la poêle, couvrez et laissez cuire 10 à 12 minutes à feu doux. Les tomates doivent avoir presque toutes éclaté et baigner dans leur jus.

4 Pendant ce temps, faites griller les saucisses à 10-12 cm (4-5 po) du gril, 5 à 6 minutes sur chaque face, jusqu'à ce qu'elles soient dorées et croustillantes.

5 Découvrez les tomates, augmentez la chaleur et laissez cuire à feu modéré 5 minutes pour faire réduire et épaissir le jus. Appuyez sur les tomates restées entières avec le dos d'une cuillère pour les faire éclater.

6 Salez et poivrez les tomates et répartissez-les avec leur sauce dans 4 assiettes chaudes. Disposez un rouleau de saucisse sur chacune. Parsemez de feuilles de basilic.

SUGGESTION D'ACCOMPAGNEMENT
Une purée de pommes de terre ou la Polenta au fromage fumé (p. 271) forment un contraste crémeux apprécié avec les tomates pimentées.

VARIANTE
Vous pouvez utiliser d'autres saucisses fines épicées à la place de la salsiccia. Après en avoir enlevé la peau, moulez la saucisse en cylindre avec les doigts, puis divisez celui-ci en petits rouleaux.

VALEUR NUTRITIONNELLE PAR PERSONNE
Calories : 472. Glucides : 6,5 g (sucres : 6 g). Protéines : 30 g. Lipides : 36 g (acides gras saturés : 15 g). Riche en vitamines B, C et E.

SAUCISSES ÉPICÉES : SAUCISSES AU VIN ÉPICÉ ET AUX POMMES (*en haut*) ; ROULEAUX ITALIENS AUX TOMATES-CERISES (*en bas*).

POTÉE DE SAUCISSES AUX HARICOTS

*En mijotant dans une sauce tomate parfumée aux herbes et à la moutarde,
les saucisses et les haricots acquièrent une touche de cuisine du terroir authentique.*

TEMPS : 30 MINUTES – 4 PERSONNES

**4 ou 8 saucisses de porc
selon leur taille**

125 g (¼ lb) de bacon sans couenne

1 c. à soupe d'huile de maïs

1 gros oignon

2 gousses d'ail

1 boîte (425 g / 15 oz) de flageolets

**1 boîte (540 ml / 19 oz)
de haricots blancs**

**1 boîte (540 ml / 19 oz)
de tomates, concassées**

1 ou 2 c. à thé d'herbes de Provence

**1 c. à soupe de moutarde
à l'ancienne**

2 c. à soupe de concentré de tomates

Sel et poivre noir

1 Coupez les saucisses en morceaux de 2-3 cm (1 po) ; coupez le bacon en dés. Faites chauffer l'huile dans une grande sauteuse et faites-y revenir les saucisses et le bacon à feu modéré en remuant jusqu'à ce que les saucisses soient dorées (8 minutes, environ).

2 Épluchez et émincez l'oignon. Épluchez l'ail et écrasez-le. Rincez et égouttez les haricots.

3 Posez les saucisses et le bacon sur du papier absorbant. Réservez 2 cuillerées à soupe de la graisse de la sauteuse et jetez le reste. Ajoutez l'oignon et l'ail, faites fondre 5 minutes à feu modéré.

4 Ajoutez les tomates et leur jus ainsi que les herbes, la moutarde et le concentré de tomates. Rincez la boîte ayant contenu les tomates avec un tiers de son volume d'eau et versez dans la sauteuse. Portez à ébullition en remuant, puis ajoutez les haricots.

5 Remettez les saucisses et les lardons dans la sauteuse et assaisonnez. Réduisez la chaleur, couvrez et laissez mijoter jusqu'à ce que les saucisses soient cuites (10 minutes, environ).

SUGGESTION D'ACCOMPAGNEMENT
Servez ce plat avec une salade verte et une purée de carottes.

VALEUR NUTRITIONNELLE PAR PERSONNE
*Calories : 700. Glucides : 41 g (sucres : 10 g).
Protéines : 29 g. Lipides : 47 g (acides gras
saturés : 17 g). Riche en vitamines B, C et E.*

CONSEILS ET IDÉES PRATIQUES

*Vous pouvez utiliser d'autres variétés
de haricots en grains ou remplacer une
des boîtes de haricots par 225 g (½ lb)
de maïs ou de petits pois.*

GRATIN DE JAMBON AUX POIREAUX

*Le goût fumé de ce jambon se marie à la saveur légèrement sucrée des poireaux et à celle, forte,
du vieux cheddar. Accompagné de juteuses tomates-cerises, ce gratin est un excellent plat unique.*

TEMPS : 30 MINUTES – 4 PERSONNES

1 kg (2 lb) de pommes de terre
Sel et poivre noir
500 g (1 lb) de blancs de poireau
70 g (5 c. à soupe) de beurre
500 g (1 lb) de jambon fumé en tranches épaisses
85 g (3 oz) de vieux cheddar
125 g (¼ lb) de tomates-cerises
2 c. à soupe de farine
1 c. à soupe d'herbes de Provence séchées
300 ml (1¼ tasse) de lait plus 1 ou 2 c. à soupe
Pour garnir : quelques brins de persil

1 Pelez les pommes de terre,
coupez-les en dés. Mettez-les dans
une casserole d'eau froide, salez et
laissez-les cuire 12 à 15 minutes.

2 Émincez finement les poireaux,
lavez-les et égouttez-les. Faites
fondre 25 g (1½ cuillerée à soupe)
de beurre à feu modéré dans une
poêle et faites-y revenir les poireaux
10 à 12 minutes sans les laisser
dorer. Préchauffez le gril du four.

3 Débarrassez le jambon de sa
couenne et coupez-le en petits dés.
Faites fondre 15 g (1 cuillerée à
soupe) de beurre dans un plat sup-
portant la chaleur, de 25 cm (10 po)
de diamètre et 5 cm (2 po) de profondeur. Faites-y revenir le jambon
5 minutes à feu modéré en remuant.

4 Râpez le fromage. Coupez les
tomates-cerises en deux.

5 Ajoutez la farine et les herbes
au jambon et prolongez la cuisson
1 minute. Arrosez avec le lait et
portez à ébullition en remuant sans
cesse. Ajoutez le fromage et laissez-
le fondre en continuant à remuer.
Ajoutez les poireaux, salez et
poivrez et mettez à feu doux.

6 Égouttez les pommes de terre et
écrasez-les avec du poivre, le reste
du beurre et 1 ou 2 cuillerées à
soupe de lait. Recouvrez le mélange
de poireaux et de jambon avec cette
purée et disposez les tomates dessus.

7 Mettez le plat 2 ou 3 minutes
sous le gril ou jusqu'à ce que la
purée soit dorée. Lavez le persil et
coupez-le aux ciseaux au-dessus du
gratin. Servez immédiatement.

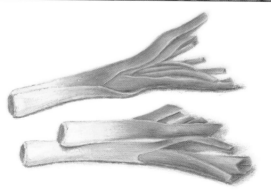

VALEUR NUTRITIONNELLE PAR PERSONNE
*Calories : 576. Glucides : 42 g (sucres : 8 g).
Protéines : 37 g. Lipides : 30 g (acides gras
saturés : 18 g). Riche en vitamines A, B, C, E
et en folates et calcium.*

CÔTES DE PORC AU PAMPLEMOUSSE

*Dans cette recette, la douceur acidulée du pamplemousse
rose et celle, épicée, du gingembre tempèrent la saveur salée de la viande.*

TEMPS : 20 MINUTES – 4 PERSONNES

250 g (1¼ tasse) de riz blanc
Sel et poivre noir
2 pamplemousses à chair rose
50 g (1¾ oz) de racine de gingembre émincée en sirop
4 côtes de porc fumées, si possible, de 125 g (4 oz), environ, chacune
1 botte de cresson

1 Faites bouillir une grande casserole d'eau. Ajoutez le riz. Salez et laissez cuire 12 à 15 minutes à partir de la reprise de l'ébullition pour que le riz soit tout juste tendre.

2 Pendant ce temps, pelez les pamplemousses en éliminant soigneusement la peau blanche. Détachez la chair au-dessus d'un bol pour recueillir le jus, en glissant la lame d'un couteau le long des côtés de chaque quartier.

3 Faites chauffer une grande poêle. Incisez les bords des côtes de porc pour empêcher la viande de se recroqueviller. Faites-les dorer à sec 2 à 2 min 30 de chaque côté. Éliminez l'excédent de graisse resté dans la poêle.

4 Ajoutez le pamplemousse et le gingembre émincé avec son sirop. Portez à ébullition et poursuivez la cuisson 1 minute, environ, à feu doux. Salez et poivrez.

5 Lavez et équeutez le cresson.
6 Égouttez le riz et répartissez-le
entre les assiettes ainsi que le
cresson. Posez les côtes de porc
dessus et nappez avec la sauce.
SUGGESTION D'ACCOMPAGNEMENT
Servez ces côtes de porc avec un
mélange de haricots verts, de
brocolis et de carottes auquel vous
ajouterez de la crème épaisse
assaisonnée au dernier moment.

VALEUR NUTRITIONNELLE PAR PERSONNE
Calories : 580. Glucides : 72 g (sucres : 26 g).
Protéines : 40 g. Lipides : 15 g (acides gras
saturés : 6 g). Riche en vitamines B, C, E
et en zinc.

JAMBON
ÉPICÉ AU XÉRÈS

Ces tranches de jambon légèrement épicées sont servies nappées
d'une sauce légère au xérès et à la moutarde de Dijon.

TEMPS : **20 MINUTES** – **4 PERSONNES**

4 tranches de jambon **de 1 cm (½ po) d'épaisseur**
1 c. à thé de paprika
2 pincées de noix muscade
2 pincées de girofle **en poudre**
25 g (1½ c. à soupe) de beurre
200 ml (¾ tasse) de xérès sec
1 c. à soupe de moutarde **de Dijon**
1 c. à soupe de crème épaisse

1 Préchauffez le four à 80 °C
(175 °F).
2 Mélangez le paprika, la muscade
et le girofle. Frottez la viande avec
ce mélange d'épices. Salez et
poivrez. Faites fondre le beurre
dans une grande poêle. Saisissez-y
la viande à feu moyen 1 minute de
chaque côté, réduisez le feu et
laissez cuire 4 minutes par face à
feu doux. Disposez sur un plat et
gardez au chaud.
3 Versez le xérès dans la poêle
et portez-le à ébullition en grattant
le fond pour dissoudre les sucs.
Ajoutez la moutarde et la crème et
prolongez la cuisson 2 minutes pour
que la sauce réduise et prenne une
consistance onctueuse. Versez sur
les tranches de jambon et servez.
SUGGESTION D'ACCOMPAGNEMENT
Vous pouvez proposer ce plat avec
du riz et des brocolis.

VALEUR NUTRITIONNELLE PAR PERSONNE
Calories : 648. Glucides : 4 g (sucres : 4 g).
Protéines : 40 g. Lipides : 47 g (acides gras
saturés : 19 g). Riche en vitamine B et en zinc.

BLANCS DE POULET AUX CHAMPIGNONS

VOLAILLE ET GIBIER

*Poulet, canard, dinde, lapin, gibier à plume
et à poil se déclinent rôtis, grillés ou braisés,
en une multitude de préparations pleines de saveur.*

BLANCS DE POULET AUX CHAMPIGNONS

De tendres poitrines de poulet cuites à la poêle avant de mijoter dans une onctueuse sauce à la crème agrémentée de petits champignons et d'oignons verts constituent un plat raffiné et nourrissant.

TEMPS : 30 MINUTES – 4 PERSONNES

| 1 c. à soupe d'huile d'olive |
| 25 g (1½ c. à soupe) de beurre |
| 4 demi-poitrines de poulet de 175 g (6 oz), environ, chacune |
| Sel et poivre noir |
| 4 oignons verts |
| 350 g (¾ lb) de champignons |
| 1 c. à soupe de farine |
| 150 ml (⅔ tasse) de bouillon de poulet |
| 150 ml (⅔ tasse) de crème légère |

1 Allumez le four à 80 °C (175 °F). Faites chauffer l'huile et le beurre dans une poêle. Salez le poulet sur les deux faces.
2 Déposez les poitrines dans la poêle et faites-les revenir 2 à 3 mi-nutes sur chaque face. Quand elles sont légèrement dorées, réduisez la chaleur et poursuivez la cuisson 8 à 10 minutes en les retournant à mi-cuisson.
3 Pendant ce temps, lavez les oignons verts, nettoyez les champi-gnons et émincez le tout finement.
4 Quand le jus rendu par le poulet est transparent, mettez la viande dans un plat, couvrez et gardez au chaud dans le four.
5 Disposez les oignons verts et les champignons dans la poêle en les étalant bien et faites-les revenir à feu modéré jusqu'à ce qu'ils soient tendres (3 à 4 minutes).
6 Ajoutez la farine et prolongez la cuisson 1 minute, puis versez le bouillon et portez à ébullition en remuant continuellement. Faites cuire 2 à 3 minutes, puis réduisez la chaleur et incorporez la crème. Remettez les blancs de poulet dans la poêle et laissez sur le feu 2 à 3 minutes de plus.
7 Disposez la viande sur un plat chaud et servez immédiatement.

SUGGESTION D'ACCOMPAGNEMENT
Des pommes de terre nouvelles et des haricots verts ou une salade rafraîchissante comme celle à la Pastèque, au concombre et aux radis (p. 101) accompagneront parfaitement ce poulet.

VALEUR NUTRITIONNELLE PAR PERSONNE
Calories : 371. Glucides : 4 g (sucres : 2 g). Protéines : 41 g. Lipides : 21 g (acides gras saturés : 10 g). Riche en vitamines A, B et E.

BLANCS DE POULET À L'ESTRAGON

Avec son parfum légèrement anisé, l'estragon est l'un des aromates les plus délicats.
Il s'harmonise particulièrement bien avec de simples poitrines de poulet à la crème.

TEMPS : 30 MINUTES – 4 PERSONNES

4 demi-poitrines de poulet de 175 g (6 oz), environ, chacune
2 c. à soupe de farine
Sel et poivre
25 g (1½ c. à soupe) de beurre doux
1½ c. à soupe d'huile de tournesol
2 échalotes
4 brins d'estragon frais
200 ml (¾ tasse) de vin blanc sec
350 ml (1⅓ tasse) de bouillon de poulet
4 c. à soupe de crème épaisse

1 Allumez le four à 80 °C (175 °F). Essuyez le poulet avec du papier absorbant. Passez-le dans la farine et assaisonnez-le.

2 Faites chauffer une cuillerée à soupe d'huile et le beurre dans une poêle et faites-y revenir la viande 6 minutes sur chaque face à feu moyen.

3 Épluchez et hachez les échalotes. Lavez et essuyez l'estragon. Réservez-en une partie pour la décoration. Détachez les feuilles des tiges, hachez-les.

4 Mettez le poulet au chaud dans le four. Versez le reste de l'huile dans la poêle et faites-y revenir les échalotes 1 minute en remuant. Ajoutez le vin et la moitié de l'estragon haché. Portez à ébullition et laissez réduire de moitié. Ajoutez alors le bouillon de poulet et laissez de nouveau réduire de moitié.

5 Ajoutez la crème et le reste de l'estragon, puis mettez les poitrines de poulet dans cette sauce. Faites-les réchauffer 1 minute en les retournant. Vérifiez l'assaisonnement, décorez avec l'estragon et servez.

SUGGESTION D'ACCOMPAGNEMENT
Servez ce plat avec des légumes cuits à la vapeur.

VALEUR NUTRITIONNELLE PAR PERSONNE
Calories : 405. Glucides : 5 g (sucres : 1 g).
Protéines : 40 g. Lipides : 21 g (acides gras
saturés : 10 g). Riche en vitamine E.

AIGUILLETTES DE POULET À L'AIL

*L'ail, le vinaigre de vin et la moutarde de Dijon communiquent un parfum délicieux
à la sauce onctueuse qui accompagne ces aiguillettes de poulet servies avec des spaghettinis.*

TEMPS : 30 MINUTES – 4 PERSONNES

500 g (1 lb) de poitrines de poulet
4-6 gousses d'ail
2 c. à soupe de moutarde de Dijon
1 c. à soupe de concentré de tomates
2 c. à soupe de vinaigre de vin
4 c. à soupe de bouillon de poulet ou d'eau
4 oignons verts
2 c. à soupe d'huile d'olive
250 g (½ lb) de spaghettinis
Sel et poivre
2 c. à thé de fécule de maïs
200 ml (¾ tasse) de crème légère

1 Mettez de l'eau à bouillir dans une grande casserole pour y faire cuire les pâtes. Émincez le poulet en le coupant en biais pour obtenir des aiguillettes.

2 Épluchez l'ail et pressez-le. Ajoutez la moutarde, le concentré de tomates, le vinaigre ainsi que le bouillon (ou l'eau).

3 Lavez et essuyez les oignons verts. Émincez-les en coupant, sans les mélanger, d'abord les tiges vertes, puis le bulbe blanc.

4 Faites chauffer 1½ cuillerée à soupe d'huile à feu vif dans une poêle. Faites-y revenir le poulet jusqu'à ce qu'il devienne blanc (1 à 2 minutes).

5 Ajoutez le mélange d'ail et de vinaigre, puis les bulbes des oignons verts. Portez à ébullition, couvrez et laissez mijoter 5 minutes.

6 Pendant ce temps, plongez les pâtes dans l'eau bouillante salée. Laissez cuire 3 minutes après la reprise de l'ébullition, puis égouttez et arrosez avec le reste d'huile d'olive. Remuez bien.

7 Délayez la fécule de maïs avec un peu de crème légère et ajoutez

au poulet ainsi que les trois quarts des tiges des oignons verts. Ajoutez ensuite le reste de la crème et assaisonnez. Faites épaissir la sauce 2 à 3 minutes, à feu modéré.

8 Disposez les aiguillettes de poulet sur les pâtes et garnissez avec le reste des tiges des oignons verts.

SUGGESTION D'ACCOMPAGNEMENT
Les Choux de Bruxelles sautés (p. 255) compléteront harmonieusement ce plat car la saveur douce du bacon qui entre dans leur composition contrebalancera celle de l'ail et du vinaigre de la sauce.

VARIANTE
Vous pouvez remplacer les spaghettinis par des pâtes fraîches, qui cuiront aussi vite.

*VALEUR NUTRITIONNELLE PAR PERSONNE
Calories : 563. Glucides : 56 g (sucres : 4 g).
Protéines : 36 g. Lipides : 22 g (acides gras
saturés : 9 g). Riche en vitamines A, B et E.*

POULET À L'ESPAGNOLE

Vous préparerez pour votre famille un plat unique fleurant bon la cuisine méditerranéenne en faisant mijoter des cuisses de poulet avec du vin blanc, des poivrons rouge et jaune, des olives noires et du chorizo.

TEMPS : 30 MINUTES – 4 PERSONNES

2 c. à soupe d'huile d'olive
8 hauts de cuisses de poulet désossés et débarrassés de leur peau
1 oignon rouge
1 gousse d'ail
1 poivron rouge, 1 poivron jaune
1 boîte (540 ml / 19 oz) de tomates, concassées
150 ml (⅔ tasse) de vin blanc sec
1 c. à soupe de paprika
75 g (2½ oz) de chorizo
25 g (1 c. à soupe) d'olives noires dénoyautées
Pour garnir : un bouquet de persil

1 Faites chauffer l'huile dans une sauteuse, coupez les cuisses de poulet en deux et faites-les dorer.
2 Épluchez et émincez l'oignon ; épluchez et pressez l'ail. Ajoutez-les au poulet. Lavez les poivrons, coupez-les en rondelles et mettez-les aussi dans la sauteuse. Poursuivez la cuisson jusqu'à ce que les légumes soient dorés et tendres.
3 Ajoutez les tomates, le vin et le paprika, et portez à ébullition. Coupez le chorizo en tranches épaisses et ajoutez-le au contenu de la sauteuse. Laissez mijoter jusqu'à ce que le poulet soit cuit (15 minutes).
4 Coupez les olives en deux, mettez-les dans la sauteuse et assaisonnez. Lavez le persil et hachez-le au-dessus du plat.

VALEUR NUTRITIONNELLE PAR PERSONNE
Calories : 566. Glucides : 49 g (sucres : 13 g). Protéines : 44 g. Lipides : 21 g (acides gras saturés : 5 g). Riche en vitamines A, B, C, E et en folates et sélénium.

VITE FAIT, BIEN FAIT !

Coupez le poivron en deux dans le sens de la longueur ; ôtez la tige, les graines et les membranes blanches. Posez-le sur une planche, partie peau contre la planche et coupez-le en rondelles : le couteau ne pourra pas glisser sur la peau.

POULET GRILLÉ AU ROMARIN

Une mayonnaise à l'ail accompagne admirablement ces tendres cuisses de poulet grillées,
parfumées au romarin et servies avec des pommes de terre nouvelles écrasées à la fourchette.

TEMPS : 30 MINUTES – 4 PERSONNES

---

8 brins de romarin de
5 cm de long (2 po), environ, chacun

---

8 hauts de cuisses de poulet

---

500 g (1 lb) de pommes
de terre nouvelles

Sel et poivre noir

---

5 c. à soupe d'huile d'olive

---

2 grosses gousses d'ail

---

6 c. à soupe de mayonnaise

---

1 Préchauffez le gril à la température maximale. Faites bouillir de l'eau. Lavez le romarin. Introduisez-en un brin sous la peau de chaque cuisse de poulet.
2 Grattez les pommes de terre, mettez-les dans une casserole et couvrez-les d'eau bouillante. Ajoutez un peu de sel, portez de nouveau à ébullition et laissez cuire jusqu'à ce que les pommes de terre soient tendres (15 minutes, environ).
3 Disposez les cuisses de poulet sur la grille du four, peau contre la grille. Badigeonnez avec 1½ cuillerée à soupe d'huile, salez, poivrez et glissez sous le gril, à 10 cm (4 po) de la source de chaleur. Au bout de 10 minutes, retournez et badigeonnez avec la même quantité d'huile. Remettez sous le gril 10 minutes. Quand la peau est dorée, éteignez le gril mais laissez le poulet au chaud dans le four.
4 Versez le reste de l'huile dans une petite casserole. Épluchez et pressez l'ail, ajoutez-le à l'huile. Faites-le cuire en secouant la casserole jusqu'à ce que vous entendiez l'huile crépiter mais sans que l'ail prenne couleur. Éteignez le feu. Ajoutez la mayonnaise et 2 cuillerées à soupe d'eau bouillante en fouettant, couvrez et gardez au chaud.
5 Égouttez les pommes de terre, puis écrasez-les à la fourchette.
6 Répartissez les cuisses et les pommes de terre entre 4 assiettes. Nappez-les avec la mayonnaise, poivrez et servez.

VALEUR NUTRITIONNELLE PAR PERSONNE
Calories : 552. Glucides : 19 g (sucres : 2 g).
Protéines : 31 g. Lipides : 40 g (acides gras
saturés : 7 g). Riche en vitamines B, C et E.

POULET À LA RICOTTA ET À LA TOMATE

Ce plat doit sa saveur à la sauce au pesto dont la belle couleur contraste
avec la blancheur du poulet. Une concassée de tomates et d'oignon lui prête sa fraîcheur piquante.

TEMPS : 25 MINUTES – 4 PERSONNES

4 demi-poitrines de poulet de 175 g (6 oz), environ, chacune
100 g (3½ oz) de ricotta
5 c. à soupe de pesto
2 c. à soupe d'huile d'olive
Poivre noir
2 belles tomates
1 petit oignon rouge
1 gousse d'ail
Un petit bouquet de basilic
Du pain de campagne

1 Allumez le gril. Fendez chaque demi-poitrine dans la longueur pour y ménager une poche.

2 Malaxez le fromage avec une cuillerée à soupe de pesto et farcissez les demi-poitrines de poulet avec ce mélange. Refermez-les pour retenir la farce.

3 Disposez les demi-poitrines dans une lèchefrite préalablement huilée. Badigeonnez-les avec l'huile d'olive et poivrez-les. Faites-les cuire sous le gril 7 à 8 minutes de chaque côté.

4 Pendant ce temps, lavez les tomates et hachez-les menu, épluchez et hachez l'oignon et l'ail. Lavez le basilic, détachez-en les feuilles et ajoutez-les, ciselées, aux ingrédients précédents.

5 Coupez 4 tranches de pain et tartinez-les avec le pesto restant. Posez-les sur la grille du four et placez celle-ci au-dessus des morceaux de poulet. Faites griller le pain et, quand il est doré, servez-le avec les blancs de poulet et la concassée de tomates.

VARIANTE
À défaut de ricotta, fromage italien doux, à consistance molle, utilisez du chèvre frais ou du cheddar.

VALEUR NUTRITIONNELLE PAR PERSONNE
Calories : 420. Glucides : 21 g (sucres : 6 g). Protéines : 53 g. Lipides : 21 g (acides gras saturés : 7 g). Riche en vitamines A, B, C et E.

CONSEILS ET IDÉES PRATIQUES

Pour aller plus vite, hachez les tomates, l'oignon et l'ail au robot mais ne faites fonctionner l'appareil que quelques secondes pour éviter que les légumes soient réduits en purée.

BLANCS DE POULET AUX POIVRONS

Grâce aux poivrons et au piment grillés et assaisonnés d'huile d'olive et de citron, qui leur prêtent leur parfum prononcé, ces poitrines de poulet grillées sont un régal pour les yeux comme pour le palais.

TEMPS : 30 MINUTES – 4 PERSONNES

1 poivron rouge, 1 poivron jaune
1 gros piment vert
5 c. à soupe d'huile d'olive vierge extra
2 petites gousses d'ail
4 demi-poitrines de poulet de 175 g (6 oz), environ, chacune, avec la peau
Sel et poivre noir
½ lime ou ½ citron

1 Allumez le gril à la température maximale. Lavez et essuyez les poivrons et le piment. Coupez les poivrons en quatre, posez-les, débarrassés de leurs graines, sur la grille du four, peau exposée au feu. Ajoutez le piment. Faites griller jusqu'à ce que leur peau se boursoufle et brunisse, sans toutefois brûler. Retournez le piment à mi-cuisson.

2 Pendant ce temps, versez ½ cuillerée à soupe d'huile dans un grand bol et le reste dans un petit saladier. Épluchez l'ail, pressez-le et répartissez-le entre les 2 récipients.

3 Mettez les morceaux de poulet dans le bol et retournez-les plusieurs fois pour qu'ils soient bien imprégnés. Poivrez-les et disposez-les sur la grille, à côté des poivrons, peau exposée au feu. Faites-les griller 7 à 8 minutes. Quand ils sont dorés et que leur peau se boursoufle, retournez-les et prolongez la cuisson 7 à 8 minutes.

4 Quand les poivrons et le piment sont cuits, et que leur peau décolle, sortez-les du four et mettez-les à refroidir dans une assiette.

5 Pendant que le poulet continue de cuire, exprimez le jus de la demi-lime et mettez-le dans le saladier avec du sel et du poivre.

6 Ôtez la peau des poivrons et coupez-les en dés. Débarrassez le piment de sa peau et de ses graines et coupez-le en dés. Mettez le tout dans le saladier, mélangez et versez sur le poulet grillé.

ACCOMPAGNEMENT
Servez avec des légumes, les Endives à l'italienne (p. 258), par exemple.

VALEUR NUTRITIONNELLE PAR PERSONNE
Calories : 352. Glucides : 5 g (sucres : 4 g). Protéines : 39 g. Lipides : 20 g (acides gras saturés : 4 g). Riche en vitamines A, B, C et E.

CONSEILS ET IDÉES PRATIQUES

Préparez une grande quantité de poivrons et piments à l'huile et congelez-en une partie pour l'utiliser, plus tard, dans d'autres plats (poissons grillés, par exemple).

ÉMINCÉ DE POULET AUX CHÂTAIGNES D'EAU

*Cette poêlée de poulet et de châtaignes d'eau croquantes, épicée et assaisonnée d'une sauce onctueuse,
fleure bon la lime et le lait de coco. Les vermicelles de riz ne demandent que peu de préparation.*

TEMPS : 25 MINUTES – 4 PERSONNES

125 g (¼ lb) de vermicelles de riz
500 g (1 lb) de poitrines de poulet
25 g (1 oz) de racine de gingembre
1 piment vert frais
2 gousses d'ail
3 limes
1 boîte (199 ml / 7 oz) de châtaignes d'eau
1 c. à soupe d'huile d'arachide
½ c. à thé de sucre
5 oignons verts
125 ml (½ tasse) de lait de coco
Sauce de poisson thaïlandaise ou sauce soja

1 Faites chauffer de l'eau. Mettez les vermicelles dans un grand bol, couvrez-les d'eau bouillante et laissez-les tremper 3 minutes.

2 Coupez le poulet en fines languettes. Pelez le gingembre et hachez-le menu ; lavez le piment, ôtez les graines et coupez-le en dés ; épluchez et pressez l'ail.

3 Brossez les limes sous l'eau tiède ; râpez finement le zeste de deux d'entre elles et ajoutez-le au gingembre ; exprimez le jus des 3 limes. Égouttez les châtaignes, coupez-les en deux.

4 Faites chauffer l'huile à feu vif dans un wok ou dans une grande poêle, puis ajoutez le gingembre, le piment, l'ail et le zeste de lime. Quand l'huile est très chaude, faites-y revenir le poulet 2 minutes, environ.

5 Ajoutez le jus de lime, le sucre et les châtaignes. Remuez bien, puis couvrez et laissez cuire à feu modé-ré jusqu'à ce que le poulet soit à point (3 à 5 minutes).

6 Pendant ce temps, lavez et essuyez les oignons verts, puis émincez-les.

7 Égouttez les vermicelles de riz, ajoutez-les au poulet dans la poêle avec les oignons verts émincés et le lait de coco. Remuez bien, puis ajoutez la sauce de poisson ou de soja (il est inutile de saler). Servez immédiatement.

VARIANTE
Vous pouvez remplacer les poitrines de poulet par des escalopes de dinde ou de veau.

VALEUR NUTRITIONNELLE PAR PERSONNE
*Calories : 313. Glucides : 32 g (sucres : 4 g).
Protéines : 30 g. Lipides : 7 g (acides gras
saturés : 2 g). Riche en vitamines B et E.*

KORMA DE POULET

Très doux, ce curry plaira à tous. De tendres cubes de poulet aromatisés avec un mélange indien d'épices sont servis, avec des raisins secs et des amandes, dans une onctueuse sauce au yogourt et à la crème.

TEMPS : 30 MINUTES – 4 PERSONNES

350 ml (1⅓ tasse) de bouillon de poulet
1 oignon moyen
2 gousses d'ail
3 c. à soupe d'huile
3 c. à soupe de farine
2 c. à soupe de curry
750 g (1½ lb) de poitrines de poulet
Un petit bouquet de coriandre fraîche
25 g (3 c. à soupe) d'amandes effilées
2 c. à soupe de raisins secs
½ citron
2 c. à soupe de yogourt nature
2 c. à soupe de crème épaisse
Sel et poivre noir

1 Faites chauffer le bouillon. Épluchez et hachez l'oignon et l'ail et faites-les revenir 5 minutes à feu doux dans de l'huile chaude, dans une grande poêle.

2 Mélangez la farine et le curry. Coupez le poulet en cubes de 2 à 3 cm (1 po) ; roulez-les dans le mélange farine-curry, puis faites-les revenir 3 minutes dans la poêle.

3 Lavez et essuyez la coriandre ; réservez-en quelques feuilles pour décorer ; hachez le reste. Ajoutez-en 1 cuillerée à soupe au contenu de la poêle ainsi que les raisins secs et le bouillon. Portez à ébullition, remuez, puis poursuivez la cuisson 10 minutes à feu très doux.

4 Faites griller les amandes à sec. Exprimez le jus du demi-citron.

5 Quand les cubes de poulet sont cuits, ajoutez, hors du feu, les amandes, le jus de citron, le yogourt et la crème épaisse. Salez et poivrez. Réchauffez très doucement sans laisser bouillir. Parsemez de coriandre et servez.

ACCOMPAGNEMENT
Servez avec du riz que vous aurez fait cuire pendant que le poulet mijote.

VALEUR NUTRITIONNELLE PAR PERSONNE
Calories : 508. Glucides : 22 g (sucres : 14 g). Protéines : 46 g. Lipides : 26 g (acides gras saturés : 8 g). Riche en vitamines B et E.

CURRY DE POULET AUX ÉPINARDS

*Ce curry de poulet délicatement épicé et mélangé à des épinards constitue un plat unique
facile à préparer. Il est servi avec des pains indiens.*

TEMPS : 25 MINUTES – 4 PERSONNES

3 c. à soupe d'huile de tournesol
1 petit oignon
1 gousse d'ail
2 minces lamelles de racine de gingembre
½ c. à thé de curcuma en poudre
½ c. à thé de cumin en poudre
½ c. à thé de coriandre en poudre
¼ c. à thé de piment en poudre
¼ c. à thé de garam masala
2 tomates mûres
4 demi-poitrines de poulet de 175 g (6 oz), environ, chacune, sans peau
Sel et poivre noir
150 ml (⅔ tasse) de crème épaisse
4 grands naans (pains indiens)
1 sac (284 g / 10 oz) d'épinards

1 Faites chauffer l'huile à feu
modéré dans une sauteuse. Faites-y
revenir l'oignon épluché et émincé,
puis ajoutez l'ail épluché et pressé.

2 Ajoutez le gingembre pelé et
haché ainsi que les épices. Faites
revenir jusqu'à ce que les oignons
commencent à dorer.

3 Lavez les tomates, hachez-les et
ajoutez-les à la sauteuse. Laissez
cuire à feu doux jusqu'à évaporation
complète de l'eau des tomates.

4 Pendant ce temps, coupez le
poulet en bouchées.

5 Allumez le gril à température
maximale. Augmentez la chaleur
sous la sauteuse, ajoutez le poulet et
faites-le revenir jusqu'à ce que les
morceaux soient blancs. Salez et
poivrez, ajoutez la crème et laissez
frémir 6 minutes.

6 Réchauffez les naans sous le gril.
Lavez et égouttez les épinards.

7 Ajoutez les épinards dans la
sauteuse en appuyant et en remuant
pour qu'ils « tombent ». Portez à
ébullition, servez avec les naans.

VALEUR NUTRITIONNELLE PAR PERSONNE
*Calories : 1 010. Glucides : 85 g (sucres : 13 g).
Protéines : 55 g. Lipides : 53 g (acides gras
saturés : 14 g). Riche en vitamines A, B, E
et en folates, calcium et sélénium.*

BLANCS DE POULET AUX POMMES ET AU CIDRE

Du cidre et de la sauce Worcestershire aromatisent les pommes croquantes qui accompagnent la sauce onctueuse dans laquelle a cuit le poulet.

TEMPS : 30 MINUTES – 2 PERSONNES

1 c. à soupe d'huile d'olive
15 g (1 c. à soupe) de beurre
2 échalotes
2 pommes rouges
½ c. à soupe de cassonade
2 demi-poitrines de poulet de 175 g (6 oz), environ, chacune, désossées et dépouillées de leur peau
150 ml (⅔ tasse) de cidre sec
1 ou 2 c. à thé de sauce Worcestershire
2 c. à soupe de crème épaisse
Sel et poivre noir

1 Faites chauffer l'huile d'olive et le beurre à feu doux dans une grande poêle ou une sauteuse.

2 Épluchez et émincez les échalotes. Mettez-les dans la poêle, augmentez la chaleur et laissez fondre 3 à 4 minutes en remuant de temps en temps.

3 Pendant ce temps, lavez les pommes, séchez-les, retirez leur cœur et coupez-les en tranches ; ajoutez-les aux échalotes et saupoudrez le tout avec la cassonade. Augmentez la chaleur et faites revenir le mélange à feu relativement vif jusqu'à ce qu'il ait pris la couleur du caramel.

4 Retirez les échalotes et les tranches de pomme avec une écumoire et réservez-les.

5 Ajoutez un peu d'huile dans la poêle, si nécessaire. Faites-y dorer les demi-poitrines de poulet (6 minutes, environ) en les retournant une fois pendant la cuisson.

6 Arrosez les demi-poitrines de poulet avec le cidre. Portez à ébullition, puis laissez mijoter à découvert pendant 8 à 10 minutes, environ, en remuant de temps en temps et en retournant les blancs une fois. Vérifiez que le poulet est cuit en le piquant avec la pointe

d'un couteau : le jus qui s'écoule doit être transparent.

7 Quand le poulet est cuit, ajoutez la sauce Worcestershire et la crème. Salez et poivrez, puis remettez les échalotes et les pommes dans la poêle et réchauffez le tout 1 ou 2 minutes sans laisser la sauce bouillir.

SUGGESTION D'ACCOMPAGNEMENT
Servez le poulet soit avec des pommes de terre en robe des champs cuites au micro-ondes, soit avec du riz ou des pâtes au beurre et une salade ou encore des légumes verts.

VARIANTE
Vous pouvez remplacer le cidre par du vin blanc sec ou par un bon bouillon de poulet.

VALEUR NUTRITIONNELLE PAR PERSONNE
Calories : 495. Glucides : 28 g (sucres : 28 g). Protéines : 40 g. Lipides : 23 g (acides gras saturés : 11 g). Riche en vitamines B_1, C et E.

VITE FAIT, BIEN FAIT !

Cuites au micro-ondes, les pommes de terre sont vite préparées. Piquez 2 pommes de terre de même taille avec une fourchette. Placez-les sur du papier absorbant et laissez cuire 6 à 8 minutes à pleine puissance en les retournant une fois. Enveloppez-les dans de l'aluminium ménager et attendez 3 à 4 minutes.

CROQUETTES DE DINDE ÉPICÉES

Piment, coriandre, ail et lime communiquent à ces croquettes diététiques une saveur orientale qu'un peu de sauce soja accentue. Elles constitueront un repas familial vite préparé et nourrissant.

TEMPS : 30 MINUTES – 4 PERSONNES

2 piments frais, pas trop forts
2 gousses d'ail
1 petit bouquet de coriandre
2 limes
700 g (1½ lb) de chair de dinde crue
2 c. à thé de sauce soja
2 c. à thé d'huile de sésame
1 c. à soupe de fécule de maïs
Sel et poivre
1 c. à soupe d'huile de maïs
350 g (¾ lb) de pois mange-tout
250 g (½ lb) de pousses de soja
Pour servir : sauce soja à volonté

1 Préchauffez le gril du four à température moyenne. Lavez les piments, retirez leurs graines et émincez-les ; épluchez et pressez l'ail ; lavez, essuyez et hachez suffisamment de feuilles de coriandre pour qu'il y en ait 3 cuillerées à soupe, puis ajoutez le tout aux piments.

2 Brossez les limes sous l'eau tiède, râpez le zeste de l'une d'elles et ajoutez-le au mélange précédent.

3 Coupez la viande et hachez-la. Ajoutez-la, ainsi que la sauce soja, l'huile de sésame et la fécule de maïs au mélange précédent. Malaxez bien le tout à la main.

4 Divisez la préparation obtenue en quatre. Roulez chaque portion en boule, puis aplatissez-la en disque de 10 cm (4 po) de diamètre. Marquez-en les deux faces de croisillons avec le bord non aiguisé d'un couteau.

5 Badigeonnez les 2 faces des croquettes avec l'huile de maïs ; posez les croquettes sur une grille au-dessus de la lèchefrite et faites-les griller 10 à 12 minutes en les retournant à mi-cuisson. Elles doivent être dorées et cuites à cœur.

6 Pendant ce temps, mettez de l'eau à bouillir dans un cuit-vapeur ; lavez les pois mange-tout et équeutez-les ; lavez les pousses de soja et égouttez-les.

7 Placez les pois mange-tout dans le panier perforé du cuit-vapeur. Couvrez et laissez cuire, environ 3 minutes. Ajoutez les pousses de soja, remettez le couvercle et poursuivez la cuisson 1 à 2 minutes.

8 Répartissez les légumes entre les assiettes, posez les croquettes dessus et décorez avec des quartiers de lime. Servez ce plat chaud, accompagné de sauce soja.

VALEUR NUTRITIONNELLE PAR PERSONNE
Calories : 282. Glucides : 9 g (sucres : 4 g). Protéines : 43 g. Lipides : 8 g (acides gras saturés : 2 g). Riche en vitamines B, C, E et en folates, sélénium et zinc.

VITE FAIT, BIEN FAIT !

Pour équeuter rapidement les pois, prenez-en plusieurs dans la main, tapotez le plan de travail avec leurs extrémités pour qu'ils soient au même niveau et coupez les bouts au ciseau.

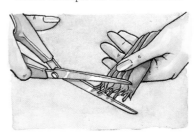

POÊLÉE DE DINDE AUX NOIX DE CAJOU

*Assaisonnée d'une sauce très pimentée au miel et à la sauce soja, cette poêlée de cubes de dinde,
de légumes et de noix de cajou a un parfum oriental que met en valeur le riz créole qui l'accompagne.*

TEMPS : 30 MINUTES – 4 PERSONNES

300 g (1½ tasse) de riz
5 c. à soupe d'huile d'arachide
2 ou 3 petits piments rouges séchés
1 gousse d'ail
2 c. à soupe de fécule de maïs
1 gros blanc d'œuf
500 g (1 lb) de blanc de dinde
2 c. à soupe de miel liquide
6 c. à soupe de sauce soja
2 c. à soupe de saké
1 boîte (199 ml / 7 oz) de châtaignes d'eau
8 oignons verts
200 g (7 oz) de pousses de soja
85 g (3 oz) de noix de cajou salées et grillées
2 c. à thé de vinaigre de riz ou de vinaigre de vin blanc

1 Faites bouillir de l'eau. Mettez le riz dans une casserole, ajoutez 1 cuillerée à thé d'huile, un peu de sel et 750 ml (3 tasses) d'eau bouillante. Couvrez, attendez la reprise de l'ébullition et laissez cuire à petit feu 10 à 15 minutes.

2 Mettez les piments dans une casserole avec de l'eau et 1 cuillerée à thé d'huile, portez à ébullition, puis laissez 10 minutes à petit feu.

3 Mélangez à la fourchette l'ail pressé, la fécule de maïs et le blanc d'œuf. Coupez la dinde en cubes, enrobez-les du mélange précédent.

4 Mélangez le miel, la sauce soja et le saké. Ajoutez 4 cuillerées à soupe d'eau.

5 Lavez et égouttez les châtaignes d'eau. Coupez les oignons verts en morceaux de la taille des châtaignes d'eau. Mélangez ces 2 légumes. Égouttez les piments. Lavez et égouttez les pousses de soja.

6 Faites chauffer 3 cuillerées à soupe d'huile dans une grande poêle. Faites-y revenir les morceaux de dinde jusqu'à ce qu'ils soient blancs. Ajoutez les noix de cajou et les piments et continuez à faire revenir 30 secondes, puis arrosez avec le vinaigre. Retirez les ingrédients avec une écumoire.

7 Faites chauffer l'huile restante dans la poêle, faites-y revenir les châtaignes d'eau et les oignons verts 30 secondes.

8 Remettez le mélange de dinde et de noix de cajou dans la poêle et ajoutez les pousses de soja. Faites revenir 30 secondes, puis arrosez avec le mélange miel/sauce soja et faites-le chauffer en remuant.

9 Égouttez le riz et disposez la dinde et les légumes dessus.

*VALEUR NUTRITIONNELLE PAR PERSONNE
Calories : 811. Glucides : 82 g (sucres : 10 g).
Protéines : 43 g. Lipides : 34 g (acides gras
saturés : 8 g). Riche en vitamines B, C, E
et en fer.*

ESCALOPES DE DINDE PERSILLÉES

De fines escalopes saupoudrées de persil et servies avec une sauce parfumée au citron constituent un plat élégant à l'arôme rafraîchissant.

TEMPS : 20 MINUTES – 4 PERSONNES

2 citrons
8 brins de persil plat
4 escalopes de dinde de 125 g (4½ oz), environ, chacune
Sel et poivre
2 c. à soupe d'huile d'olive
50 g (3 c. à soupe) de beurre
5 c. à soupe de bouillon de poulet

1 Pressez un des citrons. Brossez l'autre sous l'eau tiède et coupez-le en rondelles. Lavez et essuyez le persil. Réservez-en 4 brins pour la décoration ; hachez le reste menu.

2 Placez les escalopes de dinde entre 2 feuilles de papier ciré et aplatissez-les avec un rouleau à pâtisserie jusqu'à ce qu'elles soient très minces. Salez et poivrez.

3 Faites chauffer l'huile et la moitié du beurre dans une grande poêle. Quand le mélange mousse, faites-y revenir les tranches de dinde 1 min 30 de chaque côté. Elles doivent être dorées à l'extérieur et blanches à l'intérieur. Si nécessaire, faites-les cuire deux par deux pour qu'elles ne se chevauchent pas. Disposez-les sur un plat chaud.

4 Versez le bouillon dans la poêle et faites chauffer en grattant avec une spatule pour dissoudre les sucs. Ajoutez la moitié du jus de citron, le reste du beurre et le persil. Réduisez la chaleur, remettez les tranches de dinde dans la poêle avec le jus qu'elles ont rendu. Réchauffez à feu doux 30 secondes de chaque côté. Salez et poivrez et ajoutez du jus de citron, si besoin. Décorez avec des rondelles de citron et des feuilles de persil et servez.

SUGGESTION D'ACCOMPAGNEMENT
Servez avec une salade, les Poireaux et carottes sautés (p. 256) ou les Pommes de terre nouvelles au four (p. 267).

VALEUR NUTRITIONNELLE PAR PERSONNE
Calories : 281. Glucides : 0,5 g (sucres : 0,5 g).
Protéines : 31 g. Lipides : 17 g (acides gras saturés : 8 g). Riche en vitamines A, B et E.

BROCHETTES DE DINDE SALTIMBOCCA

Préparées avec de la poitrine de dinde, ces brochettes sont aromatisées avec de la sauce fraîche et du pesto.
Tendres et savoureuses, elles sont présentées sur un lit de riz qu'égaie le rouge vif des tomates-cerises.

TEMPS : 25 MINUTES – 4 PERSONNES

| 225 g (1¼ tasse) de riz blanc |
| Sel et poivre noir |
| 4 escalopes de dinde de 125 g (4½ oz) chacune |
| 2 c. à soupe de pesto rouge |
| 4 ou 8 tranches de prosciutto (50 g / 2 oz environ) |
| 12 grandes feuilles de sauge |
| Huile pour graisser la lèchefrite |
| 8 tomates-cerises |
| 2 citrons |

1 Préchauffez le gril du four à la température maximale et mettez de l'eau à bouillir.

2 Mettez le riz dans une casserole, salez et versez 600 ml (2½ tasses) d'eau bouillante dessus. Remuez, couvrez et laissez cuire à petit feu 10 minutes. Retirez du feu et laissez le riz gonfler 5 minutes à couvert.

3 Pendant ce temps, lavez et essuyez les feuilles de sauge. Posez les escalopes entre 2 feuilles de papier ciré et aplatissez-les avec un rouleau à pâtisserie pour qu'elles aient 1 cm (½ po) d'épaisseur. Badigeonnez une face avec le pesto, recouvrez d'une tranche de prosciutto et de 3 feuilles de sauge, salez et poivrez.

4 Roulez les escalopes sur le prosciutto et la sauge. Avec un couteau aiguisé, coupez les rouleaux en morceaux de 2 à 3 cm (1 po) de long.

5 En les tenant fermement d'une main pour qu'ils ne se déroulent pas, enfilez les morceaux de dinde sur 4 brochettes (piquez les brochettes sur le côté des rouleaux).

6 Huilez légèrement la lèchefrite et posez les brochettes dessus. Faites-les dorer sous le gril 5 à 6 minutes de chaque côté jusqu'à

ce que le jus qui s'écoule ne soit plus rose.

7 Ajoutez les tomates coupées en deux au riz. Brossez les citrons sous l'eau tiède. Râpez le zeste de l'un d'eux au-dessus du riz. Mélangez.

8 Répartissez le riz entre les assiettes, disposez les brochettes dessus et arrosez avec le jus rendu pendant la cuisson. Garnissez avec le second citron coupé en quartiers.

VALEUR NUTRITIONNELLE PAR PERSONNE
Calories : 437. Glucides : 46 g (sucres : 1 g).
Protéines : 40 g. Lipides : 10 g (acides gras saturés : 3 g). Riche en vitamines B et E.

Magrets de Canard au Gingembre

*Une merveilleuse sauce au gingembre parfumée au vinaigre à la framboise
se marie admirablement aux magrets de canard présentés sur un lit de poireaux.*

TEMPS : 30 MINUTES – 4 PERSONNES

2 magrets de canard de
350 g (12 oz), environ, chacun

1 c. à soupe de racine de gingembre

1 morceau de gingembre au sirop

2 poireaux moyens

3 c. à soupe de vinaigre
à la framboise

2 c. à soupe de sirop au gingembre

200 ml (¾ tasse) de vin blanc

250 ml (1 tasse) de bouillon
de poulet

15 g (1 c. à soupe) de beurre

1 Préchauffez le four à 80 °C (175 °F). Entaillez la peau des magrets en biais. Déposez les magrets dans une poêle, peau contre le fond, et faites-les griller 3 minutes à feu moyen. Réduisez le feu, laissez cuire 8 minutes, en vidant la graisse 1 ou 2 fois, puis retournez-les et faites-les cuire encore 3 minutes.

2 Pendant ce temps, pelez le gingembre frais et coupez-le en julienne. Hachez le gingembre au sirop.

3 Épluchez les poireaux, coupez-les en deux, lavez-les soigneusement et découpez-les en fines lanières.

4 Retirez la viande de la poêle et gardez-la au chaud dans le four. Laissez une cuillerée à soupe de graisse dans la poêle. Versez le vinaigre et grattez la poêle avec une spatule. Ajoutez les 2 sortes de gingembre, le sirop de gingembre, le vin et le bouillon. Portez à ébullition, puis diminuez la chaleur et laissez réduire le liquide de moitié (8 à 10 minutes).

5 Pendant ce temps, faites fondre le beurre dans une petite poêle, ajoutez les poireaux, salez et poivrez, couvrez et laissez cuire à feu doux 6 à 8 minutes pour qu'ils soient tendres.

6 Coupez les magrets de canard en deux, mettez-les dans la sauce et faites-les réchauffer 2 minutes, salez et poivrez.

7 Dressez les poireaux sur un plat, disposez les filets dessus, nappez de sauce.

SUGGESTION D'ACCOMPAGNEMENT
Si vous désirez épaissir la sauce, ajoutez 1 cuillerée à thé de fécule délayée dans 3 cuillerées à soupe d'eau froide avant d'y remettre les filets et laissez cuire à feu doux 2 minutes.

VALEUR NUTRITIONNELLE PAR PERSONNE
*Calories : 914. Glucides : 15 g (sucres : 14 g).
Protéines : 27 g. Lipides : 78 g (acides gras
saturés : 23 g). Riche en vitamine B et en zinc.*

MAGRETS DE CANARD AUX MÛRES

Vous serez fier de proposer à des invités de marque ces tendres magrets de canard parfumés d'aromates inhabituels et accompagnés d'une sauce aux mûres.

TEMPS : 25 MINUTES – 4 PERSONNES

2 magrets de canard
de 350 g (12 oz), environ, chacun

¼ c. à thé
de cinq-épices chinois

Sel et poivre noir

5 c. à soupe de crème
de mûres

5 c. à soupe de vin rouge

½ bâton de cannelle

1 anis étoilé (facultatif)

1 petite orange

300 g (10 oz) de mûres fraîches

2 c. à thé de fécule
de pomme de terre

1 Pratiquez de légères incisions en croix dans la graisse des magrets. Frottez ceux-ci avec un mélange de sel, de poivre et de cinq-épices.

2 Mettez la crème de mûres, le vin, la cannelle et l'anis étoilé dans une petite casserole avec le zeste râpé de l'orange. Portez ce mélange à ébullition.

3 Placez les magrets dans une poêle, peau contre le fond, et laissez-les griller à sec à feu doux jusqu'à ce que leur peau soit dorée (8 à 10 minutes). Jetez la graisse. Retournez les magrets et prolongez la cuisson à feu doux 4 à 5 minutes.

4 Pendant cette cuisson, lavez les mûres et mettez-les dans la casserole contenant le vin parfumé avec la moitié du jus de l'orange. Portez à ébullition, puis réduisez la chaleur et laissez cuire à feu doux 5 minutes. Délayez la fécule dans le jus d'orange restant.

5 Égouttez les mûres et réservez-les. Ajoutez la fécule au vin parfumé. Portez à ébullition et laissez épaissir en remuant. Ajoutez alors les mûres et réchauffez. Coupez les magrets en tranches et servez avec la sauce aux mûres.

VARIANTE
La crème de mûres peut être remplacée par de la crème de cassis. Remplacez les mûres par des cassis frais ou surgelés, selon la saison.

SUGGESTION D'ACCOMPAGNEMENT
Servez avec des pommes de terre nouvelles coupées en morceaux et nappées de crème sure.

VALEUR NUTRITIONNELLE PAR PERSONNE
Calories : 772. Glucides : 13 g (sucres : 11 g). Protéines : 24 g. Lipides : 65 g (acides gras saturés : 19 g). Riche en vitamines B, C, E et en zinc.

BROCHETTES DE CANARD À L'ORANGE

Voici une nouvelle version du canard à l'orange avec ces brochettes raffinées, arrosées de jus d'orange, de miel et de sauce soja et servies avec du riz parfumé.

TEMPS : 20 MINUTES – 2 PERSONNES

---

150 g (¾ tasse) de riz basmati

Sel

---

1 feuille de laurier ou
un bâton de cannelle

---

1 magret de canard de 350 g
(12 oz) environ

---

1 gros poivron vert

---

1 orange

---

4 c. à soupe de miel

---

2 c. à thé de sauce soja

1 Faites bouillir de l'eau. Faites chauffer le gril à température maximale.

2 Mettez le riz dans une grande casserole avec du sel, le laurier ou la cannelle. Versez l'eau bouillante sur le riz en quantité suffisante pour qu'elle dépasse de 2 à 3 cm (1 po).

Portez à ébullition, puis couvrez et laissez cuire à feu doux jusqu'à ce que le riz soit tendre (15 minutes).

3 Pendant ce temps, coupez la viande en cubes. Lavez le poivron, retirez les graines et coupez-le en carrés de la même dimension que les cubes de canard. Enfilez les morceaux de viande, peau au-dessus, et ceux du poivron sur 2 brochettes en alternant.

4 Mélangez dans une petite casserole le zeste finement râpé de l'orange, 2 cuillerées à soupe de son jus, le miel et la sauce soja.

5 Posez les brochettes sur la lèchefrite du four et arrosez-les de sauce. Faites-les griller 4 à 5 minutes, puis retournez-les et arrosez-les de nouveau avec la sauce et le jus rendu pendant la cuisson. Pour-

suivez la cuisson 4 à 5 minutes. Les brochettes sont cuites quand la chair du canard est à point, sa peau croustillante et quand les poivrons sont tendres et légèrement brunis.

6 Réchauffez le reste de la sauce. Égouttez le riz, retirez le laurier ou la cannelle et servez-le avec les brochettes. Versez le jus écoulé pendant la cuisson dans la sauce, réchauffez et servez en saucière.

SUGGESTION D'ACCOMPAGNEMENT
Servez avec une poêlée de pousses de soja, de carottes coupées en rondelles et de courgettes.

VALEUR NUTRITIONNELLE PAR PERSONNE
Calories : 1 110. Glucides : 101 g (sucres : 40 g). Protéines : 30 g. Lipides : 66 g (acides gras saturés : 19 g). Riche en vitamines B, C et en zinc.

LAPIN GRILLÉ À LA MOUTARDE

Enrobé d'un mélange de moutarde, de jus de citron et de yogourt, le lapin grille sans sécher.
D'appétissantes pommes de terre sautées dans la graisse de canard ou d'oie suffiront à l'accompagner.

TEMPS : 30 MINUTES – 2 PERSONNES

4 pommes de terre moyennes
Sel et poivre noir
2 morceaux de râble de lapin, sans os, de 140 g (5 oz) environ, chacun
1 c. à soupe d'huile
2 c. à thé de moutarde de Dijon ou à l'estragon
3 c. à soupe de yogourt nature
½ citron
50 g (4 c. à soupe) de graisse de canard ou d'oie ou de saindoux ou 2 c. à soupe d'huile d'olive et 25 g (1½ c. à soupe) de beurre
Pour décorer : 2 brins d'estragon
Pour servir : ½ citron

1 Épluchez les pommes de terre et mettez-les dans une casserole avec un peu de sel. Couvrez-les d'eau, portez à ébullition et laissez cuire 8 minutes. Égouttez les pommes de terre.

2 Allumez le gril à température maximale. Disposez les morceaux de lapin sur la grille du four.

3 Mélangez l'huile, la moutarde, le yogourt, une cuillerée à thé de jus de citron, du sel et du poivre. Badigeonnez les morceaux de lapin avec la moitié de ce mélange et glissez-les sous le gril, à 10 cm (4 po) de la source de chaleur. Laissez-les cuire 6 à 7 minutes, puis retournez-les, badigeonnez-les de nouveau et prolongez la cuisson de 6 à 7 minutes environ.

4 Pendant ce temps, coupez les pommes de terre en cubes de 3 cm (1¼ po) environ. Faites chauffer la matière grasse dans une poêle et faites-y dorer les pommes de terre à feu modéré 10 à 12 minutes en les remuant régulièrement et en secouant la poêle. Posez-les sur du papier absorbant.

5 Disposez le lapin et les pommes de terre sur 2 assiettes. Garnissez avec les brins d'estragon et le demi-citron coupé en quartiers.

VALEUR NUTRITIONNELLE PAR PERSONNE
Calories : 724. Glucides : 49 g (sucres : 6 g).
Protéines : 41 g. Lipides : 42 g (acides gras
saturés : 16 g). Riche en vitamines A, B, C, E
et en folates, sélénium et zinc.

SUPRÊMES DE FAISAN, À LA PANCETTA ET AUX POIVRONS JAUNES

Les suprêmes de faisan sont ici enveloppés de pancetta (jambon fumé italien), parfumés au laurier et cuits au four avec de jolis poivrons jaunes.

TEMPS : 30 MINUTES – 4 PERSONNES

Poivre noir
4 demi-poitrines de faisan de 115 g (4 oz), environ, chacune
4 tranches de pancetta ou de bacon (voir encadré p. 40)
4 feuilles de laurier
2 gros poivrons jaunes
1 à 2 c. à soupe d'huile d'olive

1 Préchauffez le four à 230 °C (450 °F). Saupoudrez les suprêmes de faisan de poivre fraîchement moulu, puis enveloppez chacun d'une tranche de pancetta ; glissez ensuite une feuille de laurier entre le jambon et la chair du gibier.
2 Lavez et essuyez les poivrons. Coupez-les en quatre ; enlevez les graines et les filaments blancs, puis badigeonnez-les avec un peu d'huile d'olive.
3 Huilez le fond de la lèchefrite. Disposez-y les suprêmes de faisan bardés ainsi que les poivrons, peau vers le haut. Glissez-les dans la partie supérieure du four et laissez cuire 20 minutes. Les suprêmes doivent être parfaitement cuits, le jambon croustillant et les poivrons légèrement roussis sur les bords.
SUGGESTION D'ACCOMPAGNEMENT
Le faisan est délicieux avec des pommes-fruits sautées au beurre, des marrons ou de la purée de céleri-rave.

CONSEILS ET IDÉES PRATIQUES

Les pommes de terre (à chair jaune, de préférence) sont idéales pour accompagner le gibier rôti. Coupez-les en rondelles de 3 mm (⅛ po) d'épaisseur, environ, puis disposez-les dans un plat que vous aurez préalablement huilé. Arrosez avec un mélange de beurre fondu et d'huile, salez. Faites-les cuire en même temps que le faisan. Les pommes de terre doivent être bien dorées.

VARIANTE
On trouve des suprêmes (poitrines) de faisan frais chez les bons bouchers et dans certains super-marchés, plus particulièrement à l'automne. À défaut, vous pouvez remplacer le faisan par de la pintade ou même du poulet.

VALEUR NUTRITIONNELLE PAR PERSONNE
Calories : 253. Glucides : 5 g (sucres : 5 g). Protéines : 33 g. Lipides : 11 g (acides gras saturés : 1 g). Riche en vitamines B, C et E.

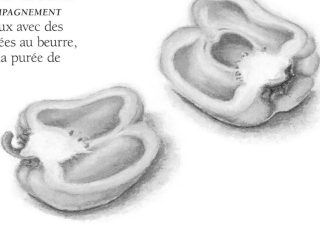

SUPRÊMES DE FAISAN EN SAUCE AU VIN

*Protégée par une couche d'herbes, cette viande cuite rapidement à la poêle ne se dessèche pas.
Elle est accompagnée d'une délicate sauce au vin blanc et à l'orange et servie parsemée de persil.*

TEMPS : 30 MINUTES – 4 PERSONNES

200 ml (¾ tasse) de bouillon de gibier, de veau ou de poulet
Un petit bouquet de persil
2 c. à soupe d'huile d'olive
2 c. à thé d'herbes de Provence
Sel et poivre noir
800 g (1¾ lb) de suprêmes de faisan
1 grosse orange
50 g (3 c. à soupe) de beurre mou
2 c. à soupe de cognac
100 ml (½ tasse) de vin blanc sec
1½ c. à soupe de farine
1 c. à thé de sucre
3 c. à soupe de crème épaisse

1 Préchauffez le four à 80 °C (175 °F). Lavez le persil, essuyez-le. Réservez-en 4 brins pour décorer et hachez-en suffisamment pour obtenir 3 cuillerées à soupe.

2 Mélangez l'huile dans un bol avec le persil haché et les herbes de Provence. Salez. Poivrez généreusement.

3 Ôtez la peau des suprêmes. Escalopez chacun d'eux en 2 tranches minces. Mettez celles-ci dans le bol et remuez pour les enrober du mélange d'herbes et d'huile.

4 Brossez l'orange sous l'eau tiède et prélevez-en le zeste avec une râpe ou un couteau zesteur. Pressez-en la pulpe.

5 Faites fondre la moitié du beurre dans une grande poêle. Quand le beurre grésille, faites revenir les suprêmes à feu assez vif 1 minute de chaque côté. Laissez-les légèrement dorer, mais évitez qu'ils ne se dessèchent.

6 Ajoutez le zeste d'orange et le cognac et prolongez la cuisson jusqu'à évaporation presque complète du liquide (1 à 2 minutes). Mettez la viande sur un plat et gardez au chaud dans le four.

7 Faites chauffer le bouillon. Versez le jus d'orange et le vin dans la poêle et laissez réduire de moitié. Faites un beurre manié en malaxant le reste du beurre et la farine.

8 Versez le bouillon chaud dans la poêle et portez à ébullition. Ajoutez le beurre manié par petits morceaux, réduisez la chaleur et ajoutez le sucre. Laissez cette sauce cuire à feu doux 3 minutes sans couvrir. Ajoutez la crème et faites chauffer 1 minute.

9 Disposez les tranches de faisan sur des assiettes, nappez-les de sauce et décorez avec le persil restant.

SUGGESTION D'ACCOMPAGNEMENT
C'est avec des tagliatelles vertes fraîches que ce plat est le meilleur. Les pâtes cuiront pendant que vous préparez la sauce.

VALEUR NUTRITIONNELLE PAR PERSONNE
Calories : 559. Glucides : 8 g (sucres : 3 g). Protéines : 53 g. Lipides : 32 g (acides gras saturés : 16 g). Riche en vitamines A et E.

PERDRIX RÔTIES À L'ORANGE

Le goût subtil des perdrix simplement cuites au four allié à la saveur d'une sauce
à la marmelade d'oranges et au vin blanc donne un résultat original et délicieux.

TEMPS : 30 MINUTES – 4 PERSONNES

4 jeunes perdrix prêtes à cuire, gardées à température ambiante
40 g (2½ c. à soupe) de beurre
3 c. à soupe d'huile d'olive
Sel et poivre noir
4-6 feuilles de laurier (facultatif)
1 citron
100 ml (½ tasse) de vin blanc sec
3 c. à soupe de marmelade d'oranges

1 Préchauffez le four à 230 °C (450 °F). Coupez les perdrix en deux. Placez-les dans un plat allant au four, côté coupé contre le fond.
2 Faites chauffer le beurre et l'huile dans une petite poêle, puis versez ce mélange sur les perdrix.

Salez, poivrez et ajoutez les feuilles de laurier. Faites cuire 15 minutes dans la partie supérieure du four. Les perdrix doivent être cuites à point et dorées.
3 Brossez le citron sous l'eau tiède ; râpez le zeste et exprimez le jus du fruit ; mettez le tout dans une petite casserole, ajoutez le vin et la marmelade. Faites cuire à feu modéré en remuant. Quand le mélange est homogène, réduisez le feu pour garder la sauce chaude.
4 Disposez les perdrix sur un plat chaud. Retirez le laurier. Versez la sauce dans le plat de cuisson des perdrix et portez à ébullition en grattant le fond pour dissoudre les sucs. Versez dans une saucière et servez avec les perdrix.

SUGGESTION D'ACCOMPAGNEMENT
La Purée de marrons et de céleri-rave (p. 254) constitue un accompagnement élégant. Mais, si vous désirez un plat plus substantiel, optez pour la Salade de riz sauvage et de fenouil (p. 85).

VALEUR NUTRITIONNELLE PAR PERSONNE
Calories : 910. Glucides : 13 g (sucres : 13 g).
Protéines : 121 g. Lipides : 40 g (acides gras
saturés : 13 g). Riche en vitamine B et en fer.

CONSEILS ET IDÉES PRATIQUES

Les perdrix doivent être jeunes et
tendres, comme en début de saison
(septembre ou octobre). Sinon, prévoyez
un temps de cuisson plus long.

PAVÉS DE CHEVREUIL AUX CANNEBERGES

Des pavés de chevreuil badigeonnés d'une sauce fruitée au porto sont parsemés d'épices et de baies de genièvre broyées. Une délicieuse purée de carottes et de patates douces les accompagne.

TEMPS : 30 MINUTES – 4 PERSONNES

500 g (1 lb) de grosses carottes

500 g (1 lb) de patates douces

Sel et poivre

4 steaks de chevreuil ou d'orignal
de 115 g (4 oz), environ, chacun

3 c. à soupe de sauce
aux canneberges

1 c. à soupe de porto

1 c. à soupe d'huile d'olive

1 c. à thé de piment
de la Jamaïque en grains

10 baies de genièvre

50 g (3 c. à soupe) de beurre

Pour la garniture : persil plat

1   Mettez de l'eau à bouillir. Épluchez les carottes et les patates douces, coupez-les en petits morceaux. Placez-les dans une casserole, couvrez-les d'eau bouillante. Salez. À la reprise de l'ébullition, couvrez et laissez cuire à feu doux une quinzaine de minutes ou jusqu'à ce que les légumes soient tendres.

2   Faites chauffer un gril en fonte. Lavez, essuyez et hachez le persil, réservez 4 brins pour la décoration.

3   Posez les pavés de viande sur la grille du four ; mélangez la sauce aux canneberges, le porto et l'huile et badigeonnez les pavés avec la moitié de cette préparation.

4   Broyez le piment de la Jamaïque et le genièvre dans un mortier. Saupoudrez-en la viande. Poivrez.

5   Faites cuire la viande sur le gril à feu vif. Au bout de 4 à 5 minutes, retournez-la, badigeonnez-la de sauce et saupoudrez-la avec le mélange de piment et de genièvre. Salez et poivrez. Poursuivez la cuisson 5 minutes.

6   Égouttez les légumes et remettez-les dans la casserole. Faites-les sécher à feu doux en secouant la casserole, puis écrasez-les en ajoutant le beurre. Poivrez. Parsemez de persil haché et servez avec la viande.

VALEUR NUTRITIONNELLE PAR PERSONNE
Calories : 324. Glucides : 19 g (sucres : 18 g). Protéines : 27 g. Lipides : 15 g (acides gras saturés : 8 g). Riche en vitamines A, B, C, E et en fer et zinc.

SAUCISSES DE GIBIER

Ces saucisses de gibier sont servies avec une purée de pommes de terre et de céleri.
Si vous n'en trouvez pas, vous pouvez les remplacer par des saucisses de volaille.

TEMPS : 30 MINUTES – 4 PERSONNES

4 **pommes de terre (700 g)**
à chair farineuse (Î.-P.-É.)

400 g (14 oz) de céleri-rave

Sel et poivre noir

2 c. à soupe d'huile d'olive

8 **saucisses de gibier**
de 75 g (2¾ oz), environ, chacune

3 c. à soupe de lait

50 g (3 c. à soupe) de beurre

50 g (3 c. à soupe) de fromage bleu

Une pincée de noix muscade

Pour servir : **moutarde, achards,**
chutneys et ketchup vert

1 Mettez de l'eau à chauffer et préchauffez le four à 80 °C (175 °F). Épluchez les pommes de terre et le céleri-rave et coupez-les en petits morceaux. Placez-les séparément dans 2 casseroles. Couvrez-les d'eau bouillante, salez et laissez-les cuire 15 minutes, environ.

2 Pendant ce temps, faites chauffer l'huile dans une poêle et faites-y revenir les saucisses 10 minutes, à feu moyen, en les retournant fréquemment. Quand elles sont dorées, mettez-les sur un plat et gardez-les au chaud dans le four.

3 Égouttez le céleri, réduisez-le en purée, en ajoutant le lait. Égouttez les pommes de terre et écrasez-les à la main, avec le beurre. Mélangez les purées, ajoutez le fromage émietté, la noix muscade, du sel et du poivre. Disposez les saucisses et la purée dans un plat chaud. Servez avec de la moutarde et des achards.

VALEUR NUTRITIONNELLE PAR PERSONNE
Calories : 531. Glucides : 41 g (sucres : 4 g).
Protéines : 29 g. Lipides : 60 g (acides gras
saturés : 27 g). Riche en vitamines A, B, C, E
et en folates.

TERIYAKI DE CHEVREUIL

Dans ce plat raffiné, des steaks de chevreuil ou de cerf rouge sont cuits dans une sauce aigre-douce et accompagnés de patates douces coupées en bâtonnets et frites.

TEMPS : 30 MINUTES – 4 PERSONNES

5 cm (2 po) de racine de gingembre
1 c. à thé de sel
4 steaks de chevreuil de 115 g (4 oz) environ, chacun, soigneusement parés
5 patates douces (600 g)
Huile pour friture
1½ c. à soupe de saké
2½ c. à soupe de xérès doux
2 c. à soupe de sauce soja

1 Préchauffez le four à 80 °C (175 °F). Pelez et râpez le gingembre et mélangez-le au sel. Étalez cette préparation sur une face des steaks de chevreuil et laissez mariner 10 minutes.

2 Épluchez les patates douces et coupez-les en longs bâtonnets de 1 cm (½ po) d'épaisseur, environ.

3 Faites chauffer l'huile pour friture à 170 °C (340 °F), c'est-à-dire jusqu'à ce qu'un petit morceau de pain qu'on y plonge dore en 45 secondes. Les patates douces se cuisent dans une huile un peu moins chaude que celle utilisée pour les pommes de terre. Plongez les patates douces dans l'huile et laissez-les cuire 12 minutes.

4 Pendant ce temps, graissez le fond d'une poêle avec un peu d'huile et faites chauffer. Déposez les pavés de viande dans la poêle et laissez-les cuire 2 minutes de chaque côté. Mettez-les dans un plat et gardez-les au chaud dans le four.

5 Versez le saké, le xérès doux et la sauce soja dans la poêle et portez ce liquide à ébullition en grattant le fond pour dissoudre les sucs.

Remettez la viande dans la poêle et faites-la cuire 3 minutes de chaque côté.

6 Égouttez les frites. Disposez les steaks de chevreuil sur des assiettes chaudes, versez la sauce dessus ou bien à côté et servez immédiatement avec les frites.

VALEUR NUTRITIONNELLE PAR PERSONNE
Calories : 497. Glucides : 33 g (sucres : 2 g). Protéines : 28 g. Lipides : 27 g (acides gras saturés : 4 g). Riche en vitamine B et en fer et zinc.

STEAKS DE CHEVREUIL AU POIVRE

La viande maigre de la venaison est servie en steaks incrustés de poivre noir broyé, flambés au cognac et accompagnés d'une sauce à la crème et au madère à laquelle des baies de genièvre apportent leur saveur.

TEMPS : 20 MINUTES – 4 PERSONNES

1 c. à soupe de poivre en grains
25 g (1½ c. à soupe) de farine
Sel
2 c. à soupe d'huile d'olive
4 steaks de chevreuil de 150 g (5½ oz), environ, chacun
6 baies de genièvre
3 c. à soupe de cognac
150 ml (⅔ tasse) de madère ou de porto
150 ml (⅔ tasse) de crème épaisse

1 Préchauffez le four à 80 °C (175 °F). Broyez le poivre en grains avec un mortier ou un rouleau à pâtisserie et mélangez-le à la farine en ajoutant un peu de sel.

2 Faites chauffer l'huile d'olive dans une poêle. Passez les steaks de chevreuil dans le mélange de farine et de poivre en appuyant bien pour que le poivre s'incruste dans la viande. Faites revenir la viande à feu vif dans l'huile chaude 2 min 30 à 4 minutes de chaque côté suivant le degré de cuisson désiré.

3 Pendant ce temps, broyez les baies de genièvre.

4 Quand la viande est cuite, réduisez la chaleur, versez le cognac dans la poêle et enflammez-le en vous reculant pour ne pas vous brûler. Attendez que les flammes soient éteintes, puis mettez la viande sur un plat et gardez-la au chaud dans le four.

5 Versez le madère ou le porto dans la poêle, ajoutez les baies de genièvre et portez à ébullition en grattant le fond pour dissoudre les sucs. Laissez réduire la sauce de moitié.

6 Diminuez encore la chaleur et ajoutez la crème. Laissez la sauce sur le feu 2 minutes, puis nappez-en la viande et servez.

SUGGESTION D'ACCOMPAGNEMENT
Servez avec des petites pommes de terre au gros sel et des haricots verts.

VALEUR NUTRITIONNELLE PAR PERSONNE
Calories : 477. Glucides : 10 g (sucres : 6 g). Protéines : 35 g. Lipides : 26 g (acides gras saturés : 13 g). Riche en vitamines A, B₂, E et en fer et zinc.

CONSEILS ET IDÉES PRATIQUES

Le gibier vendu dans les supermarchés provient de bêtes d'élevage. Il est souvent plus tendre que le gibier provenant d'animaux sauvages et se cuit comme de la viande de bœuf maigre.

Fettucine au brocoli

PÂTES ET CÉRÉALES

*Pâtes, riz, boulgour, couscous et autres céréales mélangés
à des ingrédients provenant de toutes les parties du monde
sont faciles à transformer en quelques minutes
en une gamme de mets délicieux.*

PAPPARDELLE AUX FOIES DE VOLAILLE ET AU PORTO

Ce plat de pâtes et de foies de volaille est servi avec une sauce riche relevée par les saveurs de la sauge et du porto.

TEMPS : 25 MINUTES – 4 PERSONNES

4 c. à soupe d'huile d'olive
1 petit oignon
2 gousses d'ail
2 branches de persil
1 feuille de sauge
500 g (1 lb) de foies de volaille
300 g (10 oz) de pappardelle ou de tagliatelles fraîches (200 g / 7 oz si elles sont sèches)
Sel et poivre noir
5 c. à soupe de porto ou de marsala
25 g (2 c. à soupe) de beurre

1 Faites chauffer de l'eau dans une grande casserole. Préchauffez le four à 80 °C (175 °F). Faites chauffer 3 cuillerées à soupe d'huile d'olive dans une poêle. Épluchez l'oignon et l'ail, émincez l'oignon et pressez l'ail, mettez-les dans la poêle et laissez cuire à petit feu.

2 Lavez, essorez et hachez les herbes et ajoutez-les au contenu de la poêle.

3 Rincez les foies de volaille, essuyez-les et coupez-les en gros morceaux. Réservez-les.

4 Salez l'eau bouillante et ajoutez une cuillerée à soupe d'huile d'olive. Plongez-y les pâtes et laissez-les cuire en comptant 3 minutes après la reprise de l'ébullition si elles sont fraîches et 10 à 12 minutes si elles sont sèches.

5 Pendant ce temps, mettez les foies de volaille dans la poêle ; augmentez la chaleur et faites-les revenir jusqu'à ce qu'ils soient bien dorés. Ajoutez le porto et prolongez la cuisson à feu vif jusqu'à ce que le liquide ait réduit de moitié. Ajoutez le beurre, salez et poivrez.

6 Égouttez les pâtes. Mélangez les foies et leur sauce aux pâtes et servez.

SUGGESTION D'ACCOMPAGNEMENT
Accompagnez ce plat d'une grande salade verte.

VALEUR NUTRITIONNELLE PAR PERSONNE
Calories : 434. Glucides : 31 g (sucres : 4 g). Protéines : 28 g. Lipides : 21 g (acides gras saturés : 6 g). Riche en vitamines A, B, C, E et en folates, fer et zinc.

FETTUCCINE AU BROCOLI

Une sauce onctueuse au beurre et à la moutarde aromatisée de fines herbes constitue un assaisonnement
inhabituel pour des pâtes fraîches, accompagnées de brocoli et de tomates-cerises.

TEMPS : 20 MINUTES — 4 PERSONNES

10 feuilles de basilic frais
3 branches de persil
2 oignons verts
2 petites gousses d'ail
2 c. à soupe de moutarde de Dijon
125 g (¼ lb) de beurre, ramolli
500 g (1 lb) de brocoli
1 c. à soupe d'huile d'olive
Sel et poivre
500 g (1 lb) de fettucine ou de tagliatelles fraîches
Pour garnir : 10 tomates-cerises

1 Mettez de l'eau à chauffer dans une grande casserole. Lavez et hachez menu le basilic et le persil. Épluchez les oignons verts et émincez séparément les tiges et le bulbe. Épluchez l'ail et pressez-le.

2 Mélangez la moutarde et le beurre dans un bol. Ajoutez les herbes, le blanc des oignons et l'ail en écrasant bien ces ingrédients.

3 Lavez le brocoli et séparez-le en très petits bouquets. Salez l'eau bouillante, versez-y l'huile, les pâtes et le brocoli. Après l'ébullition, poursuivez la cuisson 4 minutes. Les pâtes doivent être al dente.

4 Lavez les tomates-cerises et coupez-les en deux.

5 Égouttez les pâtes et le brocoli. Mettez le mélange beurre, moutarde, herbes dans la casserole de cuisson des pâtes et laissez fondre. Ajoutez les pâtes et le brocoli et laissez chauffer à feu doux en remuant bien pour que les pâtes s'imprègnent de sauce sans cuire.

6 Versez les pâtes dans un plat, assaisonnez, garnissez avec les tiges d'oignon et les tomates et servez.

VALEUR NUTRITIONNELLE PAR PERSONNE
Calories : 450. Glucides : 32 g (sucres : 5 g).
Protéines : 12 g. Lipides : 31 g (acides gras saturés : 18 g). Riche en vitamines A, B, C, E et en folates.

FARFALLE AU PESTO ET AU BACON

Bacon et pistou parfument ce mélange nourrissant de pâtes, de pommes de terre et de petits pois auquel de la crème légère apporte son onctuosité.

TEMPS : 30 MINUTES – 4 PERSONNES

3 pommes de terre (500 g) à chair ferme
300 g (10 oz) de bacon
1 oignon moyen
225 g (½ lb) de farfalle (papillons) sèches
Sel et poivre
200 g (7 oz) de petits pois surgelés
1½ c. à soupe d'huile d'olive
85 g (3 oz) de pesto
300 ml (1¼ tasse) de crème légère
Pour garnir : feuilles de basilic frais
Pour servir : 40 g (1 c. soupe comble) de parmesan

1 Faites chauffer une grande casserole d'eau.

2 Épluchez les pommes de terre et coupez-les en cubes de 1 cm (½ po). Mettez-les dans une petite casserole d'eau froide salée, portez à ébullition et laissez cuire jusqu'à ce qu'elles soient tendres (7 minutes, environ). Égouttez et gardez au chaud.

3 Pendant la cuisson des pommes de terre, coupez le bacon en dés de 1 cm (½ po) de côté. Épluchez et hachez l'oignon.

4 Salez l'eau bouillante, plongez-y les pâtes et laissez cuire sans couvercle. Au bout de 6 à 10 minutes, ajoutez les petits pois et prolongez la cuisson de 4 minutes, environ. Les pâtes doivent être al dente.

5 Pendant ce temps, faites chauffer la moitié de l'huile dans une grande poêle et faites-y revenir le bacon 2 à 3 minutes à feu vif en le remuant fréquemment. Mettez de côté dans un plat.

6 Versez le reste de l'huile dans la poêle, ajoutez l'oignon et laissez-le fondre 5 minutes sans le laisser dorer. Remettez le bacon, ajoutez le pesto et la crème. Poivrez, couvrez et gardez au chaud.

7 Lavez et essorez les feuilles de basilic. Égouttez les pâtes et les petits pois et mettez-les dans la poêle. Ajoutez les pommes de terre

et le bacon et remuez délicatement. Garnissez avec les feuilles de basilic et saupoudrez de parmesan.

VALEUR NUTRITIONNELLE PAR PERSONNE
Calories : 885. Glucides : 75 g (sucres : 14 g). Protéines : 33 g. Lipides : 48 g (acides gras saturés : 21 g). Riche en vitamines A, B, C, E et en folates, calcium et zinc.

CONSEILS ET IDÉES PRATIQUES

Pour cette recette, tâchez de vous procurer du bacon de qualité. Vous pouvez également utiliser du lard maigre dont vous retirerez soigneusement les cartilages et la couenne.

202

PÂTES RUSTIQUES

Les enfants adoreront ce simple plat de pâtes, petits pois, tomates et chair à saucisse.
Vite préparé, nourrissant et bon marché, il peut servir d'alternative aux spaghettis à la bolognaise.

TEMPS : 25 MINUTES – 4 PERSONNES

| 1 oignon moyen |
| 1 gousse d'ail |
| 1 c. à soupe d'huile d'olive |
| 500 g (1 lb) de chair à saucisse |
| 3 c. à soupe de cognac, vin blanc ou bouillon de poulet |
| 1 boîte (540 ml / 19 oz) de tomates, concassées |
| Sel et poivre noir |
| 500 g (1 lb) de penne fraîches ou 350 g (12 oz) de pâtes sèches |
| 150 g (5 oz) de petits pois surgelés |
| *Pour garnir :* un petit bouquet de ciboulette |
| *Pour servir :* du parmesan |

1 Faites chauffer de l'eau dans un grand faitout. Épluchez l'oignon et l'ail ; hachez grossièrement l'oignon et pressez l'ail. Faites revenir le tout à feu modéré dans l'huile en remuant de temps en temps jusqu'à ce que l'oignon ait fondu (4 minutes).

2 Ajoutez la chair à saucisse à l'ail et à l'oignon et faites-la dorer à feu vif (7 minutes) en la brisant avec une fourchette.

3 Ajoutez le cognac, le vin ou le bouillon ainsi que les tomates. Portez à ébullition, puis laissez mijoter 10 minutes en remuant de temps en temps.

4 Plongez les pâtes et les petits pois dans l'eau bouillante ; laissez cuire 4 à 5 minutes après la reprise de l'ébullition. Les pâtes doivent être al dente. Si vous utilisez des pâtes sèches, attendez 6 à 7 minutes avant d'ajouter les petits pois.

5 Pendant ce temps, lavez, essorez et hachez la ciboulette.

6 Égouttez le mélange de pâtes et de petits pois et mélangez-le à la sauce. Vérifiez l'assaisonnement, ajoutez la ciboulette et servez avec du parmesan fraîchement râpé.

VALEUR NUTRITIONNELLE PAR PERSONNE
Calories : 662. Glucides : 80 g (sucres : 7 g). Protéines : 36 g. Lipides : 22 g (acides gras saturés : 8 g). Riche en vitamines B, C, E et en calcium et zinc.

CONSEILS ET IDÉES PRATIQUES
Utilisez de la chair à saucisse de bonne qualité. À défaut, employez des saucisses dont vous retirerez la peau et hacherez grossièrement la chair.

SPAGHETTIS ALLE VONGOLE

*En faisant cuire des palourdes en conserve avec des tomates et du vin blanc, on obtient,
pour accompagner les spaghettis, une sauce plus légère que celle à la viande et au fromage.*

TEMPS : 30 MINUTES – 4/6 PERSONNES

2 c. à soupe d'huile d'olive
1 grosse gousse d'ail
1 boîte (540 ml / 19 oz) de tomates, concassées
2 boîtes (142 g / 5 oz chacune) de petites palourdes
4 c. à soupe de vin blanc sec
350 g (12 oz) de spaghettis secs
Sel et poivre
Pour garnir : persil frais (facultatif)

1   Faites chauffer de l'eau dans une grande casserole pour les pâtes.
2   Pendant ce temps, faites chauffer l'huile d'olive dans une autre casserole. Épluchez l'ail, pressez-le et ajoutez-le à l'huile. Laissez-le crépiter quelques secondes, puis ajoutez les tomates avec leur jus et la moitié du jus des palourdes.
3   Ajoutez le vin. Faites cuire à feu modéré en remuant de temps en temps jusqu'à obtention d'une sauce épaisse (20 minutes, environ).
4   Salez l'eau bouillante, ajoutez le reste du jus des palourdes et les spaghettis. Laissez cuire ceux-ci sans couvrir 10 à 12 minutes à partir de la reprise de l'ébullition.
5   Pendant que les pâtes cuisent, lavez le persil, s'il y a lieu, et hachez-en de façon à obtenir l'équivalent de 2 cuillerées à soupe.
6   Mélangez délicatement les palourdes à la sauce tomate. Faites chauffer le tout à feu doux en veillant à ne pas laisser bouillir. Salez et poivrez.
7   Égouttez les spaghettis, mettez-les dans un plat ou directement dans les assiettes, versez la sauce dessus. Parsemez éventuellement de persil.

VARIANTE
On peut remplacer les palourdes en conserve par des crevettes fraîches ou du thon en conserve. (N'oubliez pas : on ne sert pas de parmesan avec les sauces aux fruits de mer.)

*VALEUR NUTRITIONNELLE PAR PERSONNE
(EN COMPTANT 4 PERSONNES) Calories : 415.
Glucides : 70 g (sucres : 6 g). Protéines : 18 g.
Lipides : 8 g (acides gras saturés : 1 g).
Riche en vitamines B, C, E et en fer.*

FUSILLI AU JAMBON ET GORGONZOLA

*Une pincée de graines de pavot donne du croquant à ces torsades nappées d'une sauce
au gorgonzola, au jambon et aux petits champignons, parfumée à la noix muscade.*

TEMPS : 25 MINUTES – 4 PERSONNES

175 g (6 oz) de jambon fumé, coupé en tranches épaisses
250 g (½ lb) de champignons
200 ml (¾ tasse) de crème épaisse
2 pincées de noix muscade râpée
Sel et poivre noir
450 g (1 lb) de fusilli, ou de petites pâtes de même type, fraîches
60 g (2 oz) de gorgonzola
Quelques brins de persil plat
1½ c. à thé de graines de pavot

1   Faites chauffer de l'eau dans une grande casserole. Débarrassez le jambon de la couenne et du gras et coupez-le en petits cubes.
2   Nettoyez les champignons et coupez-les en lamelles. Mettez-les dans une casserole à fond épais avec la crème, la noix muscade et un peu de poivre noir. Portez le mélange à ébullition, puis réduisez la chaleur et laissez cuire à feu modéré en remuant fréquemment jusqu'à ce que la sauce épaississe.
3   Plongez les pâtes dans l'eau bouillante salée et attendez la reprise de l'ébullition. Laissez alors cuire les pâtes à feu doux à découvert jusqu'à ce qu'elles soient al dente (3 à 5 minutes).
4   Pendant ce temps, émiettez le fromage ; lavez et hachez le persil.
5   Quand la sauce nappe le dos de la cuillère, retirez la casserole du feu, ajoutez le fromage et laissez-le fondre en remuant.
6   Mélangez le jambon à la sauce et réchauffez le tout à feu doux. Ajoutez le persil et gardez au chaud.
7   Égouttez les pâtes, mettez-les dans un plat et parsemez-les de graines de pavot. Versez la sauce dessus, mélangez et servez.

*VALEUR NUTRITIONNELLE PAR PERSONNE
Calories : 653. Glucides : 56 g (sucres : 3 g).
Protéines : 25 g. Lipides : 39 g (acides gras
saturés : 22 g). Riche en vitamines A, B et E.*

VITE FAIT, BIEN FAIT !

La noix muscade entière que l'on râpe au-dessus du plat a beaucoup plus de goût que celle qu'on achète en poudre.

DEUX PLATS DE PÂTES FACILES À PRÉPARER :
SPAGHETTIS ALLE VONGOLE *(en haut)* ;
FUSILLI AU JAMBON ET GORGONZOLA *(en bas).*

« PAILLE ET FOIN » AU SAUMON FUMÉ

En Italie, cette combinaison de pâtes jaunes et de pâtes vertes a reçu le nom de « paille et foin » à cause de ses couleurs. Elle est particulièrement jolie servie avec une sauce au vin et de savoureuses lanières de saumon fumé.

TEMPS : 25 MINUTES – 6 PERSONNES
(OU 4 PERSONNES EN PLAT PRINCIPAL)

---

1 petit oignon

**6 c. à soupe de vin blanc
ou de vermouth blanc**

**375 g (13 oz) de « paille et foin »
fraîches ou d'autres pâtes jaunes et
vertes, linguine ou fettuccine, ou
280 g (10 oz) de pâtes sèches du
même type**

Sel et poivre

**350 g (12 oz) de saumon fumé ou
de chutes de saumon fumé**

---

4 gros brins d'aneth

---

25 g (1 c. à soupe comble) de câpres

---

1 Faites chauffer de l'eau dans une grande casserole. Épluchez et émincez finement l'oignon.

2 Versez le vin ou le vermouth dans une poêle, portez-le à ébullition et laissez-le réduire de moitié (1 à 2 minutes). Ajoutez l'oignon haché, laissez-le fondre, puis gardez le tout au chaud.

3 Plongez les pâtes dans l'eau bouillante salée et remuez-les avec une fourchette. À la reprise de l'ébullition, réduisez un peu la chaleur et laissez cuire 4 à 5 minutes pour les pâtes fraîches et 10 à 12 minutes pour les pâtes sèches, pour qu'elles soient al dente.

4 Coupez le saumon fumé en petites lanières. Mettez celles-ci dans la poêle contenant le mélange d'oignon et de vin et faites chauffer à feu doux.

5 Lavez, essuyez et hachez grossièrement l'aneth ; hachez les câpres et ajoutez le tout au contenu de la poêle.

6 Dès que les pâtes sont cuites, mettez-les dans un grand plat.

7 Poivrez seulement le contenu de la poêle (le saumon et les câpres sont très salés). Versez cette sauce sur les pâtes et mélangez délicatement avant de servir.

VARIANTE

Le persil plat peut remplacer l'aneth et des olives ou des cornichons surs grossièrement hachés, les câpres.

SUGGESTION D'ACCOMPAGNEMENT

Servies seules, ces pâtes constituent une excellente entrée. En les accompagnant d'une salade verte ou d'un mélange de tomates coupées en fines rondelles, de fenouil et d'olives noires assaisonnés de citron et d'huile d'olive, vous en ferez un plat principal substantiel.

VALEUR NUTRITIONNELLE PAR PERSONNE
(EN COMPTANT 6 PERSONNES) Calories : 249.
Glucides : 31 g (sucres : 1 g). Protéines : 21 g.
Lipides : 4 g (acides gras saturés : 0,8 g).
Riche en vitamine B.

TAGLIATELLES AUX HERBES ET AUX PIGNONS

*Pignons de pin et mie de pain fraîchement grillés donnent du croquant
à ce très simple mélange de pâtes en longs rubans, assaisonnées d'ail et d'herbes.*

TEMPS : 30 MINUTES – 4 PERSONNES

160 g (4 tranches) de pain
Un bouquet de persil plat
Quelques brins d'origan
Quelques brins de ciboulette
125 ml (½ tasse) d'huile d'olive vierge extra
3 gousses d'ail
60 g (½ tasse) de pignons de pin
Sel et poivre noir
500 g (1 lb) de tagliatelles fraîches
Pour servir : 60 g (2 oz) de parmesan

1 Mettez de l'eau à chauffer dans une grande casserole. Retirez la croûte du pain et passez la mie au robot.

2 Lavez et essorez les herbes. Hachez-en suffisamment pour obtenir 4 cuillerées à soupe de persil, 1½ cuillerée à soupe d'origan et la même quantité de ciboulette. Ajoutez le tout à la mie de pain et mélangez brièvement pour rendre le tout homogène.

3 Faites chauffer 3 cuillerées à soupe d'huile à feu modéré dans une poêle. Épluchez l'ail, pressez-le et mettez-le dans la poêle. Ajoutez les pignons de pin et le mélange de pain et d'herbes. Salez, poivrez, et laissez cuire 5 à 6 minutes pour que la mie de pain soit dorée, mais encore tendre. Retirez du feu et gardez au chaud.

4 Pendant ce temps, plongez les pâtes dans l'eau bouillante salée et laissez-les cuire jusqu'à ce qu'elles soient al dente (3 à 4 minutes). Râpez le parmesan.

5 Égouttez les pâtes, mettez-les dans un plat en les arrosant avec le restant d'huile. Mélangez bien, ajoutez la préparation pain et pignons de pins, mélangez de nouveau. Servez avec le parmesan.

SUGGESTION D'ACCOMPAGNEMENT
Servez ce plat avec une salade de tomates poivrée et parsemée de basilic.

VALEUR NUTRITIONNELLE PAR PERSONNE
*Calories : 977. Glucides : 106 g (sucres : 4 g).
Protéines : 29 g. Lipides : 52 g (acides gras
saturés : 9 g). Riche en vitamines B, E
et en calcium, sélénium et zinc.*

PÂTES AUX HARICOTS DE LIMA, ARTICHAUTS ET ÉPINARDS

Mélangées à des haricots de Lima, à des artichauts et à des épinards,
ces petites pâtes en forme de tube constituent un plat familial substantiel.

TEMPS : 30 MINUTES – 4 PERSONNES

2 c. à soupe d'huile d'olive
1 oignon moyen
1 grosse gousse d'ail
1 poivron rouge de taille moyenne
Sel et poivre
1 boîte (540 ml / 19 oz) de tomates, concassées
1 pincée d'origan séché
½ c. à thé de cassonade
200 g (7 oz) de petites pâtes tubulaires sèches (style rigatoni)
1 boîte (540 ml / 19 oz) de haricots de Lima
350 g (1 sac) de pousses d'épinards
1 boîte (398 ml / 14 oz) de cœurs d'artichauts
Pour servir : 50 g (1 c. à soupe comble) de parmesan ; un pain italien

1 Mettez de l'eau à bouillir dans une grande casserole et préchauffez le four à 80 °C (175 °F). Faites chauffer l'huile dans une grande poêle. Épluchez l'oignon et l'ail, hachez l'oignon et pressez l'ail. Faites fondre le tout 5 minutes à feu doux dans l'huile.

2 Lavez le poivron, ôtez-en les graines et coupez la pulpe en lamelles. Ajoutez-les au mélange d'oignon et d'ail et poursuivez la cuisson 2 minutes.

3 Ajoutez les tomates, l'origan, la cassonade et un peu de poivre au contenu de la poêle. Portez à ébullition, couvrez à demi et laissez mijoter 10 minutes.

4 Salez l'eau bouillante et plongez-y les pâtes. Laissez-les cuire 10 à 12 minutes à partir de la reprise de l'ébullition.

5 Mettez le pain dans le four pour le réchauffer. Ajoutez les haricots de Lima égouttés à la sauce qui cuit dans la poêle, puis laissez mijoter 3 minutes.

6 Lavez les épinards et essorez-les. Équeutez-les et ajoutez-les au contenu de la poêle. Laissez cuire 3 minutes.

7 Égouttez les cœurs d'artichauts et coupez-les en quatre. Mélangez-les à la sauce en même temps que les pâtes soigneusement égouttées.

8 Versez le contenu de la poêle dans un plat, saupoudrez-le de parmesan fraîchement râpé et servez avec le pain chaud.

VALEUR NUTRITIONNELLE PAR PERSONNE
Calories : 741. Glucides : 92 g (sucres : 16 g).
Protéines : 26 g. Lipides : 30 g (acides gras
saturés : 6 g). Riche en vitamines A, B, C, E
et en folates et calcium.

CONSEILS ET IDÉES PRATIQUES

Vous pouvez remplacer les cœurs
d'artichaut par des fonds d'artichaut.
Coupez-les en tranches et utilisez-les
exactement de la même manière.

SALADE DE NOUILLES THAÏLANDAISE

*Un assaisonnement pimenté et parfumé au schénanthe aromatise ce frais mélange
de légumes croquants, de crevettes et de vermicelles de riz.*

TEMPS : 30 MINUTES − 4 PERSONNES

250 g (½ lb) de pois mange-tout

1 poivron jaune

200 g (7 oz) de vermicelles de riz

8 oignons verts

250 g (½ lb) de crevettes de Matane

Pour l'assaisonnement :
2 tiges de schénanthe

1 piment rouge frais

7 cm (3 po) de racine
de gingembre

1 bouquet de coriandre

2 limes

4 c. à soupe d'huile de tournesol
ou de maïs

2 c. à soupe
d'huile de sésame

3 c. à soupe
de sauce soja

Pour servir : craquelins de riz

1 Faites chauffer de l'eau dans une casserole. Lavez les pois mange-tout et équeutez-les. Mettez-les dans l'eau bouillante, puis laissez-les cuire 3 minutes. Lavez le poivron, ôtez les graines et coupez-le en fines lamelles.
2 Enlevez la casserole du feu, ajoutez le poivron et les vermicelles, attendez 2 minutes, puis mettez le tout dans une passoire ; rincez et égouttez.
3 Préparez l'assaisonnement : retirez les premières feuilles du schénanthe et coupez les tiges en morceaux. Ôtez les graines du piment et émincez-le. Épluchez le gingembre et coupez-le en lamelles. Lavez et essorez la coriandre et hachez-la. Mettez le tout dans un mélangeur avec le jus des limes, l'huile de tournesol, l'huile de

sésame et la sauce soja. Mélangez pour obtenir une sauce grumeleuse.
4 Nettoyez les oignons verts. Coupez-les en diagonale, en tronçons de 1 cm (½ po) de long. Ajoutez les crevettes et les nouilles-légumes, assaisonnez, mélangez et servez avec les craquelins de riz.

VALEUR NUTRITIONNELLE PAR PERSONNE
Calories : 654. Glucides : 71 g (sucres : 7 g).
Protéines : 21 g. Lipides : 31 g (acides gras saturés : 4 g). Riche en vitamines B, C et E.

CONSEILS ET IDÉES PRATIQUES

Ces vermicelles de riz, aussi appelés nouilles orientales, sont vendus dans les épiceries fines et les magasins de produits orientaux. Cette salade peut se garder 1 ou 2 heures au réfrigérateur.

CHOW MEIN AU CANARD

Les nouilles chinoises se marient parfaitement avec des légumes verts et de la viande. La chair de canard rapidement sautée, assaisonnée de sauce hoisin légèrement sucrée, donne un plat riche en saveurs.

TEMPS : 30 MINUTES – 4 PERSONNES

250 ml (1 tasse) de bouillon de poulet
250 g (9 oz) de nouilles chinoises
2 magrets de canard de 300 g (10 oz) chacun
3 c. à soupe de sauce soja
1 gousse d'ail
3 gros oignons verts
300 g (⅔ lb) de légumes variés (choux, carottes, poivrons, poireaux)
2 c. à soupe d'huile d'arachide
8 épis (100 g) de maïs miniature
2 c. à soupe de sauce hoisin
1 c. à thé de fécule de maïs
50 g (2 oz) de germes de haricot mungo

1 Mettez de l'eau à bouillir. Faites chauffer le bouillon. Préchauffez le four à 80 °C (175 °F).

2 Mettez les nouilles dans un bol, recouvrez-les d'eau bouillante et laissez-les gonfler 6 minutes ou faites-les cuire en suivant les instructions du fabricant.

3 Débarrassez les magrets de canard de leur peau et de leur graisse ; coupez la chair en lanières de 1 x 7 cm (½ x 3 po). Mettez celles-ci dans un bol avec une cuillerée de sauce soja et mélangez.

4 Épluchez et hachez l'ail, lavez et émincez les oignons verts. Lavez les légumes et coupez-les en lanières de la taille d'une allumette. Égouttez les nouilles et rincez-les.

5 Faites chauffer la moitié de l'huile dans une poêle. Faites-y revenir le canard 4 à 5 minutes. Gardez-le au chaud dans le four.

6 Faites chauffer l'huile restante dans la poêle. Ajoutez l'ail, l'oignon et tous les légumes, y compris le maïs. Faites revenir 30 secondes.

7 Remettez les morceaux de canard, ajoutez la sauce hoisin et le bouillon et laissez mijoter un peu.

8 Délayez la fécule de maïs dans une cuillerée à thé d'eau froide et ajoutez au contenu de la poêle, ainsi

que les germes de haricot mungo. Laissez cuire 1 à 2 minutes, puis ajoutez les nouilles et le reste de sauce soja. Laissez réchauffer 2 à 3 minutes en remuant, puis servez.

VALEUR NUTRITIONNELLE PAR PERSONNE
Calories : 765. Glucides : 59 g (sucres : 8 g). Protéines : 25 g. Lipides : 50 g (acides gras saturés : 13 g). Riche en vitamines A, B, C, E et en folates et zinc.

POÊLÉE DE COURGES À LA POLENTA

Cette poêlée de courges, qui s'associe admirablement à la polenta, permet de varier la façon de préparer ce légume.

TEMPS : 30 MINUTES – 4 PERSONNES

175 g (6 oz) de polenta à cuisson rapide
3 c. à soupe d'huile d'olive
1 petit oignon
1 gousse d'ail
500 g (1 lb) de mini-pâtissons jaunes et verts et/ou de petites courgettes
4 brins de thym
Sel et poivre noir
200 g (½ lb) de cheddar
25 g (1½ c. à soupe) de beurre
2 tomates
1 citron
Quelques brins de persil

1 Mettez la polenta dans une casserole avec 700 ml (3 tasses) d'eau. Portez à ébullition, réduisez la chaleur et laissez cuire 8 minutes à petit feu en remuant de temps en temps pour éviter les grumeaux.

2 Faites chauffer l'huile d'olive à feu modéré dans une sauteuse. Épluchez l'oignon et l'ail, émincez l'oignon, pressez l'ail ; faites fondre le tout 5 à 8 minutes dans l'huile.

3 Pendant ce temps, lavez et équeutez les pâtissons et/ou les courgettes ; coupez les pâtissons en quatre et les courgettes en rondelles et mettez-les dans la poêle. Lavez le thym et ajoutez-le, salez et poivrez et laissez cuire 10 minutes.

4 Quand la polenta se détache des parois de la casserole, retirez-la du feu. Râpez le fromage et incorporez-le à la polenta en même temps que le beurre. Salez et poivrez, couvrez et gardez au chaud.

5 Lavez les tomates, coupez-les en dés et ajoutez-les aux courges.

6 Brossez le citron sous l'eau tiède et râpez-en le zeste. Lavez et hachez le persil. Ajoutez le tout aux légumes. Retirez le thym et servez.

VARIANTE
Vous pouvez faire cuire des poivrons rouges et jaunes ou des aubergines avec les courges.

VALEUR NUTRITIONNELLE PAR PERSONNE
Calories : 485. Glucides : 39 g (sucres : 15 g). Protéines : 18 g. Lipides : 29 g (acides gras saturés : 14 g). Riche en vitamines A, B, C, E et en folates et calcium.

PILAF DE BOULGOUR AUX CHAMPIGNONS

Le boulgour (blé concassé), parsemé de persil et servi avec des champignons variés, des noisettes et des amandes, constituera un accompagnement substantiel ou même un plat principal.

TEMPS : 30 MINUTES – 4 PERSONNES

1 oignon
115 g (¼ lb) de beurre
350 g (12 oz) de boulgour
800 ml (3¼ tasses) de bouillon de légumes
250 g (½ lb) de champignons variés (champignons blancs, pleurotes, etc.)
Un petit bouquet de persil
1 c. à soupe d'huile d'olive
50 g (4 c. à soupe combles) d'amandes effilées
50 g (4 c. à soupe combles) de noisettes hachées

1 Épluchez l'oignon et émincez-le. Chauffez la moitié du beurre dans une sauteuse et faites-y fondre l'oignon.

2 Ajoutez le boulgour et faites revenir 3 minutes en remuant fréquemment. Ajoutez le bouillon, portez à ébullition, réduisez la chaleur, couvrez et laissez cuire à feu doux jusqu'à absorption complète du liquide (10 à 15 minutes).

3 Pendant ce temps, nettoyez les champignons et coupez-les en lamelles. Lavez et hachez le persil.

4 Faites chauffer l'huile dans une poêle ; faites-y revenir les champignons jusqu'à ce qu'ils soient tendres et dorés. Salez et poivrez. Versez les champignons et le jus qu'ils ont rendu sur le boulgour et poursuivez la cuisson à couvert.

5 Mettez les amandes dans la poêle et laissez celle-ci sur le feu 1 à 2 minutes en la secouant.

Ajoutez les noisettes et poursuivez la cuisson jusqu'à ce que celles-ci et les amandes soient dorées.

6 Quand il n'y a plus de liquide dans la sauteuse où le boulgour cuit, ajoutez le beurre restant, les amandes et les noisettes, ainsi que le persil. Assaisonnez et servez.

VALEUR NUTRITIONNELLE PAR PERSONNE
Calories : 732. Glucides : 73 g (sucres : 3 g). Protéines : 15 g. Lipides : 44 g (acides gras saturés : 17 g). Riche en vitamines A, B, E et en fer.

TABOULÉ AU SAUMON

Le taboulé est une salade à base de boulgour, blé concassé à goût de noisette. Associé à du saumon poché, il constitue un plat élégant auquel citron et herbes donnent un goût frais.

TEMPS : 30 MINUTES – 4 PERSONNES

100 g (3½ oz) de boulgour (blé concassé)
600 g (1⅓ lb) de filet de saumon sans peau
1 botte de persil plat
60 g (2 oz) de menthe fraîche
8 oignons verts
1 gros citron
Feuilles de salade (romaine, laitue)
6 c. à soupe d'huile d'olive
Pour servir : 4 quartiers de citron et 4 pitas

1 Mettez le boulgour dans une casserole avec 300 ml (1¼ tasse) d'eau froide. Portez à ébullition, puis réduisez la chaleur et laissez cuire jusqu'à ce qu'il n'y ait presque plus d'eau (8 à 10 minutes).

2 Pendant ce temps, divisez le saumon en 4 morceaux égaux, mettez ceux-ci dans une casserole peu profonde et versez assez d'eau bouillante pour les recouvrir. Attendez la reprise de l'ébullition, puis laissez frémir 3 minutes. Égouttez et laissez refroidir.

3 Lavez, essorez et hachez le persil. Lavez, essorez la menthe, puis découpez les feuilles en petits morceaux. Nettoyez les oignons verts et hachez-les. Mettez le tout dans un saladier.

4 Exprimez le jus du citron. Lavez et essorez la salade. Faites réchauffer les pitas à four doux.

5 Rincez le boulgour à l'eau froide, essorez-le en le pressant par poignées entre vos mains et ajoutez-le au contenu du saladier. Arrosez avec le jus de citron et l'huile, assaisonnez et mélangez bien.

6 Émiettez la chair du saumon en veillant à ne laisser aucune arête et ajoutez-la au taboulé. Remuez bien.

7 Disposez le taboulé sur les feuilles de salade ; servez avec les quartiers de citron et les pitas chauds.

VALEUR NUTRITIONNELLE PAR PERSONNE
Calories : 755. Glucides : 66 g (sucres : 4 g). Protéines : 33 g. Lipides : 41 g (acides gras saturés : 15 g). Riche en vitamines A, B, C, E et en folates, calcium et fer.

TABOULÉ ESTIVAL

L'été, le boulgour est délicieux mélangé à des légumes de saison à peine cuits et à des herbes fraîches. Il est assaisonné avec une sauce aigre-douce composée de miel et de moutarde.

TEMPS : 30 MINUTES – 4 PERSONNES

250 g (½ lb) de boulgour (blé concassé)
200 g (½ lb) de haricots verts extrafins
200 g (½ lb) de petits pois surgelés
5 oignons verts
3 tomates moyennes
1 citron
1 gros bouquet de persil
1 gros bouquet de menthe
1 gros bouquet de ciboulette
Pour servir : 2 petits cœurs de laitue

Pour l'assaisonnement :

3 c. à soupe d'huile d'olive vierge extra
1 c. à soupe de vinaigre de vin rouge
1 c. à thé de miel
1 c. à soupe de moutarde de Dijon
Sel et poivre noir

1 Faites chauffer de l'eau. Mettez le boulgour dans une casserole avec 700 ml (3 tasses) d'eau froide. Portez à ébullition, puis laissez cuire à feu doux jusqu'à ce que le boulgour ait absorbé toute l'eau.

2 Pendant ce temps, lavez, épluchez les haricots et coupez-les en tronçons de 2 à 3 cm (1 po). Mettez-les dans une casserole avec les petits pois, versez suffisamment d'eau bouillante sur les légumes pour les couvrir et laissez cuire 3 à 4 minutes après la reprise de l'ébullition. Égouttez.

3 Épluchez les oignons verts et coupez-les en rondelles. Lavez et essuyez les tomates et coupez-les en dés. Brossez le citron sous l'eau tiède, râpez-en le zeste et exprimez-en le jus. Ajoutez le tout au boulgour et remuez à la fourchette pour séparer les grains.

4 Ajoutez les haricots et les petits pois au taboulé ainsi que les herbes lavées et hachées. Lavez la salade.

5 Mélangez les ingrédients de l'assaisonnement au taboulé. Servez avec les feuilles de salade.

VALEUR NUTRITIONNELLE PAR PERSONNE
Calories : 382. Glucides : 60 g (sucres : 8 g). Protéines : 12 g. Lipides : 11 g (acides gras saturés : 1,5 g). Riche en vitamines A, B, C, E et en folates et fer.

CONSEILS ET IDÉES PRATIQUES
Au Moyen-Orient, le taboulé est présenté à l'intérieur de feuilles de salade roulées.

DEUX SALADES AU BOULGOUR :
TABOULÉ AU SAUMON *(en haut)* ;
TABOULÉ ESTIVAL *(en bas).*

COUSCOUS AUX LÉGUMES

*Les légumes d'hiver au goût sucré et les pois chiches cuits à la manière orientale
avec des abricots secs et des épices font de ce couscous un plat nourrissant.*

TEMPS : 30 MINUTES – 2 PERSONNES

1 petit oignon
15 g (1 c. à soupe) de beurre
1 c. à soupe d'huile d'olive
2 petites carottes
½ rutabaga (150 g)
1 navet moyen
Une pincée de piment de Cayenne
Une pincée de curcuma
½ c. à thé de cannelle en poudre
Une pincée de safran en filaments
Sel et poivre noir
Environ 12 abricots secs (50 g)
60 g (2 oz) de petits pois surgelés
3 c. à soupe de pois chiches en boîte égouttés
150 g (¾ tasse) de semoule de couscous moyenne
Pour décorer : 2 brins de coriandre fraîche

1 Faites chauffer de l'eau dans une bouilloire. Épluchez et hachez l'oignon. Faites chauffer le beurre et l'huile d'olive dans une grande sauteuse et faites-y revenir l'oignon jusqu'à ce qu'il soit tendre.

2 Entre-temps, épluchez les navets et les carottes. Coupez-les en morceaux de 1 cm (½ po) et mettez-les au fur et à mesure dans la sauteuse. Ajoutez le piment de Cayenne, le curcuma, la cannelle et le safran. Salez et poivrez.

3 Hachez les abricots et ajoutez-les en même temps que les petits pois et les pois chiches égouttés et rincés. Versez 300 ml (1¼ tasse) d'eau bouillante dans la sauteuse. Attendez la reprise de l'ébullition, puis réduisez la chaleur, couvrez et laissez mijoter 15 minutes.

4 Versez 250 ml (1 tasse) d'eau bouillante dans une casserole. Salez et poivrez. Ajoutez la semoule et remuez, puis retirez la casserole du feu et laissez la semoule gonfler sans enlever le couvercle jusqu'à ce que les légumes soient cuits. Pendant ce temps, lavez la coriandre.

5 Versez la semoule dans un plat en l'égrenant avec une fourchette.

6 Vérifiez l'assaisonnement des légumes et déposez-les sur le couscous avec leur jus. Décorez avec la coriandre et servez.

VARIANTE
Ce plat se prête à toutes les modifications, par exemple avec du céleri, du fenouil, de la courge et des pommes de terre.

VALEUR NUTRITIONNELLE PAR PERSONNE
Calories : 600. Glucides : 95 g (sucres : 37 g).
Protéines : 20 g. Lipides : 17 g (acides gras saturés : 5 g). Riche en vitamines A, B, C, E et en folates, calcium et fer.

COUSCOUS AUX CREVETTES

Le couscous peut servir de base à toutes sortes de plats légers et vite préparés. Pendant qu'il trempe, on a le temps de faire cuire de quoi l'accompagner, des crevettes, par exemple, dans le cas présent.

TEMPS : 25 MINUTES – 4 PERSONNES

400 ml (1⅔ tasse) de fumet de poisson ou de bouillon de poulet

2 échalotes

1 gousse d'ail

350 g (¾ lb) de petites courgettes fermes

3 c. à soupe d'huile d'olive

Sel et poivre

225 g (1¼ tasse) de semoule de couscous moyenne

1 bouquet de menthe

225 g (½ lb) de crevettes de Matane

Pour servir : harissa

1 Portez le bouillon à ébullition. Épluchez les échalotes et l'ail et hachez-les. Lavez les courgettes et coupez-les en minces rondelles.

2 Faites chauffer 2 cuillerées à soupe d'huile dans une poêle, ajoutez les échalotes, l'ail et les courgettes et remuez pour que les légumes s'imprègnent d'huile, puis laissez-les cuire 4 minutes, environ.

3 Versez le bouillon dans la poêle, attendez la reprise de l'ébullition et ajoutez le couscous. Retirez du feu et attendez que le bouillon ait été absorbé (environ 10 minutes).

4 Lavez et hachez la menthe. Faites chauffer l'huile restante dans une petite poêle. Ajoutez les crevettes et faites-les réchauffer.

5 Ajoutez les crevettes et la menthe au couscous, salez, poivrez, mélangez. Servez avec la harissa.

VALEUR NUTRITIONNELLE PAR PERSONNE
Calories : 279. Glucides : 31 g (sucres : 2 g). Protéines : 18 g. Lipides : 10 g (acides gras saturés : 1 g). Riche en vitamines B, C, E et en folates et fer.

CONSEILS ET IDÉES PRATIQUES

Si vous ne craignez pas d'avoir la bouche en feu, vous aimerez la harissa, sauce faite avec des piments rouges, de l'ail et de l'huile d'olive.

PILAF AUX CREVETTES

*Quelques grosses crevettes et des herbes suffisent à transformer en un mets inoubliable
du riz épicé auquel des filaments de safran donnent une belle couleur jaune.*

TEMPS : 30 MINUTES – 4 PERSONNES

625 ml (2½ tasses) de fumet
de poisson

1 oignon

25 g (1½ c. à soupe) de beurre

2 c. à soupe d'huile d'olive

1 gousse d'ail

1 piment rouge séché

250 g (1¼ tasse) de riz blanc

1 pincée de safran en filaments

3 feuilles de laurier

500 g (1 lb) de grosses crevettes
décortiquées

Sel et poivre noir

Pour garnir : quelques brins
de persil plat ou d'aneth

1 Faites chauffer le bouillon. Épluchez et émincez l'oignon. Faites chauffer le beurre et l'huile dans une grande casserole et ajoutez l'oignon, puis l'ail épluché et coupé en lamelles et le piment émietté. Faites revenir quelques minutes, puis ajoutez le riz et remuez-le pour qu'il s'enrobe d'huile.

2 Ajoutez le safran et le fumet, attendez la reprise de l'ébullition, puis ajoutez les feuilles de laurier. Salez et poivrez légèrement. Couvrez et laissez cuire 15 minutes à feu doux. Retirez du feu, ajoutez les crevettes, remettez le couvercle et laissez reposer 4 minutes.

3 Lavez, essorez et hachez le persil ou l'aneth. Dressez le riz sur un plat et parsemez avec les herbes.

*VALEUR NUTRITIONNELLE PAR PERSONNE
Calories : 400. Glucides : 46 g (sucres : 1 g).
Protéines : 27 g. Lipides : 12 g (acides gras
saturés : 4 g). Riche en vitamine E.*

CONSEILS ET IDÉES PRATIQUES

*Le safran en filaments coûte cher
mais il en faut très peu pour colorer
et aromatiser un plat.*

PILAF AUX FRUITS SECS

Les haricots de Lima arrosés d'une huile pimentée et le pilaf oriental délicatement aromatisé et
nappé d'une épaisse sauce au yogourt fleurant bon la coriandre sont des partenaires idéaux.

TEMPS : 30 MINUTES – 4/6 PERSONNES

| 300 g (1½ tasse) de riz basmati |
| 50 g (3 c. à soupe) de beurre |
| 1 oignon rouge |
| 2 gousses d'ail |
| 1 c. à thé de coriandre en poudre |
| 1 bâton de cannelle |
| 1 pincée de safran en filaments |
| 50 g (4 c. à soupe combles) de raisins secs |
| 50 g (4 c. à soupe combles) d'amandes effilées |
| Sel et poivre noir |
| 450 g (1 lb) de haricots de Lima surgelés |
| 1 petit pot de yogourt nature |
| Quelques brins de coriandre |
| 2 ou 3 c. à soupe d'huile d'olive pimentée |

1 Mettez de l'eau à chauffer. Faites tremper le riz dans de l'eau froide.

2 Faites fondre le beurre à petit feu dans une casserole à fond épais. Épluchez et hachez l'ail et l'oignon et faites-les revenir 1 à 2 minutes dans le beurre. Quand l'oignon est tendre, ajoutez la coriandre en poudre et réduisez la chaleur.

3 Lavez le riz à l'eau froide dans une passoire. Ajoutez-le au contenu de la casserole et versez 375 ml (1½ tasse) d'eau bouillante dessus. Ajoutez cannelle, safran, raisins et amandes. Salez et poivrez.

4 Portez rapidement à ébullition, puis réduisez la chaleur, couvrez et laissez cuire 15 minutes à tout petit feu sans soulever le couvercle.

5 Pendant ce temps, mettez les haricots de Lima dans une casserole, versez suffisamment d'eau bouillante dessus pour les recouvrir. À la reprise de l'ébullition, couvrez et laissez cuire 5 à 6 minutes à feu doux.

6 Versez le yogourt dans un bol et ajoutez-y la coriandre hachée.

7 Égouttez les haricots de Lima, mettez-les dans un autre bol et arrosez-les avec l'huile pimentée.

8 Retirez le riz du feu et attendez 3 minutes sans le découvrir. Séparez les grains avec une fourchette, retirez le bâtonnet de cannelle et servez avec le yogourt et les haricots de Lima.

VALEUR NUTRITIONNELLE PAR PERSONNE
(EN COMPTANT 4 PERSONNES) Calories : 646.
Glucides : 84 g (sucres : 16 g). Protéines : 18 g.
Lipides : 27 g (acides gras saturés : 9 g). Riche
en vitamines B, C, E et en folates.

GOMBO AUX SAUCISSES

Cette adroite adaptation du gombo, plat typique de la Louisiane, permet de recréer en peu de temps la saveur des mets du sud des États-Unis.

1 c. à soupe d'huile d'olive
25 g (1½ c. à soupe) de beurre
1 oignon
1 petit poivron vert
2 branches de céleri
Sel
350 g (1¾ tasse) de riz blanc
2 c. à soupe de farine
1 boîte (540 ml / 19 oz) de tomates, concassées
300 ml (1¼ tasse) de bouillon de légumes
1 feuille de laurier
½ c. à thé de piment de Cayenne
½ c. à thé de paprika
300 g (⅔ lb) de gombos frais
200 g (½ lb) de saucisses de Francfort fumées
2 boîtes de crabe de 113 g (4 oz) chacune
250 g (9 oz) de moules en conserve, fumées ou non

1 Faites chauffer de l'eau dans une grande casserole. Faites chauffer l'huile et le beurre à feu doux dans une grande poêle. Épluchez et émincez l'oignon et faites-le cuire à feu doux jusqu'à ce qu'il soit transparent.

2 Pendant ce temps, lavez le poivron, ôtez-en les graines et hachez-le grossièrement ; hachez le céleri. Ajoutez-les à l'oignon et prolongez la cuisson quelques minutes.

3 Salez l'eau bouillante et ajoutez le riz. Après la reprise de l'ébullition, laissez cuire à feu doux jusqu'à ce que le riz soit tendre (15 minutes).

4 Saupoudrez les légumes en train de cuire de farine, laissez celle-ci roussir pendant 2 minutes, puis ajoutez les tomates, le bouillon, le laurier, le piment de Cayenne et le paprika. Laissez mijoter jusqu'à ce que la sauce ait pris la consistance d'une soupe épaisse (15 minutes).

5 Pendant ce temps, lavez les gombos, équeutez-les, coupez-les en morceaux de 1 cm (½ po) et plongez-les au fur et à mesure dans la sauce.

6 Coupez les saucisses en morceaux de 1 cm (½ po) et ajoutez-les au contenu de la poêle.

7 Égouttez le crabe et les moules et ajoutez-les au ragoût. Prolongez la cuisson 2 à 3 minutes pour que tous les ingrédients soient parfaitement chauds.

8 Égouttez le riz, répartissez-le entre 4 assiettes et versez la préparation dessus. Servez.

VALEUR NUTRITIONNELLE PAR PERSONNE
Calories : 727. Glucides : 85 g (sucres : 9 g). Protéines : 30 g. Lipides : 30 g (acides gras saturés : 12 g). Riche en vitamines A, B, C, E et en folates, fer et zinc.

CONSEILS ET IDÉES PRATIQUES

Le jus gélatineux rendu par les gombos aide la sauce à épaissir. Traditionnellement, ce plat cuit en 45 minutes. Il prend ainsi une belle couleur rousse et un goût fumé. Dans cette recette plus rapide à préparer, l'usage de saucisses de Francfort fumées permet de retrouver cette saveur caractéristique.

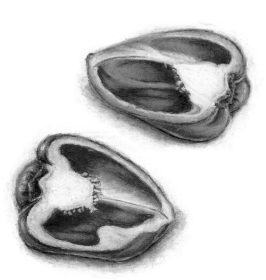

KEDGEREE À L'ŒUF

Dans ce plat emprunté à la cuisine coloniale anglaise, les œufs pochés ajoutent du liant à ce riz cuit avec du poisson fumé et des crevettes.

TEMPS : 30 MINUTES – 4 PERSONNES

275 g (1⅓ tasse) de riz à grains longs
Sel et poivre noir
1 petit oignon
60 g (4 c. à soupe) de beurre
250 g (8 oz) de haddock (aiglefin fumé), sans peau
Quelques brins de persil
1 c. à soupe de vinaigre blanc
4 gros œufs
8 filets d'anchois
20 câpres
½ citron
125 g (¼ lb) de crevettes de Matane
3 c. à soupe de crème légère

1 Faites chauffer de l'eau dans une casserole. Salez, ajoutez le riz et laissez cuire 15 minutes à partir de la reprise de l'ébullition.

2 Pendant ce temps, épluchez et hachez l'oignon. Faites fondre le beurre dans une grande casserole. Faites-y cuire l'oignon à petit feu.

3 Coupez le haddock en cubes en veillant à ne pas laisser d'arêtes. Ajoutez-le à l'oignon et laissez cuire 5 minutes. Lavez, essorez et hachez le persil.

4 Faites bouillir 6 cm (2½ po) d'eau dans une sauteuse. Ajoutez le vinaigre et faites pocher les œufs 3 minutes dans l'eau frémissante.

5 Hachez les anchois et les câpres. Pressez le citron pour recueillir une cuillerée à soupe de jus. Faites tiédir la crème.

6 Égouttez le riz, ajoutez le poisson et les crevettes et faites réchauffer à petit feu. Poivrez et répartissez entre 4 assiettes.

7 Parsemez le riz au poisson de persil, d'anchois, de câpres hachés et de jus de citron. Faites un creux au milieu de chaque assiette et faites-y glisser 1 œuf poché. Servez la crème séparément.

VALEUR NUTRITIONNELLE PAR PERSONNE
Calories : 572. Glucides : 58 g (sucres : 1 g).
Protéines : 33 g. Lipides : 23 g (acides gras saturés : 11 g). Riche en vitamines A, B et E.

RIZ À LA CHINOISE

*Cette recette, empruntée à la cuisine cantonaise, connaît de multiples
variantes car les légumes utilisés changent selon les saisons.*

TEMPS : 30 MINUTES – 4 PERSONNES

275 g (1⅓ tasse) de riz blanc
Sel
3 c. à soupe d'huile
4 œufs
250 g (½ lb) de bacon, sans couenne
3 carottes moyennes
8 oignons verts
2 gousses d'ail
½ paquet de petits pois surgelés ou 175 g (6¼ oz)
200 g (7 oz) de germes de haricots mungo
250 g (½ lb) de crevettes de Matane
4 c. à soupe de sauce soja
4 c. à soupe de saké ou de xérès sec
4 c. à soupe de mirin ou 1 c. à thé de miel
2 c. à soupe d'huile de sésame

1 Faites chauffer de l'eau dans une casserole. Salez. Ajoutez le riz et une cuillerée à thé d'huile. Couvrez et laissez cuire 10 à 15 minutes à petit feu à partir de la reprise de l'ébullition.

2 Pendant ce temps, faites chauffer une cuillerée à soupe d'huile dans un wok ou dans une grande poêle. Faites-y cuire les œufs battus en omelette. Laissez refroidir.

3 Coupez le bacon en dés. Versez le reste de l'huile dans la poêle et faites-y revenir le bacon à feu modéré jusqu'à ce qu'il soit bien croustillant.

4 Épluchez les carottes, coupez-les en dés et ajoutez-les au contenu de la poêle. Laissez-les cuire à feu doux. Pelez et émincez les oignons verts et ajoutez-les au contenu de la poêle. Épluchez l'ail, pressez-le et ajoutez-le ainsi que les petits pois.

5 Lavez et égouttez les germes de haricot mungo et ajoutez-les dans la poêle. Augmentez la chaleur, faites revenir le tout 1 minute, puis ajoutez les crevettes.

6 Versez la moitié du contenu de la poêle dans une deuxième poêle, vous éviterez ainsi la formation de vapeur, et il vous sera plus facile de faire revenir les divers ingrédients. Égouttez le riz, coupez l'omelette en lanières et répartissez le tout entre les deux poêles.

7 Versez la moitié de la sauce soja, la moitié du saké ou du xérès, la moitié du mirin ou du miel et enfin la moitié de l'huile de sésame dans chacune des poêles. Mélangez et faites revenir 5 minutes à feu vif pour faire évaporer tout le liquide. Servez immédiatement.

*VALEUR NUTRITIONNELLE PAR PERSONNE
Calories : 736. Glucides : 68 g (sucres : 7 g).
Protéines : 44 g. Lipides : 28 g (acides gras
saturés : 5,5 g). Riche en vitamines A et B
et en folates, fer, sélénium et zinc.*

CONSEILS ET IDÉES PRATIQUES

*Le saké est une boisson alcoolisée
obtenue en faisant fermenter le riz.
Il joue un rôle important dans la
cuisine asiatique. Le mirin est un saké
doux. Ces alcools sont disponibles dans
les magasins de produits asiatiques et
dans certains supermarchés.*

RIZ ESPAGNOL AU CHORIZO ET À LA SAUGE

Le curcuma donne une belle couleur dorée à ce substantiel plat espagnol dont tous les ingrédients – riz, légumes et saucisson épicé – cuisent ensemble.

TEMPS : 30 MINUTES – 4 PERSONNES

300 ml (1¼ tasse) de bouillon de poulet
2 c. à soupe d'huile d'olive
1 oignon
1 gousse d'ail
1 poivron rouge
200 g (1 tasse) de riz blanc
1 c. à thé de curcuma
1 boîte (540 ml/19 oz) de tomates, concassées
Sel et poivre noir
175 g (6 oz) de chorizo
Un petit bouquet de sauge fraîche
200 g (7 oz) de petits pois surgelés

1 Faites chauffer le bouillon. Mettez l'huile dans une grande poêle et faites chauffer.

2 Épluchez et hachez l'oignon et l'ail et faites-les revenir à feu vif dans l'huile en remuant fréquemment jusqu'à ce que l'oignon ait fondu (3 minutes).

3 Lavez le poivron, ôtez-en les graines et hachez-le grossièrement. Ajoutez-le au contenu de la poêle ainsi que le riz et le curcuma. Faites revenir le tout 3 minutes.

4 Ajoutez le bouillon chaud ainsi que les tomates et leur jus. Salez et poivrez, portez à ébullition, puis réduisez la chaleur, couvrez et laissez cuire à petit feu 5 minutes en remuant de temps en temps.

5 Coupez le chorizo en grosses rondelles et ajoutez-les au contenu de la poêle. Prolongez la cuisson 5 minutes.

6 Lavez la sauge et hachez-la. Ajoutez-la au contenu de la poêle en même temps que les petits pois. Portez à ébullition, puis réduisez la chaleur et laissez mijoter jusqu'à ce que le riz soit tendre et ait absorbé tout le liquide (5 minutes). Ajoutez, si nécessaire, un peu de bouillon ou de vin blanc sec. Servez chaud.

VARIANTE
Remplacez le chorizo par du salami.

VALEUR NUTRITIONNELLE PAR PERSONNE
Calories : 397. Glucides : 53 g (sucres : 7 g). Protéines : 15 g. Lipides : 14 g (acides gras saturés : 4 g). Riche en vitamines A, B, C, E et en folates.

RISOTTO ÉMERAUDE

Quand elles sont jeunes, les feuilles d'épinard ont une couleur vive et une saveur fraîche. En les faisant cuire avec du riz, vous obtiendrez un plat diététique et particulièrement facile à réaliser.

TEMPS : 30 MINUTES − 4 PERSONNES

1,25 litre (5 tasses) de bouillon de légumes
5 c. à soupe de vin blanc
1 sac (250 g) de pousses d'épinards
4 c. à soupe d'huile d'olive vierge
2 gousses d'ail
1 petit oignon
350 g (1¾ tasse) de riz pour risotto (arborio, carnaroli ou vialone)
Sel et poivre noir
Noix muscade

1 Faites chauffer le bouillon dans une casserole. Quand le liquide bout, ajoutez le vin et poursuivez la cuisson à petit feu.

2 Lavez les épinards, hachez-les grossièrement.

3 Faites chauffer l'huile dans une grande sauteuse ou dans un wok.

Épluchez et hachez l'ail et l'oignon, faites-les revenir à petit feu 2 à 3 minutes sans les laisser dorer. Ajoutez le riz et continuez à faire revenir jusqu'à ce que les grains soient transparents et imprégnés d'huile.

4 Versez une louche de bouillon sur le riz, réglez la chaleur pour obtenir une ébullition lente et poursuivez la cuisson en remuant jusqu'à ce qu'il n'y ait plus de liquide. Versez une autre louche de bouillon et poursuivez la cuisson du riz en l'arrosant de bouillon au fur et à mesure jusqu'à ce qu'il soit presque cuit (15 minutes).

5 Ajoutez les épinards et un peu plus de bouillon et laissez cuire en remuant jusqu'à ce que le riz soit à point. Le mélange devrait être plutôt pâteux.

6 Salez, poivrez et parsemez de noix muscade fraîchement râpée. Servez dans la sauteuse.

SUGGESTION D'ACCOMPAGNEMENT
Servez avec une salade et du pain aux noix ou aux olives.

VALEUR NUTRITIONNELLE PAR PERSONNE
Calories : 448. Glucides : 73 g (sucres : 2 g). Protéines : 8 g. Lipides : 14 g (acides gras saturés : 2 g). Riche en vitamines A, B, C, E et en folates.

CONSEILS ET IDÉES PRATIQUES

Le riz utilisé par les Italiens pour le risotto est une variété à gros grains qui absorbe bien le liquide. Ne le lavez pas avant de le faire cuire car c'est l'amidon qu'il contient qui donne à ce mets son agréable onctuosité.

Omelette aux épinards et aux champignons

PLATS VÉGÉTARIENS

*Lancez-vous à la découverte de l'étonnante variété
de légumes frais disponibles sur les marchés.
Vous ferez le bonheur de bien des palais avec des omelettes,
des gratins, des beignets et des tartes regorgeant
des produits de la terre.*

PETITS LÉGUMES DE PRINTEMPS

Tout le secret de cette recette réside dans la cuisson légère de ce mélange de petits légumes nouveaux, qui donne une consistance craquante et une sensation de fraîcheur contrastant agréablement avec les pâtes farcies.

TEMPS : 30 MINUTES – 4 PERSONNES

200 g (½ lb) de carottes miniatures

150 g (5½ oz) d'épis de maïs miniature

200 g (½ lb) de haricots verts très fins

200 g (½ lb) de courgettes miniatures

Un petit bouquet de persil ou de cerfeuil

400 g (14 oz) de tortellini frais à la ricotta et aux épinards

1 c. à soupe d'huile d'olive

½ citron

1 c. à soupe de moutarde à l'ancienne

1 Faites bouillir de l'eau dans une grande casserole. Préchauffez le four à 80 °C (175 °F).

2 Lavez les carottes, le maïs et les haricots verts et coupez-les en morceaux s'ils sont trop longs. Plongez les légumes dans l'eau bouillante salée et laissez cuire 4 à 5 minutes à partir de la reprise de l'ébullition. Ils doivent être un peu fermes.

3 Lavez les courgettes. Coupez les plus petites en deux dans la longueur et les autres en lamelles. Hachez le persil ou le cerfeuil.

4 Lorsque les légumes sont cuits, retirez-les avec une écumoire et conservez-les au chaud dans le four. Portez à nouveau à ébullition, en ajoutant un peu d'eau chaude, si nécessaire, puis faites cuire les pâtes 5 à 6 minutes.

5 Pendant ce temps, faites chauffer l'huile d'olive dans une grande poêle. Faites-y revenir les courgettes 2 à 3 minutes en remuant sans cesse.

6 Pressez le citron sur les courgettes, puis ajoutez les légumes égouttés, la moutarde, du sel et du poivre selon votre goût. Mélangez.

7 Égouttez les pâtes et mélangez-les avec les légumes. Parsemez de persil ou de cerfeuil et servez chaud.

VARIANTE
Remplacez les haricots par de petites asperges. Pour obtenir une consistance crémeuse, ajoutez de la crème légère juste avant de servir.

VALEUR NUTRITIONNELLE PAR PERSONNE
Calories : 400. Glucides : 55 g (sucres : 8 g). Protéines : 18 g. Lipides : 12 g (acides gras saturés : 5 g). Riche en vitamines A, B, C, E et en folates.

CONSEILS ET IDÉES PRATIQUES

Pour cette recette, vous pouvez utiliser toutes sortes de pâtes farcies, comme les agnolotti, les cappelleti, les raviolis, mais prenez des pâtes fraîches, meilleures avec les petits légumes.

TARTE À L'OIGNON ET À LA FETA

Cette tarte est très rapide à réaliser et la saveur subtile du thym frais s'harmonise parfaitement avec la consistance épaisse et crémeuse de la garniture au fromage grec.

TEMPS : 30 MINUTES – 4 PERSONNES

175 g (1¼ tasse) de farine
1 c. à thé de levure chimique
80 g (5 c. à soupe) de beurre ramolli
150 ml (⅔ tasse) de crème sure
500 g (1 lb) d'oignons
2 brins de thym frais
3 c. à soupe d'huile d'olive
250 g (½ lb) de champignons
150 g (1 petit contenant) de feta
Sel et poivre noir
Pour décorer : quelques brins de ciboulette

1 Préchauffez le four à 220 °C (425 °F). Versez la farine et la levure en pluie dans un bol, puis incorporez 3 cuillerées à soupe de beurre. Ajoutez 5 cuillerées à soupe (à peu près la moitié) de la crème sure, puis mélangez jusqu'à obtenir une pâte lisse.

2 Étalez la pâte sur une surface farinée en un cercle d'environ 28 cm (11 po) de diamètre, puis disposez-la dans un moule à tarte de 25 cm (10 po) de diamètre. Égalisez les bords, recouvrez de papier sulfurisé et de haricots secs. Faites cuire ainsi 10 minutes au four.

3 Pendant ce temps, épluchez, coupez et émincez les oignons, lavez et effeuillez le thym, puis hachez-le finement. Faites chauffer l'huile dans une grande poêle, et mettez-y les oignons à blondir à feu moyen, avec le thym.

4 Faites fondre le reste du beurre dans une autre poêle. Lavez et coupez les champignons en deux et faites-les dorer, puis ajoutez le reste de crème et conservez au chaud.

5 Retirez le papier et les haricots secs du fond de tarte, puis remettez au four quelques minutes pour faire dorer la pâte.

6 Lavez, séchez et coupez la ciboulette. Émiettez la feta sur les oignons. Laissez chauffer 1 minute, puis vérifiez l'assaisonnement. Versez les oignons et la feta dans le fond de tarte, puis couvrez avec les champignons. Poivrez et parsemez de ciboulette, puis servez.

VALEUR NUTRITIONNELLE PAR PERSONNE
Calories : 674. Glucides : 46 g (sucres : 10 g). Protéines : 17 g. Lipides : 48 g (acides gras saturés : 26 g). Riche en vitamines A, B, E et en folates et calcium.

OMELETTE AUX ÉPINARDS ET AUX CHAMPIGNONS

Cette omelette généreuse, contenant des noix de cajou croustillantes, des épinards hachés et des champignons tendres, se consomme chaude à table, ou froide à un pique-nique.

TEMPS : 25 MINUTES – 4 PERSONNES

1 sac (250 g) de pousses d'épinards
Un petit bouquet de persil
2 c. à soupe d'huile d'olive
1 petit oignon
350 g (¾ lb) de champignons
75 g (¾ tasse) de noix de cajou grillées
5 œufs
2 c. à soupe combles de parmesan ou de cheddar râpés

1 Préchauffez le gril. Lavez et essorez les épinards et le persil, puis hachez finement 2 cuillerées à soupe de persil.

2 Faites chauffer l'huile dans une grande poêle. Pelez l'oignon, coupez-le en deux et émincez-le. Faites-le fondre à feu moyen pendant 3 à 4 minutes, en remuant.

3 Nettoyez les champignons, coupez-les en quatre, ajoutez-les aux oignons et faites-les revenir 3 à 4 minutes de plus en remuant souvent.

4 Ajoutez les épinards et faites cuire 3 à 4 minutes à feu plus vif en remuant, jusqu'à ce que les feuilles ramollissent et que l'eau se soit évaporée. Incorporez les noix de cajou et laissez cuire à feu doux.

5 Cassez les œufs dans un bol, ajoutez 2 cuillerées à soupe d'eau et le persil haché. Assaisonnez et battez à la fourchette.

6 Mélangez les œufs aux épinards et laissez cuire 5 minutes, jusqu'à ce que l'omelette prenne et dore dessous. Soulevez les bords de temps à autre pour que l'œuf puisse couler en dessous.

7 Éparpillez le fromage râpé sur l'omelette puis passez 2 à 3 minutes sous le gril, pour qu'elle soit bien ferme et dorée (attention à ne pas brûler le manche de la poêle).

SUGGESTION D'ACCOMPAGNEMENT
Servez cette omelette, froide ou chaude, avec une salade de tomates.

VALEUR NUTRITIONNELLE PAR PERSONNE
Calories : 395. Glucides : 6 g (sucres : 3 g). Protéines : 22 g. Lipides : 32 g (acides gras saturés : 10 g). Riche en vitamines A, B, C, E et en folates, calcium, fer, sélénium et zinc.

ENCHILADAS AUX POIS CHICHES

*Des tortillas farcies aux pois chiches épicés et nappées de fromage fondu constituent un plat copieux
pour un repas sans cérémonie. Du yogourt ou de la crème sure adouciront le feu des épices.*

TEMPS : 30 MINUTES – 4 PERSONNES

1 oignon rouge
2 c. à soupe d'huile de maïs
1 gousse d'ail
1 petit piment rouge
500 g (1 lb) de tomates
1 boîte (540 ml / 19 oz) de pois chiches
1 c. à thé de cumin en poudre
100 g (¼ lb) de vieux cheddar
1 petite laitue
4 tortillas, de 18 à 20 cm (7-8 po) de diamètre
Pour servir : yogourt nature épais ou crème sure
Pour décorer : quelques brins de coriandre

1 Faites préchauffer le gril à forte température. Épluchez l'oignon et hachez-le finement. Faites chauffer l'huile dans une poêle et faites-y revenir l'oignon à feu assez vif en remuant jusqu'à ce qu'il soit blond.
2 Épluchez et écrasez l'ail, puis lavez le piment, retirez les graines et coupez-le en rondelles. Lavez les tomates et coupez-les en tranches. Égouttez et rincez les pois chiches.
3 Mélangez le cumin à l'oignon, puis ajoutez l'ail, le piment, les tomates et les pois chiches. Faites cuire 5 à 8 minutes à feu moyen, en remuant de temps en temps, jusqu'à évaporation du liquide, puis assaisonnez.
4 Râpez le fromage grossièrement. Lavez la coriandre ainsi que la laitue et coupez celle-ci en lanières.
5 Posez les tortillas à plat. Répartissez en longueur au milieu de chaque crêpe la salade et le mélange de pois chiches, repliez les bords. Disposez les tortillas dans un plat à four, saupoudrez-les de fromage et

passez-les 3 minutes sous le gril pour que le fromage fonde.
6 Servez avec du yogourt ou de la crème sure et de la coriandre.

VALEUR NUTRITIONNELLE PAR PERSONNE
*Calories : 526. Glucides : 61 g (sucres : 18 g).
Protéines : 27 g. Lipides : 21 g (acides gras saturés : 7 g). Riche en vitamines B, C, E et en folates.*

CONSEILS ET IDÉES PRATIQUES

*Les enchiladas, plat mexicain,
sont souvent cuites au four, mais
il est plus rapide de les passer au gril.*

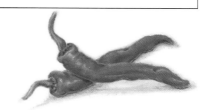

OMELETTES ORIGINALES

Que vous vouliez lui donner un goût étonnant en ajoutant des ingrédients particuliers,
ou bien une consistance contrastée en la fourrant de croûtons croustillants,
une omelette garnie transforme quelques œufs en un délicieux plat, en un rien de temps.

Il n'est pas indispensable de garnir une omelette. Mais quand vous le faites, ne laissez pas le choix de la garniture au hasard. Des champignons à la crème épaisse ou des herbes, par exemple, lui donneront un goût très particulier. Si vous la garnissez de petits dés de pommes de terre au fromage fondu, vous obtiendrez un plat très consistant. Profitez-en pour utiliser intelligemment quelques restes : 1 cuillerée ou 2 de ratatouille, quelques épinards bien assaisonnés ou encore du haddock (aiglefin fumé) à la crème et aux fines herbes. La seule règle à respecter lorsque l'on garnit des omelettes, c'est de ne pas trop la fourrer car la garniture ne doit pas dominer le goût de l'œuf. Attention également à la cuisson, qui ne doit pas être trop longue, sinon l'œuf pourrait brûler.

GARNITURES

Les quantités suivantes sont calculées pour 2 ou 3 œufs. Si possible, préparez la garniture pendant que vous faites cuire l'omelette, afin qu'elles soient prêtes en même temps.

PETITS POIS AU BEURRE DE FINES HERBES
Faites fondre 30 g (2 cuillerées à soupe) de beurre dans une poêle avec une herbe (3 feuilles de menthe coupées ou de l'estragon haché, par exemple), puis ajoutez 4 cuillerées à soupe de petits pois cuits frais ou surgelés. Assaisonnez.

CHAMPIGNONS À LA CRÈME
Faites cuire 150 g (5 oz) de champignons en lamelles fines dans 25 g

---

RÉUSSIR UNE OMELETTE

Pour réussir une omelette délicatement baveuse et à la consistance légère, il faut battre longuement les œufs et les verser dans une bonne quantité de beurre bien chaud.

1 Pour 2 personnes, cassez 4 à 6 œufs dans un bol, salez et poivrez légèrement, puis battez bien les œufs à la fourchette.

2 Faites fondre 30 g (2 cuillerées à soupe) de beurre dans une poêle à feu vif. Lorsqu'il grésille, versez les œufs battus et tournez rapidement avec une fourchette.

3 Ramenez l'œuf cuit au centre de la poêle et faites couler dessous les parties non cuites en inclinant la poêle. Laissez cuire en soulevant les bords de temps en temps : l'omelette doit être dorée en dessous mais baveuse dessus.

4 Retirez la poêle du feu, ajoutez la garniture pas tout à fait au milieu de l'omelette, mais légèrement sur un côté.

5 Repliez l'omelette avant de la faire glisser dans un plat. Servez sans attendre.

(1½ cuillerée à soupe) de beurre, incorporez 2 cuillerées à soupe de crème épaisse et quelques gouttes d'huile parfumée. Salez, poivrez.

FINES HERBES
Épluchez et hachez fin 1 petit oignon ; mélangez-le à 2 cuillerées à thé de fines herbes fraîches hachées (cerfeuil, ciboulette ou persil, par exemple) et à 1 ou 2 cuillerées à thé d'estragon. Vous pouvez ajouter les herbes aux œufs battus avant la cuisson, ou bien les mélanger à part avec 2 cuillerées à soupe de crème épaisse chaude, salée et poivrée, puis les incorporer à l'omelette pendant la cuisson.

POMME DE TERRE, OIGNON ET FROMAGE
Épluchez et hachez un oignon de taille moyenne, coupez une pomme de terre cuite en dés, puis râpez 40 g (1 cuillerée à soupe comble) de gruyère ou de cheddar. Faites fondre l'oignon dans 2 cuillerées à soupe d'huile à feu doux, ajoutez la pomme de terre et faites chauffer doucement, en remuant de temps en temps. Salez et poivrez, puis répartissez le mélange sur l'omelette pendant qu'il est chaud et saupoudrez de fromage avant de la replier.

BACON ET CROÛTONS
Coupez 4 tranches de bacon en dés et faites frire avec 1 cuillerée à soupe d'huile jusqu'à ce qu'ils soient croustillants ; retirez avec une écumoire. Faites frire dans la même poêle 3 cuillerées à soupe de dés de pain à feu vif. Faites réchauffer les lardons avec les croûtons, puis incorporez à l'omelette. Servez.

HADDOCK (AIGLEFIN FUMÉ) À LA CRÈME ET AU PERSIL
Retirez la peau et les arêtes puis émiettez 100 g (3½ oz) de haddock cuit. Faites chauffer le poisson dans 3 cuillerées à soupe de crème épaisse, incorporez 1 cuillerée à soupe de persil haché et poivrez généreusement.

Vous pouvez utiliser d'autres poissons fumés, du saumon ou de la truite, par exemple.

RECETTE CLASSIQUE AUX ŒUFS : OMELETTE AUX FINES HERBES.

BROCOLI ET CHOU-FLEUR PIQUANTS

*Pimenté et croquant, ce délicieux mélange de brocoli et de chou-fleur
aux câpres et au poivre vert est parsemé de fromage et de chapelure.*

TEMPS : 25 MINUTES – 4 PERSONNES

5 gousses d'ail
1 piment vert
500 g (1 lb) de bouquets de brocoli
500 g (1 lb) de sommités de chou-fleur
2 c. à soupe d'huile d'olive
Sel et poivre noir
1 c. à soupe comble de gruyère râpé
1 c. à soupe comble de parmesan râpé
3 c. à soupe de chapelure
2 c. à soupe de câpres
1 à 2 c. à soupe de poivre vert

1 Préchauffez le gril à température maximale. Faites bouillir de l'eau.
2 Épluchez l'ail et hachez-le finement, puis lavez le piment, enlevez les graines et hachez-le. Lavez le brocoli et le chou-fleur.
3 Faites chauffer l'huile dans une poêle ou un wok munis d'un couvercle. Ajoutez l'ail, le piment, le brocoli et le chou-fleur, salez et poivrez, puis versez 150 ml (⅔ tasse) d'eau bouillante. Couvrez et laissez cuire 4 à 5 minutes à feu vif, jusqu'à ce que les légumes soient tendres. Mélangez en milieu de cuisson.
4 Pendant ce temps, mélangez le gruyère et le parmesan avec la chapelure.
5 Incorporez les câpres et le poivre vert égoutté aux légumes. Mettez le tout dans un plat à four et recouvrez de fromage râpé et de chapelure, puis faites gratiner sous le gril. Servez chaud.
SUGGESTION D'ACCOMPAGNEMENT
Pour un repas végétarien, accompagnez de riz, de pommes de terre ou de Pilaf de boulgour aux champignons (p. 213).

*VALEUR NUTRITIONNELLE PAR PERSONNE
Calories : 286. Glucides : 16 g (sucres : 6 g).
Protéines : 20 g. Lipides : 16 g (acides gras
saturés : 6 g). Riche en vitamines A, B, C, E
et en folates, calcium et zinc.*

LÉGUMES À LA PURÉE DE HARICOTS JAUNES

Cette purée simple et crémeuse à base de haricots blancs, avec de l'origan et du jus de citron, accompagne agréablement les saveurs intenses et légèrement caramélisées de légumes croquants à peine grillés.

TEMPS : 25 MINUTES – 2 PERSONNES

| 1 aubergine moyenne |
| 1 oignon rouge |
| 2 grosses courgettes |
| 1 poivron jaune |
| 3 c. à soupe d'huile d'olive |
| ½ boîte (540 ml / 19 oz) de haricots jaunes |
| ½ citron |
| 1 gousse d'ail |
| 6 brins de thym |
| 6 olives noires |
| Pour servir : pain aux olives |

1 Préchauffez le gril à température maximale. Épluchez l'oignon et coupez-le en quatre. Lavez l'aubergine, coupez les extrémités et faites des tranches de 1 cm (½ po) d'épaisseur dans la longueur.

2 Lavez les courgettes, retirez les extrémités et coupez-les en deux dans le sens de la longueur. Lavez le poivron, retirez les graines et coupez-le en quatre.

3 Versez la moitié de l'huile dans une soucoupe et enduisez-en les légumes au pinceau. Faites-les griller 6 à 8 minutes très près du gril. Retournez-les à mi-cuisson et huilez à nouveau, si nécessaire.

4 Préparez la purée : passez les haricots au mélangeur avec leur jus, puis ajoutez le jus du citron et l'ail épluché et écrasé. Mélangez.

5 Hachez les feuilles de thym dans la purée. Ajoutez le reste d'huile, assaisonnez et mélangez.

6 Arrosez les légumes chauds de purée. Décorez avec les olives et servez avec le pain aux olives.

VALEUR NUTRITIONNELLE PAR PERSONNE
Calories : 708. Glucides : 103 g (sucres : 15 g). Protéines : 26 g. Lipides : 22 g (acides gras saturés : 4 g). Riche en vitamines B, C, E et en folates.

TARTE AUX POIREAUX ET AU CHEDDAR

*Avec une pâte feuilletée toute prête, vous transformerez quelques poireaux,
un morceau de cheddar et de la moutarde en une véritable œuvre d'art.*

TEMPS : 30 MINUTES – 4 PERSONNES

7 ou 8 petits poireaux (950 g / 2 lb, environ)
Sel et poivre noir
250 g (½ lb) de pâte feuilletée
1 c. à soupe de moutarde de Dijon
1 œuf de taille moyenne
1 c. à soupe (50 g) de cheddar râpé

1 Préchauffez le four à 230 °C (450 °F) et mettez de l'eau à bouillir.

2 Coupez les poireaux en tronçons de 15 à 20 cm (6-8 po), environ, puis rincez-les. Disposez-les à plat dans une grande casserole ou dans une poêle, recouvrez-les d'eau bouillante et ajoutez une pincée de sel. À ébullition, couvrez et laissez cuire à feu doux 10 à 12 minutes.

3 Pendant ce temps, étalez la pâte sur une surface légèrement farinée, façonnez-la en un carré de 25 cm (10 po) de côté, puis disposez-la sur une plaque de cuisson.

4 Prélevez une bande de pâte de 1 cm (½ po) sur chacun des côtés. Humidifiez les bords du carré puis posez les bandes de pâte dessus. Appuyez légèrement pour souder.

5 Égouttez les poireaux et refroidissez-les sous l'eau froide. Égouttez à nouveau, puis enveloppez-les dans un torchon propre plié. Appuyez doucement pour en extraire l'eau.

6 Disposez les poireaux sur la pâte, puis badigeonnez-les de moutarde et saupoudrez-les de cheddar râpé.

7 Battez l'œuf dans un bol et badigeonnez-en le pourtour de la tarte.

8 Faites cuire la tarte dans le haut du four pendant 15 minutes jusqu'à ce que la pâte ait levé et que le fromage soit fondu et bien doré. Retirez alors du four, partagez en quatre parts à l'aide d'un couteau-scie. Servez bien chaud.

SUGGESTION D'ACCOMPAGNEMENT
Servez cette tarte aux poireaux avec une belle salade verte toute simple ou avec la Salade aux noix et à l'oignon doux (p. 98), par exemple.

VALEUR NUTRITIONNELLE PAR PERSONNE
Calories : 402. Glucides : 31 g (sucres : 3 g). Protéines : 11 g. Lipides : 26 g (acides gras saturés : 3 g). Riche en vitamines A, B, C, E et en folates.

CONSEILS ET IDÉES PRATIQUES

Choisissez des poireaux déjà épluchés et lavés, comme on en vend de nos jours dans de nombreux supermarchés. Cela réduira encore le temps de préparation.

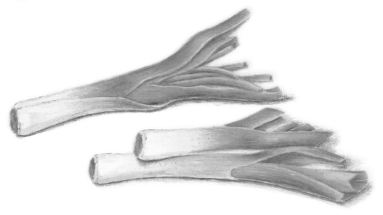

SALADE CHAUDE AUX LÉGUMES GRILLÉS

Le vinaigre balsamique rehausse les saveurs marquées des légumes dans cette salade chaude et piquante, idéale pour un repas léger.

TEMPS : 20 MINUTES – 4 PERSONNES

1 poivron rouge
1 poivron jaune
1 oignon moyen
2 courgettes moyennes
2 c. à soupe d'huile d'olive
1 boîte (425 g / 15 oz) de flageolets
1 boîte (425 g / 15 oz) de lentilles
2 branches de basilic
2 tomates moyennes
2 c. à soupe de tomates séchées à l'huile, écrasées
1 c. à soupe de vinaigre balsamique
Sel et poivre noir

Pour garnir : 12 grosses olives noires

1 Lavez les poivrons, retirez les graines et coupez la chair en dés. Épluchez et hachez l'oignon. Lavez les courgettes, retirez les extrémités, puis tranchez-les finement.

2 Faites chauffer l'huile dans une grande poêle. Faites-y revenir les poivrons, l'oignon et les courgettes à feu vif, en remuant de temps en temps.

3 Pendant ce temps, égouttez et rincez les flageolets et les lentilles. Rincez, essuyez et coupez le basilic et les tomates.

4 Versez les flageolets et les lentilles dans la poêle, remuez doucement, puis ajoutez le basilic, les tomates fraîches, les tomates séchées et le vinaigre.

5 Assaisonnez, puis laissez chauffer en remuant.

6 Ajoutez les olives et servez sans attendre.

VARIANTE
Le vinaigre balsamique est le meilleur, mais vous pouvez utiliser un bon vinaigre de vin ou de cidre.

VALEUR NUTRITIONNELLE PAR PERSONNE
Calories : 390. Glucides : 52 g (sucres : 9 g). Protéines : 21 g. Lipides : 11 g (acides gras saturés : 1 g). Riche en vitamines A, B, C et E.

CONSEILS ET IDÉES PRATIQUES

Dénoyautez éventuellement les olives avec un dénoyauteur. Les olives grecques Kalamata sont particulièrement bonnes.

SALADE DE POMMES DE TERRE

Une vinaigrette à l'ail et à la moutarde relève cette salade chaude et savoureuse aux petites pommes de terre nouvelles et aux saucisses végétariennes épicées, additionnées de cheddar frais.

TEMPS : 30 MINUTES – 4 PERSONNES

700 g (1½ lb) de pommes de terre nouvelles
Sel et poivre noir
500 g (1 lb) de saucisses végétariennes épicées, si possible
2 c. à soupe d'huile de maïs
1 échalote
1 grosse gousse d'ail
1 petit bouquet de persil
1 petit bouquet de ciboulette
1 c. à thé de moutarde de Dijon
1 c. à soupe de farine
½ citron
3 c. à soupe de vinaigre de vin blanc
6 c. à soupe d'huile d'olive
1 c. à soupe de sucre
85 g (3 oz) de cheddar frais

1 Faites chauffer un gril en fonte. Frottez les pommes de terre nouvelles et faites-les bouillir 15 à 20 minutes dans de l'eau salée.

2 Faites griller les saucisses pendant 10 minutes (ou selon les instructions de l'emballage), en les retournant souvent jusqu'à ce qu'elles soient cuites et dorées.

3 Faites chauffer l'huile de maïs dans une petite casserole. Épluchez et hachez l'échalote et l'ail ; faites-les dorer 3 minutes.

4 Lavez et coupez le persil et la ciboulette. Ajoutez-les dans la petite casserole avec la moutarde et la farine, mélangez, puis laissez cuire 1 minute.

5 Retirez la casserole du feu. Ajoutez une cuillerée à soupe de jus de citron ainsi que le vinaigre, l'huile d'olive et le sucre. Remettez sur le feu et amenez à ébullition doucement, en remuant jusqu'à ce que la sauce épaississe. Salez et poivrez. Retirez du feu.

6 Égouttez les pommes de terre et mettez-les dans un plat avec les saucisses coupées en morceaux ; arrosez de sauce et mélangez. Parsemez de cheddar frais et servez.

VALEUR NUTRITIONNELLE PAR PERSONNE
Calories : 677. Glucides : 43 g (sucres : 10 g). Protéines : 25 g. Lipides : 46 g (acides gras saturés : 17 g). Riche en vitamines B, C et E.

CONSEILS ET IDÉES PRATIQUES
Les saucisses végétariennes sont vendues dans les rayons de produits biologiques des supermarchés et dans les boutiques spécialisées.

GRATIN AUX HARICOTS ROUGES

*Des raisins secs, du piment rouge, des herbes et des épices confèrent une note intéressante
à ce substantiel gratin de riz, de légumes variés et de haricots, accompagné de yogourt bien frais.*

TEMPS : 30 MINUTES – 4 PERSONNES

3 c. à soupe d'huile d'olive vierge
1 oignon
2 petites côtes de céleri
2 gousses d'ail
1 poivron rouge
125 g (⅔ tasse) de raisins secs
1 pincée d'origan en poudre
1 pincée de chili en poudre
1 c. à thé de cumin en poudre
Sel et poivre noir

1 boîte (540 ml / 19 oz) de tomates, concassées
200 g (½ lb) de brocoli
Un bouquet de coriandre
1 boîte (540 ml / 19 oz) de haricots rouges
300 g (3 tasses) de riz précuit
125 g (¼ lb) de maïs surgelé
2 c. à soupe combles (70 g) de parmesan râpé
Pour servir : 200 g (⅔ tasse) de yogourt ou de crème sure

1 Faites bouillir de l'eau. Faites chauffer l'huile à feu très doux dans une cocotte.

2 Épluchez l'oignon et hachez-le. Lavez le céleri et émincez-le finement, puis épluchez et écrasez l'ail. Faites revenir le tout dans l'huile pendant 5 minutes.

3 Lavez le poivron et ôtez les graines, puis coupez-le en dés et faites-le revenir 2 minutes dans la cocotte avec les raisins secs, l'origan, le chili et le cumin.

4 Ajoutez du sel et du poivre, les tomates et 5 cuillerées à soupe d'eau. Portez à ébullition, réduisez le feu et laissez mijoter 5 minutes.

5 Lavez le brocoli et partagez-le en petits bouquets, mettez-le dans une casserole et recouvrez d'eau bouillante. Portez à ébullition, laissez cuire 2 minutes, égouttez.

6 Faites préchauffer le gril à température moyenne. Hachez 4 cuillerées à soupe de coriandre.

7 Égouttez et rincez les haricots rouges ; ajoutez-les aux légumes avec le riz et le maïs. Portez à ébullition, baissez le feu et laissez mijoter 2 minutes. Ajoutez les brocolis et laissez 1 minute encore.

8 Retirez la cocotte du feu, ajoutez la coriandre et le parmesan râpé. Glissez sous le gril 5 à 6 minutes pour faire fondre le fromage.

9 Servez ce gratin accompagné de yogourt ou de crème sure et de pain croustillant.

VALEUR NUTRITIONNELLE PAR PERSONNE
*Calories : 625. Glucides : 85 g (sucres : 36 g).
Protéines : 26 g. Lipides : 22 g (acides gras
saturés : 8 g). Riche en vitamines A, B, C, E
et en folates, calcium et zinc.*

CONSEILS ET IDÉES PRATIQUES

*Si le récipient utilisé pour la cuisson
a des poignées en plastique ou en bois,
versez les légumes dans un plat à four
avant de faire rissoler le fromage.*

PIZZA MINUTE

*Présentée sur du pain grillé, cette pizza est composée d'une sauce tomate aux herbes,
de poivrons, de cœurs d'artichaut et d'une couche épaisse de fromage.*

TEMPS : 30 MINUTES – 4 PERSONNES

2 c. à soupe d'huile d'olive
1 oignon moyen
1 poivron vert
1 poivron rouge
1 boîte (398 ml / 14 oz) de cœurs d'artichaut
400 g (2 tasses) de tomates concassées en boîte
1 gousse d'ail
1 c. à thé de basilic en poudre
1 c. à thé d'herbes de Provence
Sel et poivre noir
½ c. à thé de sucre
1 pain de campagne ou aux céréales rond
200 g (½ lb) de cheddar ou de mozzarella, ou un mélange des deux
16 olives noires
Pour décorer : quelques brins de basilic frais

1 Faites chauffer une cuillerée à soupe d'huile dans une poêle à feu doux. Épluchez et hachez l'oignon et faites-le revenir 3 à 4 minutes.

2 Lavez les poivrons, retirez les graines et coupez-les en fines rondelles. Égouttez les cœurs d'artichaut, et coupez-les en deux.

3 Versez les tomates dans un bol. Épluchez l'ail et écrasez-le avec les tomates, puis ajoutez l'oignon, les herbes et le sucre. Vérifiez l'assaisonnement.

4 Préchauffez le gril à haute température. Faites revenir les rondelles de poivron, 5 minutes, dans le reste d'huile, en remuant.

5 Pendant ce temps, retirez la calotte du pain et coupez 4 disques épais. Faites-les griller d'un côté. Râpez le cheddar et tranchez la mozzarella ; lavez le basilic.

6 Retournez le pain et étalez la sauce tomate sur le côté non grillé, disposez les poivrons rôtis et les cœurs d'artichaut par-dessus et saupoudrez de fromage. Décorez avec les olives.

7 Faites griller 4 à 5 minutes jusqu'à ce que le fromage ait fondu et soit doré. Garnissez avec le basilic et servez immédiatement.

VARIANTE
Vous pouvez remplacer les cœurs d'artichaut par des lamelles de champignon ou d'avocat. Vous pouvez aussi ajouter des crevettes ou des filets d'anchois.

VALEUR NUTRITIONNELLE PAR PERSONNE
Calories : 1 011. Glucides : 104 g (sucres : 14 g). Protéines : 34 g. Lipides : 54 g (acides gras saturés : 15 g). Riche en vitamines A, B, C, E et en folates, calcium, fer et zinc.

241

HAMBURGERS DE LÉGUMES

*Les enfants prendront beaucoup de plaisir à mordre dans ces généreux hamburgers de haricots
et de champignons, servis avec des pitas, de la salade et de l'oignon rouge confit.*

TEMPS : 30 MINUTES – 4 PERSONNES

1 boîte (540 ml / 19 oz) de haricots rouges
2 oignons rouges
4 c. à soupe d'huile d'olive
2 c. à soupe de vinaigre de vin rouge
2 c. à soupe de cassonade blonde
200 g (½ lb) de champignons
1 gousse d'ail
1 c. à soupe de garam masala
2 c. à soupe de farine de blé entier
1 petit bouquet de menthe
Sel et poivre noir
Pour servir : 4 pains pitas

1 Rincez les haricots et égouttez-les sur un linge. Épluchez les oignons. Préchauffez le four à température très douce.
2 Faites chauffer une cuillerée à soupe d'huile d'olive dans une casserole. Émincez un oignon et mettez-le dans la casserole avec le vinaigre et la cassonade. Portez à ébullition en remuant, puis baissez le feu et laissez mijoter sans couvercle 15 à 20 minutes en remuant. L'oignon doit être bien moelleux et légèrement collant. Retirez du feu mais gardez au chaud.
3 Pendant ce temps, coupez l'autre oignon en quatre et hachez-le au robot. Nettoyez les champignons, ajoutez-les à l'oignon cru et mélangez à nouveau.
4 Faites chauffer une cuillerée d'huile d'olive dans une poêle, ajoutez le mélange d'oignons et de champignons et faites cuire 5 à 8 minutes, à feu assez vif, en remuant de temps à autre, le temps que l'eau se soit évaporée et que le mélange soit moelleux.
5 Épluchez l'ail, écrasez-le dans le mélange de champignons, incorporez le garam masala et la farine, puis laissez cuire 1 minute. Lavez, essuyez et hachez de la menthe (environ 2 cuillerées à soupe). Retirez la casserole du feu. Salez et poivrez.
6 Réduisez les haricots rouges en purée, et incorporez-y le mélange de champignons.

7 Divisez le mélange en quatre et façonnez 4 hamburgers, avec les mains légèrement farinées.
8 Mettez à chauffer le reste d'huile dans une grande poêle, faites cuire les hamburgers 6 à 8 minutes à feu vif, en les retournant à mi-cuisson. Réchauffez les pitas dans le four.
9 Disposez les hamburgers sur un plat chaud ou dans les assiettes et répartissez l'oignon confit dessus. Servez avec les pitas chauds et de la salade verte.

VALEUR NUTRITIONNELLE PAR PERSONNE
Calories : 461. Glucides : 73 g (sucres : 15 g). Protéines : 15 g. Lipides : 13 g (acides gras saturés : 2 g). Riche en vitamines B, E et en folates.

CONSEILS ET IDÉES PRATIQUES

Égouttez soigneusement les haricots rouges avant de les incorporer aux champignons car s'ils sont trop imprégnés d'eau, les hamburgers seront difficiles à confectionner.

BEIGNETS DE POIS CHICHES

*Ces beignets à base de carottes et de pois chiches passés au robot avec des herbes fraîches
et des épices parfumées sont une agréable variante de la recette précédente.*

TEMPS : 20 MINUTES – 4 PERSONNES

350 g (¾ lb) de carottes
1 gousse d'ail
Un gros bouquet de coriandre
1 boîte (540 ml / 19 oz) de pois chiches
1½ c. à thé de cumin en poudre
1½ c. à thé de coriandre en poudre
1 gros œuf
2 c. à soupe de farine
Huile pour friture
Pour servir : petits pains ronds et salade

1 Grattez les carottes. Épluchez et coupez l'ail en gros morceaux. Lavez, essuyez et hachez assez de coriandre pour en obtenir 6 cuillerées à soupe.
2 Égouttez et rincez les pois chiches et passez-les au robot avec l'ail, la coriandre fraîche et les épices. Puis ajoutez les carottes, l'œuf et la farine et mélangez à nouveau. La pâte doit être homogène mais pas trop lisse.
3 Faites chauffer 2 à 3 cm (1 po) d'huile dans une poêle. Façonnez 8 galettes. Faites-les frire 2 à 3 minutes par côté, jusqu'à ce qu'elles soient dorées ; égouttez sur du papier absorbant. Servez avec les pains et une salade.

VARIANTE
Faites des petits beignets et servez-les en accompagnement, avec de l'oignon confit (voir ci-dessus).

VALEUR NUTRITIONNELLE PAR PERSONNE
Calories : 464. Glucides : 66 g (sucres : 12 g). Protéines : 21 g. Lipides : 14 g (acides gras saturés : 2 g). Riche en vitamines A, B et E.

GALETTES VÉGÉTARIENNES ÉNERGÉTIQUES :
HAMBURGERS DE LÉGUMES (*en haut*) ;
BEIGNETS DE POIS CHICHES (*en bas*).

TOFU ET LÉGUMES
À LA SAUCE DE SÉSAME

*Du tofu fumé donne du corps et du goût à ces légumes grillés,
servis avec une sauce crémeuse au sésame.*

4 c. à soupe de sauce soja
4 c. à soupe d'huile d'olive
350 g (¾ lb) de petites courgettes fermes, ou un panaché de courgettes et de petites aubergines
125 g (¼ lb) de champignons
200 g (½ lb) de tofu fumé

Pour la sauce :

Un petit bouquet de persil
4 c. à soupe de pâte de sésame légère (tahini)
1 grosse gousse d'ail
½ c. à thé d'huile de sésame
1 c. à thé de moutarde de Dijon
Sel et poivre noir

1 Préchauffez le gril du four à température moyenne. Mélangez la sauce soja à l'huile d'olive dans un saladier.

2 Lavez les courgettes, coupez-les en rondelles. Lavez les aubergines, coupez-les en tranches. Lavez et coupez les champignons en lamelles ; coupez le tofu en bouchées.

3 Ajoutez les légumes et le tofu dans le saladier et mélangez doucement pour bien les enrober d'huile et de sauce soja.

4 Disposez les légumes et le tofu dans un plat à four sur une seule couche. Faites dorer 20 minutes jusqu'à ce qu'ils soient cuits. Remuez de temps en temps pour que les légumes n'attachent pas.

5 Préparez la sauce. Lavez et hachez 2 cuillerées à soupe de persil. Versez la pâte de sésame dans un grand bol, épluchez l'ail et écrasez-le dans le bol, puis mélangez avec suffisamment d'eau pour que la sauce soit crémeuse. Incorporez le persil haché, l'huile de sésame et la moutarde. Assaisonnez.

6 Lorsque les légumes et le tofu sont cuits, mettez-les dans un plat chaud et versez la sauce au sésame dessus. Servez chaud.

*VALEUR NUTRITIONNELLE PAR PERSONNE
Calories : 586. Glucides : 8 g (sucres : 4 g).
Protéines : 29 g. Lipides : 49 g (acides gras
saturés : 9 g). Riche en vitamines A, B, C, E
et en folates, calcium, fer et zinc.*

SAUTÉ DE LÉGUMES AU TOFU

*Le tofu, macéré dans une marinade à base de sauce soja et de xérès sec, est sauté
avec un mélange croquant de petits légumes et de noix de cajou, puis servi avec des nouilles chinoises.*

TEMPS : 30 MINUTES – 4 PERSONNES

280 g (⅔ lb) de tofu
1 cm (½ po) de gingembre frais
150 g (⅓ lb) de pois mange-tout
100 g (3½ oz) de champignons shiitakes frais
1 gros poivron rouge ou jaune
400 g (1 lb) de chou chinois (ou de romaine)
1 petite botte d'oignons verts
3 c. à soupe d'huile d'arachide
250 g (9 oz) de nouilles chinoises fines aux œufs
Sel
85 g (3 oz) de noix de cajou grillées

Pour la marinade :

2 gousses d'ail
1½ c. à soupe de sauce soja japonaise
2 c. à soupe de xérès sec
1½ c. à thé d'huile de sésame
1 c. à thé de cassonade

1 Préchauffez le four à 80 °C (175 °F). Mettez de l'eau à bouillir. Préparez la marinade : écrasez l'ail dans un bol. Ajoutez la sauce soja, le xérès, l'huile de sésame, la cassonade et du poivre et mélangez.

2 Égouttez le tofu et coupez-le en morceaux de 1 cm (½ po) d'épaisseur ; mettez-le dans la marinade.

3 Épluchez et hachez finement le gingembre. Lavez et équeutez les pois mange-tout. Nettoyez les champignons et coupez-les en lamelles. Lavez le poivron, retirez les graines, coupez-le en quatre, puis empilez les morceaux pour les trancher en lamelles.

4 Retirez les feuilles abîmées du chou (ou de la romaine). Lavez-le, séchez-le et coupez-le en lanières de 1 cm (½ po). Hachez les oignons verts.

5 Faites chauffer une cuillerée à soupe d'huile d'arachide dans une poêle à feu moyen. Égouttez le tofu en conservant la marinade et faites-le frire 3 minutes dans l'huile. Gardez au chaud dans le four.

6 Faites chauffer le reste d'huile dans la poêle, ajoutez le gingembre, les pois et les champignons. Faites sauter 2 minutes. Incorporez le poivron, faites sauter 2 minutes, puis ajoutez le chou et les petits oignons, et laissez encore 2 minutes.

7 Mettez les nouilles dans un bol avec du sel et couvrez d'eau bouillante. Remuez doucement, couvrez et suivez les instructions données sur l'emballage.

8 Arrosez les légumes avec la marinade, ajoutez les noix de cajou et tournez pendant 1 à 2 minutes.

9 Incorporez le tofu aux légumes et remettez au chaud. Mélangez les nouilles égouttées aux légumes.

VALEUR NUTRITIONNELLE PAR PERSONNE
Calories : 574. Glucides : 58 g (sucres : 10 g). Protéines : 24 g. Lipides : 30 g (acides gras saturés : 7 g). Riche en vitamines A, B, C, E et en folates, calcium et zinc.

TOMATES FARCIES AUX ÉPINARDS

*Une farce généreuse aux épinards, aux pignons et au parmesan
donne une saveur italienne à ces tomates, aussi délicieuses froides que chaudes.*

TEMPS : 30 MINUTES – 2 PERSONNES

1½ c. à soupe d'huile d'olive
1 sac (250 g) d'épinards frais
4 grosses tomates de 225 g (½ lb), environ, chacune
125 g (4½ oz) de pignons de pin
1 gousse d'ail
3 c. à soupe combles (125 g) de parmesan râpé
Sel et poivre noir

1 Préchauffez le four à 220 °C (425 °F). Huilez un plat à four. Lavez et équeutez les épinards.
2 Faites chauffer le reste d'huile dans une casserole, ajoutez les épinards, couvrez et laissez 2 minutes. Retirez le couvercle, remuez puis laissez cuire 1 minute. Égouttez les épinards et réservez-les.

3 Lavez les tomates, coupez la partie supérieure et évidez-les.
4 Faites légèrement griller les pignons (voir encadré, ci-contre), puis mélangez-les dans un bol avec les épinards. Épluchez l'ail et écrasez-le dans les épinards, puis râpez le parmesan par-dessus. Assaisonnez et mélangez.
5 Farcissez les tomates avec ce mélange en les remplissant bien. Rangez les tomates dans un plat à four, remettez leur capuchon et faites cuire 12 à 15 minutes dans le haut du four.

VALEUR NUTRITIONNELLE PAR PERSONNE
Calories : 948. Glucides : 19 g (sucres : 18 g). Protéines : 40 g. Lipides : 80 g (acides gras saturés : 18 g). Riche en vitamines A, B, C, E et en folates, calcium, fer et zinc.

VITE FAIT, BIEN FAIT !

Vous pouvez rehausser le goût merveilleux des pignons en les faisant griller. Mettez-les dans une poêle sans matière grasse à feu doux en les remuant sans cesse jusqu'à ce qu'ils aient pris une couleur dorée.

PIPERADE AUX ASPERGES

*Dans cette variante de la piperade basquaise, les œufs battus se marient agréablement
à des asperges fraîches, des poivrons et des tomates au piment.*

TEMPS : 30 MINUTES – 4 PERSONNES

1 gros oignon
1 piment vert
1 gros poivron rouge
1 gros poivron vert
3 c. à soupe d'huile d'olive
3 gousses d'ail
Sel et poivre noir
500 g (1 lb) de petites asperges vertes
2 tasses (400 g) de tomates concassées en boîte
8 tranches de pain
Beurre, pour tartiner
4 gros œufs

1 Pelez et hachez l'oignon. Ôtez les graines du piment et hachez-le. Lavez et épépinez les poivrons, coupez-les en lanières.
2 Faites chauffer l'huile d'olive dans une grande poêle ou dans un wok. Épluchez l'ail et écrasez-le dans l'huile, puis ajoutez l'oignon, le piment et les poivrons. Salez et poivrez. Faites revenir pendant 1 minute, couvrez et laissez mijoter 3 à 4 minutes, en remuant la poêle de temps à autre.
3 Pelez les asperges, ôtez la partie dure, coupez-les en quatre, ajoutez-les dans la poêle, couvrez et laissez mijoter 7 à 8 minutes, en remuant de temps en temps.
4 Incorporez les tomates en conserve aux légumes, faites chauffer à feu vif jusqu'à frémissement, puis laissez cuire 2 minutes sans couvercle.

5 Pendant ce temps, faites griller le pain, puis beurrez-le.
6 Battez les œufs dans un bol, puis ajoutez-les aux légumes et faites cuire à feu moyen en remuant jusqu'à ce que les œufs soient juste pris.
7 Servez la piperade avec des tartines beurrées.

VARIANTE
Vous pouvez remplacer le pain par des muffins, qui s'accordent bien avec les œufs.

VALEUR NUTRITIONNELLE PAR PERSONNE
Calories : 650. Glucides : 50 g (sucres : 14 g). Protéines : 20 g. Lipides : 43 g (acides gras saturés : 20 g). Riche en vitamines A, B, C, E et en folates, sélénium et zinc.

PLATS VÉGÉTARIENS :
TOMATES FARCIES AUX ÉPINARDS *(en haut)* ;
PIPERADE AUX ASPERGES *(en bas)*.

CURRY DE LÉGUMES

ACCOMPAGNEMENTS

Poireaux et carottes sautées, courgettes au citron, céleri aux pommes ou polenta mettront en valeur de façon classique ou plus inattendue les plats principaux.

AUBERGINES À LA PARMESANE

Dans cette variante simplifiée d'un grand classique italien, les aubergines disposées en couches avec du coulis de tomates, des herbes aromatiques et de la mozzarella sont saupoudrées de parmesan râpé avant de dorer au four.

TEMPS : 25 MINUTES – 4 PERSONNES

500 g (1 lb) d'aubergines
5 à 10 c. à soupe d'huile d'olive
125 g (4½ oz) de mozzarella
1 petit bouquet de basilic ou d'origan
200 ml (¾ tasse) de coulis de tomates
Sel et poivre noir
25 g (1 c. à soupe) de parmesan râpé

1 Lavez les aubergines, puis coupez-les en rondelles fines.

2 Faites chauffer une cuillerée à soupe d'huile dans une grande poêle, faites-y dorer les aubergines des deux côtés, par petites quantités, à feu assez vif. Ajoutez de l'huile au fur et à mesure.

3 Préchauffez le gril du four à température maximale. Coupez la mozarella en tranches fines. Lavez le basilic ou l'origan et hachez-en l'équivalent de 2 cuillerées à soupe.

4 Disposez les aubergines en couches dans un plat à gratin en alternant avec de la mozzarella, du coulis de tomates, du basilic ou de l'origan. Salez et poivrez chaque fois.

5 Saupoudrez de parmesan, passez sous le gril 4 à 5 minutes, ou jusqu'à ce que la préparation soit bien dorée.

SUGGESTION D'ACCOMPAGNEMENT
Servez avec des viandes grillées (côtelettes d'agneau ou steaks), du poisson blanc poché ou du risotto.

VALEUR NUTRITIONNELLE PAR PERSONNE
Calories : 323. Glucides : 5 g (sucres : 5 g). Protéines : 12 g. Lipides : 28 g (acides gras saturés : 8 g). Riche en vitamines B et E et en calcium.

CONSEILS ET IDÉES PRATIQUES

Certains coulis ou purées de tomates sont plus ou moins assaisonnés, souvent avec de l'ail : vérifiez avant de les employer et d'y ajouter des fines herbes.

AUBERGINES AU TAHINI

*Ces aubergines cuites à la vapeur, parsemées d'oignons verts et de tomates séchées, sont servies
dans une sauce au sésame du Moyen-Orient, variante originale de la sauce à la crème ou au beurre.*

TEMPS : 25 MINUTES – 4 PERSONNES

| 450 g (1 lb) d'aubergines |
| 4 oignons verts |
| 25 g (1 c. à soupe) de tomates séchées à l'huile |

Pour décorer :
quelques brins d'aneth

Pour la sauce :

| 1 gousse d'ail |
| 1 citron |
| 1 c. à soupe de pâte de sésame (tahini) |
| 3 c. à soupe d'huile d'olive |

1 Faites bouillir de l'eau dans le compartiment inférieur d'un cuit-vapeur.

2 Lavez les aubergines. Coupez les plus grandes en deux dans le sens de la longueur, puis faites des tranches d'environ 5 mm (¼ po) dans la largeur. Mettez-les dans le panier du cuit-vapeur, couvrez et laissez cuire 6 à 8 minutes jusqu'à ce qu'elles soient tendres.

3 Pour la sauce : épluchez l'ail et écrasez-le dans un bol, incorporez 3 cuillerées à soupe de jus de citron. Ajoutez le tahini et l'huile d'olive. Salez et poivrez.

4 Nettoyez et hachez finement les oignons. Hachez les tomates séchées. Réservez le tout.

5 Pressez les aubergines cuites dans une passoire avec une cuillère pour en extraire le maximum de

jus ; ne vous inquiétez pas si elles se désintègrent. Mettez-les dans un saladier et ajoutez les oignons et les tomates séchées.

6 Versez la sauce et mélangez. Lavez et hachez une cuillerée à soupe d'aneth ; parsemez-en les aubergines. Laissez refroidir 5 minutes avant de servir.

SUGGESTION D'ACCOMPAGNEMENT
Ces aubergines accompagnent très bien l'agneau ou le poulet grillés. Vous pouvez aussi les servir en entrée avec des croûtons chauds.

*VALEUR NUTRITIONNELLE PAR PERSONNE
Calories : 140. Glucides : 4 g (sucres : 2 g).
Protéines : 2 g. Lipides : 13 g (acides gras
saturés : 2 g). Riche en vitamines B, C et E.*

DAHL

*Dans la cuisine indienne, le dahl accompagne les currys.
Il est préparé avec des légumes secs imprégnés
pendant la cuisson par la saveur des épices.*

350 g (¾ lb) de lentilles rouges
1 c. à thé de curcuma en poudre
½ c. à thé de piment en poudre
1 cm (½ po) de racine de gingembre
2 gousses d'ail
½ c. à thé de garam masala
Sel
25 g (1½ c. à soupe) de beurre
1 pincée de cumin en poudre
1 petit oignon

1 Mettez de l'eau à bouillir. Rincez les lentilles.

2 Mettez les lentilles dans une casserole et couvrez avec 1,2 litre (5 tasses) d'eau bouillante. Ajoutez le curcuma et le piment, couvrez et portez à ébullition.

3 Entre-temps, pelez le gingembre, coupez-le en 4 rondelles, puis ajoutez celles-ci aux lentilles. Épluchez l'ail et écrasez-le dans la casserole. Dès que les lentilles parviennent à ébullition, réduisez le feu et laissez mijoter pendant 10 minutes, jusqu'à ce qu'elles soient tendres et qu'elles aient absorbé presque toute l'eau.

4 Incorporez le garam masala, puis ajoutez du sel et, si le mélange est encore trop liquide, laissez mijoter le dahl encore 5 minutes sans couvercle.

5 Pendant ce temps, faites chauffer le beurre dans une petite poêle avec le cumin. Épluchez et hachez l'oignon, faites-le blondir doucement dans le beurre épicé.

6 Mettez le dahl dans un plat, incorporez l'oignon et servez.

*VALEUR NUTRITIONNELLE PAR PERSONNE
Calories : 333. Glucides : 51 g (sucres : 3 g).
Protéines : 21 g. Lipides : 6 g (acides gras
saturés : 4 g). Riche en vitamines B et E
et en fer et zinc.*

CONSEILS ET IDÉES PRATIQUES

*La plupart des légumes secs doivent
tremper dans l'eau froide, mais pas
les lentilles rouges, qui sont décortiquées
et cassées, et cuisent donc très vite.*

CURRY DE LÉGUMES

Des pommes de terre nouvelles et des haricots verts fins sont cuits dans un mélange de beurre et d'épices délicates. Servez-les avec un curry de viande et du riz.

TEMPS : 30 MINUTES – 4 PERSONNES

500 g (1 lb) de petites pommes de terre nouvelles
250 g (½ lb) de haricots verts fins
15 g (1 c. à soupe) de beurre
3 c. à soupe d'huile de tournesol
2 petits piments verts
½ c. à thé de graines de cumin
½ c. à thé de curcuma
¼ c. à thé de garam masala
1 gousse d'ail
Sel

1 Frottez les pommes de terre, puis coupez-les en grosses rondelles. Équeutez les haricots verts, coupez-les en tronçons de 2 à 3 cm (1 po), lavez-les et égouttez-les.
2 Faites chauffer le beurre et l'huile dans une sauteuse, ajoutez les piments entiers, le cumin, le curcuma et le garam masala. Pelez l'ail et écrasez-le dans la casserole. Mélangez, faites revenir 30 secondes.
3 Ajoutez les pommes de terre et salez. Remuez pour bien les enrober d'huile et de beurre épicés.
4 Ajoutez les haricots verts, couvrez, puis baissez le feu et laissez

mijoter 15 minutes, en remuant de temps en temps. Le curry est prêt dès que les pommes de terre sont cuites.

VALEUR NUTRITIONNELLE PAR PERSONNE
Calories : 197. Glucides : 20 g (sucres : 3 g).
Protéines : 3 g. Lipides : 12 g (acides gras saturés : 3 g). Riche en vitamines B, C, E et en folates.

PURÉE DE MARRONS ET DE CÉLERI-RAVE

*Cette purée onctueuse de céleri-rave et de marrons, préparée avec du bouillon de légumes,
est l'accompagnement idéal des viandes rôties ou des gibiers, à servir en hiver.*

TEMPS : 30 MINUTES – 4 PERSONNES

300 ml (1¼ tasse) de bouillon de légumes
1 bouquet garni
500 g (1 lb) de céleri-rave
500 g (1 lb) de marrons en boîte ou sous vide
1 petit bouquet de ciboulette
25 g (1½ c. à soupe) de beurre
2 c. à soupe de crème épaisse ou de fromage frais nature
Sel et poivre noir

1 . Versez le bouillon de légumes dans une grande casserole avec le bouquet garni, puis portez à ébullition. Réduisez ensuite le feu, couvrez et laissez frémir pendant que vous préparez le céleri-rave.

2 Pelez le céleri-rave, coupez-le en cubes de 1 cm (½ po) que vous ajouterez au bouillon. Couvrez la casserole et laissez cuire 10 minutes ou jusqu'à ce que les cubes soient tendres.

3 Égouttez les marrons, puis ajoutez-les au bouillon et laissez cuire encore 3 à 4 minutes.

4 Pendant ce temps, lavez, essuyez et hachez la ciboulette.

5 Lorsque céleri et marrons sont cuits, égouttez-les et réservez le bouillon. Retirez le bouquet garni. Réduisez le céleri et les marrons en purée. Versez la purée dans la casserole avec le beurre et mettez à feu doux pour que le beurre fonde.

6 Incorporez la crème ou le fromage frais peu à peu. Si la purée est encore trop épaisse, ajoutez un peu de bouillon, de crème ou de fromage frais.

7 Rectifiez l'assaisonnement, parsemez de ciboulette, puis servez chaud.

SUGGESTION D'ACCOMPAGNEMENT
Cette purée est un accompagnement raffiné pour un rôti de porc ou pour la dinde de Noël. Elle s'harmonise également très bien avec des saucisses. Vous pouvez aussi la servir comme plat végétarien avec une salade verte aux pommes et aux noix, par exemple.

VALEUR NUTRITIONNELLE PAR PERSONNE
*Calories : 287. Glucides : 48 g (sucres : 1 g).
Protéines : 4 g . Lipides : 9 g (acides gras
saturés : 3 g). Riche en vitamines B, C et E.*

CHOUX DE BRUXELLES SAUTÉS

De la moutarde à l'ancienne et un soupçon d'orange donnent une petite note aromatique qui rehausse la saveur des choux de Bruxelles sautés avec des lardons et des châtaignes d'eau.

TEMPS : 25 MINUTES – 4 PERSONNES

1 c. à soupe d'huile de maïs
75 g (5 tranches) de bacon
500 g (1 lb) de jeunes choux de Bruxelles
1 orange
50 g (3 c. à soupe) de beurre
2 c. à thé de moutarde à l'ancienne
1 boîte (115 g / 4 oz) de châtaignes d'eau entières
Sel et poivre noir

1 Faites chauffer l'huile de maïs dans une poêle. Coupez le bacon en dés ; faites frire ceux-ci 2 à 3 minutes pour qu'ils soient bien grillés.

2 Lavez les choux de Bruxelles, puis coupez-les en deux. Brossez l'orange sous l'eau tiède et râpez le zeste dans la poêle ; ajoutez le beurre, la moutarde et les choux. Laissez cuire 5 minutes à feu moyen, en remuant jusqu'à ce que les choux soient cuits, mais fermes.

3 Égouttez et coupez les châtaignes. Ajoutez-les dans la poêle et laissez cuire 3 à 4 minutes jusqu'à ce que les choux soient dorés et les châtaignes chaudes. Salez, poivrez et servez.

VALEUR NUTRITIONNELLE PAR PERSONNE
Calories : 224. Glucides : 7 g (sucres : 5 g). Protéines : 8 g. Lipides : 19 g (acides gras saturés : 9 g). Riche en vitamines B, C, E et en folates.

DES SAVEURS FRAÎCHES ÉCLAIR

POIREAUX ET CAROTTES SAUTÉS

Sautés avec de l'estragon, ces deux légumes d'hiver se transforment, en un rien de temps, en un plat plein de fraîcheur.

TEMPS : 20 MINUTES – 4 PERSONNES

750 g (1½ lb) de poireaux
250 g (½ lb) de carottes
3 c. à soupe d'huile d'olive
1 belle branche d'estragon
Sel et poivre noir

1 Retirez les feuilles trop dures des poireaux et deux tiers de la partie verte, puis coupez-les en rondelles fines. Rincez-les avec de l'eau froide dans une passoire, puis égouttez.
2 Épluchez et râpez les carottes.
3 Faites chauffer l'huile à feu moyen dans un wok ou dans une grande poêle. Lavez et hachez l'estragon.
4 Faites frire les poireaux 4 minutes dans l'huile très chaude.
5 Ajoutez les carottes et l'estragon, salez et poivrez. Laissez cuire encore 2 minutes, puis servez.

VARIANTE
Vous pouvez choisir d'autres herbes fraîches suivant votre goût ou la saison.

VALEUR NUTRITIONNELLE PAR PERSONNE
Calories : 89. Glucides : 7 g (sucres : 6 g). Protéines : 2 g. Lipides : 6 g (acides gras saturés : 1 g). Riche en vitamines A, B, C, E et en folates.

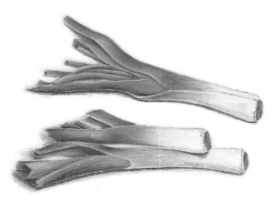

CAROTTES À L'ORANGE ET AU SÉSAME

La cuisson des carottes nouvelles dans le jus d'orange rehausse leur consistance croquante et la douceur de leur goût.

TEMPS : 25 MINUTES – 4 PERSONNES

500 g (1 lb) de petites carottes nouvelles
1 orange
15 g (1 c. à soupe) de beurre ou 1 c. à soupe d'huile de tournesol
Sel et poivre noir
1 c. à soupe de graines de sésame

1 Grattez les carottes. Si elles sont très petites, laissez-les entières, sinon coupez-les en deux dans le sens de la longueur.
2 Brossez l'orange sous l'eau tiède, prélevez le zeste, et pressez le fruit. Mettez le zeste et le jus dans une casserole avec le beurre ou l'huile et portez à ébullition à feu doux.
3 Ajoutez les carottes dans la casserole, salez et poivrez. Portez à nouveau à ébullition, puis réduisez le feu, couvrez et laissez mijoter environ 10 à 12 minutes, en remuant la casserole de temps à autre. Les carottes doivent être moelleuses mais pas trop molles.
4 Pendant ce temps, faites griller les graines de sésame 2 minutes, environ, à feu vif dans une poêle sans matière grasse en agitant la poêle pour qu'elles n'attachent pas.
5 Parsemez les carottes de sésame et servez.

VARIANTE
Si ce n'est pas la saison des petites carottes nouvelles, coupez de grandes carottes en bâtonnets.

VALEUR NUTRITIONNELLE PAR PERSONNE
Calories : 87. Glucides : 8 g (sucres : 7 g). Protéines : 2 g. Lipides : 6 g (acides gras saturés : 2 g). Riche en vitamines A, B et E.

PURÉE DE PANAIS AU CURRY

La douceur des panais associée au piquant du curry et à la fraîcheur du persil produit une purée savoureuse.

TEMPS : 20 MINUTES – 4 PERSONNES

750 g (1½ lb) de panais
Sel et poivre noir
3 ou 4 brins de persil
25 g (1½ c. à soupe) de beurre
1 c. à soupe de curry en poudre
4 c. à soupe de crème sure

1 Mettez de l'eau à bouillir. Épluchez les panais, coupez-les en petits morceaux et mettez-les dans une casserole avec un peu de sel. Recouvrez d'eau bouillante et portez à ébullition, puis réduisez le feu et laissez mijoter 8 à 10 minutes.
2 Pendant la cuisson des panais, lavez, séchez et hachez le persil.
3 Égouttez soigneusement les panais, remettez-les dans la casserole puis écrasez-les grossièrement avec un presse-purée.
4 Incorporez le beurre, le curry et la crème à la purée de panais, poivrez généreusement, puis fouettez pour obtenir une purée bien lisse.
5 Versez-la dans un plat de service chaud. Ondulez la surface à la fourchette et ajoutez une touche finale avec le persil haché.

VALEUR NUTRITIONNELLE PAR PERSONNE
Calories : 162. Glucides : 16 g (sucres : 7 g). Protéines : 3 g. Lipides : 10 g (acides gras saturés : 6 g). Riche en vitamines B, C, E et en folates.

ACCOMPAGNEMENTS FRAIS ET FACILES À RÉALISER :
POIREAUX ET CAROTTES SAUTÉS *(en haut)* ;
CAROTTES À L'ORANGE ET AU SÉSAME *(en bas, à gauche)* ;
PURÉE DE PANAIS AU CURRY *(à droite)*.

ENDIVES À L'ITALIENNE

Associées aux saveurs méditerranéennes des tomates séchées, du citron et des olives noires, et cuites sous une couche croustillante de parmesan et de chapelure, les endives gagnent à être redécouvertes.

TEMPS : 30 MINUTES – 4 PERSONNES

1 tranche de pain de la veille ou 15 g (2 c. à soupe) de chapelure
40 g (1 c. à soupe comble) de parmesan
6 tomates séchées à l'huile
4 grosses endives
½ citron
3 c. à soupe d'huile d'olive
Poivre noir
16 olives dénoyautées

1 Préchauffez le four à 200 °C (400 °F). Retirez la croûte du pain et passez la mie au robot culinaire.

2 Râpez le parmesan au-dessus des miettes ou de la chapelure, puis mélangez.

3 Égouttez les tomates séchées sur du papier absorbant, hachez-les en morceaux.

4 Retirez les feuilles abîmées et la base des endives ; coupez chaque endive en quatre dans le sens de la longueur.

5 Pressez l'équivalent d'une cuillerée à soupe de jus de citron au-dessus d'un grand plat à gratin. Puis ajoutez 2 cuillerées à soupe d'huile d'olive.

6 Disposez les endives dans le plat à gratin, en mettant la face coupée vers le haut. Arrosez avec le reste d'huile d'olive, puis poivrez au moulin.

7 Répartissez les tomates séchées, puis les olives noires sur les endives. Saupoudrez ensuite avec le mélange de parmesan et de miettes ou de chapelure.

8 Mettez le plat au four et faites cuire pendant 15 minutes, environ, jusqu'à ce que le dessus de la préparation soit doré.

VALEUR NUTRITIONNELLE PAR PERSONNE
Calories : 189. Glucides : 7 g (sucres : 1 g). Protéines : 5 g. Lipides : 16 g (acides gras saturés : 4 g). Riche en vitamines B et E.

ENDIVES GRILLÉES AUX BETTERAVES

Ce mélange coloré d'endives grillées et de betterave, servi avec un assaisonnement à l'orange et à la moutarde à l'ancienne, se consomme chaud ou froid avec un rôti ou un reste de viande froide.

TEMPS : 25 MINUTES – 4 PERSONNES

4 grosses endives blanches
4 c. à soupe d'huile d'olive
1 betterave cuite de 250 g (½ lb)
½ orange
3 c. à soupe de mayonnaise
2 c. à thé de moutarde à l'ancienne

1 Préchauffez le gril. Retirez le pied et les premières feuilles des endives, puis coupez celles-ci en deux dans le sens de la longueur.

2 Posez les demi-endives sur le gril face coupée vers le bas, badigeonnez-les d'huile d'olive et laissez griller 5 minutes, à environ 10 cm (4 po) de la source de chaleur. Retournez-les, enduisez-les avec le reste d'huile d'olive et laissez-les cuire 3 minutes de plus, jusqu'à ce que les bords commencent à carboniser.

3 Pendant ce temps, pelez la betterave et coupez-la en rondelles.

4 Pressez la demi-orange. Incorporez une cuillerée à soupe de son jus à la mayonnaise, puis ajoutez la moutarde et mélangez bien.

5 Disposez les endives en rond dans un plat comme les rayons d'une roue, face coupée vers le haut. Versez la sauce dessus et disposez les rondelles de betterave entre les endives.

VALEUR NUTRITIONNELLE PAR PERSONNE
Calories : 223. Glucides : 10 g (sucres : 7 g). Protéines : 2 g. Lipides : 21 g (acides gras saturés : 3 g). Riches en vitamines B, E et en folates.

COURGETTES ET POMMES PERSILLÉES

La persillade, mélange odorant de persil et d'ail hachés, donne une saveur typiquement méridionale à ce plat fruité à base de courgettes, tomate, oignon et pomme sautés.

TEMPS : 25 MINUTES – 4 PERSONNES

| 1 oignon rouge ou jaune |
| 4 c. à soupe d'huile d'olive |
| 1 pomme |
| 1 tomate |
| 500 g (1 lb) de petites courgettes |
| Sel et poivre noir |
| 1 bouquet de persil |
| 1 gousse d'ail |

1 Épluchez l'oignon et hachez-le finement. Faites-le revenir 7 à 8 minutes, environ, à la poêle, à feu doux, dans 2 cuillerées à soupe d'huile, jusqu'à ce qu'il soit fondant.
2 Lavez et évidez la pomme, coupez-la en dés, puis lavez et coupez la tomate en cubes. Lorsque l'oignon est tendre, incorporez la pomme et la tomate et laissez cuire 5 minutes à feu doux, en remuant de temps en temps.
3 Lavez les courgettes, coupez-les en fines tranches dans la longueur, puis en bâtonnets de 5 cm (2 po). Saupoudrez-les de sel et mélangez à la main. Faites chauffer le reste

de l'huile dans une autre poêle. Saisissez-y les courgettes à feu moyen, jusqu'à ce qu'elles rendent leur eau. Augmentez le feu jusqu'à ce que tout le liquide se soit évaporé. Secouez la poêle pour que les courgettes ne brûlent pas.
4 Réduisez le feu, incorporez le mélange de pomme, de tomate et d'oignon aux courgettes et laissez mijoter 5 à 6 minutes.
5 Pendant ce temps, lavez, séchez et hachez 4 cuillerées à soupe de persil, épluchez et hachez l'ail, puis

mélangez-les. Incorporez cette persillade aux légumes. Laissez mijoter quelques minutes pour que l'ail cuise, puis ajoutez du poivre noir et salez davantage, si nécessaire. Servez sans attendre.

VARIANTE

Vous pouvez servir ces légumes en plat principal en y ajoutant 225 g (½ lb) de jambon cuit. Coupez ce dernier en dés que vous mélangerez à la préparation, juste avant la persillade, pour le réchauffer.

VALEUR NUTRITIONNELLE PAR PERSONNE
Calories : 150. Glucides : 9 g (sucres : 8 g).
Protéines : 3 g. Lipides : 12 g (acides gras
saturés : 2 g). Riche en vitamines B, C, E
et en folates.

COURGETTES AU CITRON

Ce plat simple et frais est composé de courgettes coupées en lamelles et généreusement saupoudrées de zeste de citron finement râpé, de gros sel de mer et de poivre noir.

TEMPS : 15 MINUTES – 4 PERSONNES

500 g (1 lb) de petites courgettes

1½ c. à soupe d'huile d'olive

1 citron

Gros sel de mer et poivre noir

1 Ôtez les extrémités des courgettes, puis lavez-les. Coupez-les en biais en fines rondelles.

2 Faites chauffer l'huile dans une grande poêle. Faites-y revenir les courgettes en remuant souvent jusqu'à ce qu'elles soient moelleuses.

3 Pendant ce temps, brossez le citron sous l'eau tiède et râpez le zeste au-dessus des courgettes. Salez avec le gros sel et poivrez.

SUGGESTION D'ACCOMPAGNEMENT

Les courgettes au citron accompagnent très bien les Blancs de poulet aux pommes et au cidre (p. 180) ou encore les poissons grillés.

VALEUR NUTRITIONNELLE PAR PERSONNE
Calories : 56. Glucides : 2 g (sucres : 2 g).
Protéines : 2 g. Lipides : 4 g (acides gras
saturés : 1 g). Riche en vitamines B, C et E.

PANAIS À LA POMME

Le goût acidulé de la pomme cuite contrebalance agréablement la douceur veloutée du panais dans ce plat raffiné, relevé de crème, accompagnement idéal pour des grillades ou des rôtis tout simples.

TEMPS : 20 MINUTES – 4 PERSONNES

| 500 g (1 lb) de panais ou 5 panais moyens |
| 2 c. à soupe d'huile d'olive |
| 1 pomme |
| Sel et poivre noir |
| ½ citron |
| 3 brins de thym frais |
| 75 ml (¼ tasse) de crème épaisse |

1 Épluchez les panais et râpez-les grossièrement. S'ils sont vieux ou abîmés, coupez-les en quatre et retirez le centre, coriace, avant de les râper.
2 Faites chauffer l'huile d'olive dans une sauteuse, ajoutez les panais râpés et cuisez à feu moyen.

3 Pendant ce temps, épluchez et râpez grossièrement la pomme. Ajoutez-la aux panais, assaisonnez, puis ajoutez ½ cuillerée à soupe de jus de citron.
4 Lavez le thym, prélevez toutes les feuilles et mettez-les dans la sauteuse. Laissez cuire encore 3 à 5 minutes, en remuant de temps en temps, jusqu'à ce que les panais soient tendres.
5 Ajoutez la crème, mélangez et servez. On peut en faire une purée.

VALEUR NUTRITIONNELLE PAR PERSONNE
Calories : 212. Glucides : 17 g (sucres : 11 g). Protéines : 2 g. Lipides : 16 g (acides gras saturés : 7 g). Riche en vitamines B, C, E et en folates.

VITE FAIT, BIEN FAIT !

Pour prélever les feuilles du thym, tenez le brin par le haut et faites glisser le pouce et l'index le long de la tige à contresens pour arracher les feuilles.

PANACHÉ DE HARICOTS À LA PANCETTA

Ce panaché de haricots frais et secs, mijotés dans une sauce aux herbes avec des dés de bacon, s'accorde très bien avec les viandes, comme le poulet et le lapin, et les poissons à chair ferme, notamment le saumon.

TEMPS : 30 MINUTES – 4 PERSONNES

250 ml (1 tasse) de bouillon de poulet ou de vin blanc
1 bouquet garni
350 g (¾ lb) de haricots verts fins
1 boîte (540 ml / 19 oz) de haricots blancs
200 g (½ lb) de pancetta ou de bacon sans couenne
1 oignon rouge ou jaune
Brins d'estragon ou de persil
1 c. à soupe de crème épaisse
Sel et poivre noir

1 Faites bouillir le bouillon de poulet ou le vin blanc dans une petite casserole avec le bouquet garni, puis baissez le feu et faites réduire le liquide de moitié.

2 Équeutez les haricots verts, coupez-les en tronçons de 2 à 3 cm (1 po). Égouttez et rincez les haricots blancs.

3 Coupez la pancetta ou le bacon en petits dés. Faites-les frire 2 minutes dans une grande poêle, puis égouttez-les sur du papier absorbant. Gardez une cuillerée à soupe du gras de cuisson et jetez le reste.

4 Épluchez l'oignon, hachez-le et faites-le légèrement brunir dans le reste de matière grasse à feu moyen.

5 Ajoutez les haricots verts et blancs et le bouillon ou le vin dans la poêle. Portez à ébullition, couvrez, puis laissez mijoter 10 minutes à feu doux, le temps que les haricots verts soient cuits. Il ne devrait alors rester presque plus de liquide dans la poêle.

6 Lavez et hachez les herbes. Ajoutez aux haricots la crème épaisse, les dés de pancetta (ou de bacon) et les herbes. Rectifiez l'assaisonnement. Laissez réchauffer 1 minute, puis servez.

VALEUR NUTRITIONNELLE PAR PERSONNE
Calories : 322. Glucides : 19 g (sucres : 4 g). Protéines : 20 g. Lipides : 19 g (acides gras saturés : 2 g). Riche en vitamines B, C, E et en folates.

LÉGUMES MINIATURES À LA CRÈME SURE

*Ce trio de mini-légumes croquants cuits à la vapeur
est un excellent accompagnement de poisson ou de viande grillés,
mais peut également être proposé comme salade.*

TEMPS : 20 MINUTES – 4 PERSONNES

250 g (½ lb) de carottes miniatures

250 g (½ lb) de courgettes miniatures

250 g (½ lb) de petites pointes d'asperge

200 ml (¾ tasse) de crème sure

2 c. à soupe de moutarde à l'ancienne

15 g (1 c. à soupe) de beurre salé, ramolli

Poivre noir

1 Faites bouillir un peu d'eau dans la partie basse d'un cuit-vapeur.
2 Épluchez les carottes et coupez-les en deux dans la longueur si elles sont un peu grosses. Lavez les courgettes, coupez-les en deux dans la longueur. Pelez les pointes d'asperge.
3 Mettez les carottes dans le compartiment perforé du cuit-vapeur, couvrez et laissez cuire 5 minutes. Posez les courgettes sur les carottes, puis les asperges. Couvrez à nouveau et laissez cuire encore 5 minutes.
4 Pendant la cuisson des légumes, versez la crème sure et la moutarde dans une casserole et faites chauffer à feu très doux.
5 Mettez les légumes dans un plat chaud et ajoutez le beurre salé et du

VITE FAIT, BIEN FAIT !

Si vous ne possédez pas de cuit-vapeur, utilisez une passoire en métal posée sur une grande casserole. La passoire doit être suffisamment éloignée de l'eau pour que la vapeur puisse circuler.

poivre. Versez la sauce à la crème dessus, mélangez doucement et servez sans attendre.

VARIANTE
Vous pouvez remplacer les asperges par des haricots verts extrafins.

VALEUR NUTRITIONNELLE PAR PERSONNE
Calories : 170. Glucides : 7 g (sucres : 6 g). Protéines : 5 g. Lipides : 14 g (acides gras saturés : 8 g). Riche en vitamines A, B, C, E et en folates.

GALETTES DE PATATES DOUCES

Les galettes de pommes de terre (rösti) sont de croustillants accompagnements pour des viandes grillées ou du gibier rôti. Avec de savoureuses patates douces, cette recette acquiert une délicieuse touche originale.

TEMPS : 30 MINUTES – 4 PERSONNES

700 g (1½ lb) de patates douces

Sel et poivre noir

3 c. à soupe d'huile de tournesol

25 g (1½ c. à soupe) de beurre

1 Préchauffez le four à 80 °C (175 °F). Tapissez un plat à four de papier absorbant double.

2 Épluchez et râpez grossièrement les patates douces ; salez, poivrez et mélangez bien.

3 Faites chauffer la moitié de l'huile dans une poêle antiadhésive et ajoutez la moitié du beurre.

4 Façonnez 4 petites galettes rondes de 1 cm (½ po) d'épaisseur, environ, avec la moitié des patates douces râpées. Dès que le beurre grésille, déposez délicatement les galettes dans la poêle.

5 Faites-les cuire 5 minutes à feu moyen ou jusqu'à ce qu'elles soient croustillantes et bien dorées en dessous, puis retournez-les délicatement avec une spatule et laissez cuire 5 minutes. (Ne vous inquiétez pas si elles se défont lorsque vous les retournez, il suffit de les remodeler après.) Pendant la cuisson, façonnez 4 autres galettes avec le reste des patates.

6 Lorsque la première fournée est cuite, égouttez-la 1 à 2 minutes sur le papier absorbant. Conservez au chaud dans le four.

7 Faites chauffer le reste de l'huile et du beurre dans la poêle. Lorsque la matière grasse grésille, faites cuire la deuxième fournée de galettes.

VARIANTE
Vous pouvez aussi ne préparer qu'une seule grande galette et la partager en huit au moment de servir. Ajoutez, éventuellement, du bacon ou du jambon en dés.

VALEUR NUTRITIONNELLE PAR PERSONNE
Calories : 233. Glucides : 28 g (sucres : 7 g). Protéines : 2 g. Lipides : 14 g (acides gras saturés : 5 g). Riche en vitamines A, B, C et E.

CONSEILS ET IDÉES PRATIQUES
La couleur de la peau des patates douces va du blanc au marron-rouge, et leur chair du blanc à l'orangé. Les patates roses à chair blanche se trouvent facilement, mais celles à chair orangée sont les meilleures.

POMMES DE TERRE NOUVELLES AU FOUR

*Cette recette savoureuse de toutes petites pommes de terre nouvelles cuites au four,
délicatement parfumées au citron et au romarin frais, est très rapide à réaliser.*

TEMPS : 30 MINUTES – 4 PERSONNES

**600 g (1¼ lb) de petites pommes
de terre nouvelles**

---

2 c. à soupe d'huile d'olive

---

1 citron

---

2 ou 3 brins de romarin frais

Sel et poivre noir

1 Préchauffez le four à 230 °C
(450 °F). Mettez de l'eau à bouillir.
2 Frottez les pommes de terre et
mettez-les dans une grande casserole. Couvrez-les d'eau bouillante,
portez à ébullition et laissez bouillir
5 minutes.

3 Pendant ce temps, versez l'huile
dans un plat à four en métal et
faites-la chauffer au four.
4 Brossez le citron sous l'eau tiède
et râpez le zeste. Lavez le romarin
et prélevez les feuilles.
5 Égouttez soigneusement les
pommes de terre. Mettez-les dans le
plat et remuez pour bien les enrober
d'huile. Parsemez avec le zeste de
citron et le romarin, salez et
poivrez. L'huile doit être brûlante
et les pommes de terre doivent
grésiller à son contact.
6 Faites ensuite cuire les pommes
de terre pendant 20 minutes,

environ, en plaçant le plat en haut
du four : elles doivent être bien
dorées.

VALEUR NUTRITIONNELLE PAR PERSONNE
Calories : 158. Glucides : 25 g (sucres : 2 g).
Protéines : 3 g. Lipides : 6 g (acides gras
saturés : 1 g). Riche en vitamines B, C et E.

CONSEILS ET IDÉES PRATIQUES

*Pour ce plat, choisissez des grelots
(minuscules pommes de terre de la taille
d'une bille) ou, si elles sont plus grosses,
coupez-les en deux.*

CHOU À LA CRÈME ET AU FROMAGE BLEU

*Le chou frisé, richement assaisonné de crème
et de fromage bleu, accompagne très bien l'agneau rôti.*

TEMPS : 20 MINUTES – 4 PERSONNES

1 c. à soupe d'huile d'olive
1 gros oignon
1 petit chou vert frisé de 500 g (1 lb)
Sel et poivre noir
115 g (4 oz) de fromage bleu (stilton, bleu d'Auvergne, etc.)
200 ml (¾ tasse) de crème légère

1 Faites chauffer l'huile dans une sauteuse. Épluchez et hachez finement l'oignon, puis faites-le revenir dans l'huile à feu doux.
2 Pendant ce temps, retirez les feuilles abîmées et le trognon du chou. Coupez-le en quatre, coupez les feuilles en lanières, puis lavez-les et égouttez-les soigneusement.

3 Mélangez le chou à l'oignon, puis couvrez et laissez cuire 6 à 8 minutes à feu moyen en remuant la sauteuse régulièrement. Ne salez que si le bleu est très peu salé.
4 Pendant la cuisson du chou, émiettez le fromage. Retirez la sauteuse du feu, ajoutez la crème, le bleu et du poivre noir, puis remettez sur le feu en mélangeant jusqu'à ce que le fromage fonde, sans laisser bouillir. En fondant, le fromage va épaissir la crème.

*VALEUR NUTRITIONNELLE PAR PERSONNE
Calories : 284. Glucides : 10 g (sucres : 8 g).
Protéines : 10 g. Lipides : 23 g (acides gras
saturés : 13 g). Riche en vitamines A, B, C, E
et en folates.*

PANACHÉ DE CHOUX SAUTÉS

*Dans cette poêlée toute simple à réaliser, la saveur des choux
est rehaussée par les noix de cajou et le céleri.*

TEMPS : 20 MINUTES – 4/6 PERSONNES

350 g (¾ lb) de chou blanc
350 g (¾ lb) de chou nouveau
2 gousses d'ail
2 côtes de céleri
4 oignons verts
2 c. à soupe d'huile de sésame
50 g (2 oz) de noix de cajou non salées
Pour servir : sauce soja

1 Retirez les trognons des choux, lavez ceux-ci, puis coupez-les en lanières. Épluchez et hachez l'ail, lavez et coupez le céleri ainsi que les oignons verts.
2 Faites chauffer l'huile dans une grande poêle. Faites-y brunir les noix de cajou 30 secondes.
3 Ajoutez l'ail, le céleri et les oignons et faites-les revenir 30 secondes, sans laisser brûler l'ail.
4 Ajoutez les choux et faites-les revenir 3 à 5 minutes. Ils doivent être tendres, mais pas flétris.
5 Servez-les assaisonnés de sauce soja.

*VALEUR NUTRITIONNELLE PAR PERSONNE
(EN COMPTANT 4 PERSONNES) Calories : 182.
Glucides : 10 g (sucres : 7 g). Protéines : 7 g.
Lipides : 13 g (acides gras saturés : 2 g). Riches
en vitamines A, B, C et en folates et calcium.*

RECETTES IMAGINATIVES : CHOU À LA CRÈME ET AU FROMAGE BLEU (*en haut*) ; PANACHÉ DE CHOUX SAUTÉS (*en bas*).

FRICASSÉE DE CHAMPIGNONS AU MADÈRE

Cet harmonieux panachage de champignons séchés et de champignons frais sautés à l'huile d'olive avec des écha-lotes et de l'ail, puis cuits dans leur propre jus, est un accompagnement parfait pour les viandes et les volailles.

TEMPS : 30 MINUTES – 4 PERSONNES

3 branches de persil
25 g (1 oz) de morilles ou de cèpes déshydratés
25 g (1½ c. à soupe) de beurre
1 c. à soupe d'huile d'olive
2 gousses d'ail et 2 échalotes
200 g (½ lb) de champignons café
150 g (⅓ lb) de shiitakes ou de mousserons
150 g (⅓ lb) de pleurotes
2 c. à soupe de madère
Sel et poivre noir

1 Faites bouillir un peu d'eau. Lavez, séchez et hachez 3 cuillerées à soupe de persil. Mettez les champignons déshydratés dans un bol, couvrez-les d'eau bouillante et laissez-les gonfler.

2 Pendant ce temps, faites chauffer le beurre et l'huile d'olive à feu moyen dans une grande poêle. Épluchez et écrasez l'ail. Pelez et émincez les échalotes, puis faites-les revenir dans la poêle à feu moyen pendant que vous vous occupez des champignons frais.

3 Nettoyez les champignons frais et retirez les pieds trop durs. Coupez les champignons café en deux, émincez les shiitakes et coupez les pleurotes en lanières.

4 Faites revenir les champignons dans la poêle à feu vif avec l'ail et les échalotes. Laissez cuire 5 minutes.

5 Pendant ce temps, posez une passoire tapissée de papier absorbant sur un bol pour égoutter les morilles ou les cèpes. Réservez

l'eau de ces champignons. Rincez ceux-ci et hachez-les.

6 Retirez les champignons cuits de la poêle avec une écumoire et mettez-les dans un bol.

7 Versez les morilles ou les cèpes égouttés avec leur eau de trempage dans la poêle. Faites bouillir à feu vif pour obtenir un mélange sirupeux.

8 Incorporez le madère, puis ajoutez tous les champignons. Assaisonnez, parsemez de persil et réchauffez. Servez dans un plat chaud.

VALEUR NUTRITIONNELLE PAR PERSONNE
Calories : 126. Glucides : 4 g (sucres : 3 g).
Protéines : 5 g. Lipides : 9 g (acides gras saturés : 4 g). Riches en vitamines B, E et en folates et sélénium.

POLENTA AU FROMAGE FUMÉ

Dans cette version colorée et bien garnie de la polenta italienne, la farine de maïs crémeuse et épaisse est enrichie d'un mélange de saveurs à base de fromage fort, d'olives, d'herbes aromatiques et de poivre en grain.

2 tasses de farine de maïs (polenta)

1 petit bouquet de sauge, origan, basilic ou persil

200 g (½ lb) de fromage vieux fumé, comme de la fontina fumée ou du vieux cheddar

1 c. à thé de poivre en grains (concassé)

8 à 10 olives noires dénoyautées

1 Faites bouillir 4 tasses d'eau dans une casserole moyenne. Puis versez la farine de maïs en pluie sur l'eau. Remuez, pour bien mélanger. Laissez cuire ensuite pendant 25 minutes.

2 Pendant ce temps, lavez et essuyez les fines herbes que vous avez choisies, prélevez les feuilles des tiges et hachez-les finement. Râpez le fromage ou bien coupez-le en petits morceaux. Hachez finement les olives noires.

3 Lorsque la polenta commence à épaissir, incorporez les herbes, le fromage fumé, le poivre concassé et les olives. Battez vigoureusement pour bien mélanger le fromage, jusqu'à ce que la pâte reste sur la cuillère et se décolle des bords de la casserole.

4 Servez sans attendre ou bien laissez reposer 5 à 10 minutes pour que la polenta durcisse un peu. Elle ne refroidira pas.

SUGGESTION D'ACCOMPAGNEMENT
Pendant que la polenta repose, faites cuire quelques légumes verts à la vapeur, des haricots, des pois mange-tout ou du fenouil, par exemple, ou bien faites réchauffer de la ratatouille pour accompagner.

VALEUR NUTRITIONNELLE PAR PERSONNE
Calories : 238. Glucides : 46 g (sucres : 10 g). Protéines : 9 g. Lipides : 2 g (acides gras saturés : 1 g). Riches en vitamine E.

VITE FAIT, BIEN FAIT !

Pour une présentation plus sophistiquée, vous pouvez, lorsque la polenta a durci, la mouler en quenelles avec deux cuillères à soupe en métal.

TROIS GRANDS CLASSIQUES

CÉLERI À LA POMME

C'est en plein hiver que l'on trouve le meilleur céleri, grande époque aussi pour de nombreuses variétés de pommes. En associant ces produits avec du vin, des herbes et des câpres, vous obtiendrez un mets délicieux.

TEMPS : 30 MINUTES – 4 PERSONNES

1 tête de céleri
3 pommes rouges
2 à 3 c. à soupe d'huile d'olive
12 feuilles de sauge fraîche
1 grosse gousse d'ail
1 feuille de laurier
100 à 150 ml (environ ½ tasse) de vin blanc sec
2 c. à soupe de câpres
Sel et poivre noir

1 Retirez la base du céleri, lavez et coupez les tiges transversalement.
2 Lavez et retirez le trognon des pommes mais ne les pelez pas. Coupez-les grossièrement.
3 Versez généreusement de l'huile d'olive dans une poêle et faites-la chauffer jusqu'à ce qu'elle fume. Lavez les feuilles de sauge, puis coupez-les dans la poêle. Épluchez l'ail et écrasez-le dans la poêle. Laissez la sauge et l'ail grésiller quelques secondes, puis ajoutez rapidement le céleri, les pommes et la feuille de laurier, et mélangez.
4 Une minute après, recouvrez de vin blanc, puis laissez cuire à feu vif en remuant de temps en temps jusqu'à ce que le céleri soit tendre mais encore croquant. Si les légumes deviennent trop secs avant la fin de la cuisson, rajoutez un peu de vin.
5 Une fois le céleri cuit, incorporez les câpres et faites chauffer. Salez et poivrez, retirez la feuille de laurier du plat et servez.

VALEUR NUTRITIONNELLE PAR PERSONNE Calories : 141. Glucides : 13 g (sucres : 12 g). Protéines : 1 g. Lipides : 7 g (acides gras saturés : 1 g). Riches en vitamines B et E.

TOMATES À LA PROVENÇALE

Voici une façon très simple et délicieuse d'accommoder les tomates. Rehaussées à l'ail, elles accompagnent à merveille les viandes rouges rôties ou grillées.

TEMPS : 30 MINUTES – 4 PERSONNES

4 grosses tomates
Sel
1 oignon
150 g (5 oz) de mie de pain rassie
3 c. à soupe d'huile d'olive
1 bouquet de persil plat
2 gousses d'ail
Poivre noir
25 g (1½ c. à soupe) de beurre

1 Préchauffez le four à 230 °C (450 °F). Coupez les tomates en deux par le milieu. Retirez les graines. Salez-les et laissez-les dégorger.
2 Pelez l'oignon et hachez-le. Faites-le blondir dans une petite poêle avec une cuillerée à soupe d'huile. Passez la mie de pain au robot. Rincez le persil et hachez les feuilles. Pelez l'ail et pressez-le au-dessus de la mie de pain. Ajoutez le persil et mélangez le tout à l'oignon.
3 Faites chauffer 2 cuillerées à soupe d'huile dans une poêle. Secouez les tomates, puis posez-les dans l'huile chaude, côté peau contre la poêle. Faites-les frire 1 minute, puis retournez-les et laissez-les encore 1 minute à feu vif.
4 Déposez les tomates dans un plat à four. Poivrez. Répartissez la préparation dessus. Parsemez de noisettes de beurre et faites cuire 10 minutes au four.

VALEUR NUTRITIONNELLE PAR PERSONNE Calories : 276. Glucides : 33 g (sucres : 8 g). Protéines : 6 g. Lipides : 14 g (acides gras saturés : 6 g). Riche en vitamines A, B, C, E et en folates.

OIGNONS GLACÉS

Des petits oignons brillants, pris dans un glaçage doré parfumé à la sauce soja, à la moutarde et au thym, font un accompagnement croquant du plus bel effet pour des viandes grillées ou rôties.

TEMPS : 30 MINUTES – 4/6 PERSONNES

500 g (1 lb) de petits oignons grelots
½ à 1 c. à thé de thym séché
25 g (1½ c. à soupe) de beurre
1 c. à soupe de miel
2 c. à thé de moutarde de Dijon
1 c. à thé de sauce soja

1 Faites bouillir de l'eau. Mettez les oignons dans une casserole, recouvrez avec l'eau bouillante et laissez-les cuire 5 minutes à feu moyen. Refroidissez-les ensuite dans une passoire sous l'eau froide. Lorsqu'ils sont assez froids pour être manipulés, égouttez-les et pelez-les.
2 Écrasez finement le thym dans un mortier à l'aide d'un pilon.
3 Faites fondre le beurre dans une poêle à feu moyen. Ajoutez le thym, le miel, la moutarde et la sauce soja, puis mélangez bien pour obtenir une émulsion.
4 Déposez les oignons dans la poêle et laissez-les cuire doucement 10 à 15 minutes, en remuant et en les arrosant avec la sauce, jusqu'à ce que le glaçage épaississe et que les oignons soient tendres et dorés. Surveillez constamment pour ne pas laisser brûler le glaçage.

VALEUR NUTRITIONNELLE PAR PERSONNE (EN COMPTANT 4 PERSONNES) Calories : 110. Glucides : 14 g (sucres : 11 g). Protéines : 2 g. Lipides : 6 g (acides gras saturés : 3 g). Riche en vitamines B et E.

SIMPLES ET PRATIQUES :
CÉLERI À LA POMME *(en haut)* ;
OIGNONS GLACÉS *(au centre)* ;
TOMATES À LA PROVENÇALE *(en bas)*.

POIRES MERINGUÉES

DESSERTS ET GOÛTERS

*Tartes aux fruits, entremets, biscuits et gâteaux
faits maison terminent un bon repas en beauté
et transforment le thé ou le goûter en une véritable fête.*

FRUITS POCHÉS AU CHOCOLAT BLANC

Des pêches et des figues pochées au cognac et au jus de pomme sont nappées d'une sauce
au chocolat blanc enrichie de crème épaisse et de zeste d'orange pour en aciduler la saveur.

TEMPS : 20 MINUTES – 4 PERSONNES

85 g (3 oz) de chocolat blanc
250 ml (1 tasse) de jus de pomme
1 c. à thé de sucre granulé
2 c. à soupe de cognac
8 petites figues, ou 4 grosses
2 grosses pêches ou nectarines
150 ml (⅔ tasse) de crème épaisse
1 orange

1 Cassez le chocolat en morceaux dans un bol. Versez de l'eau chaude dans une petite casserole et posez le bol dessus en vous assurant que le fond ne touche pas l'eau. Faites chauffer à petit feu, sans laisser bouillir l'eau, en mélangeant de temps en temps le chocolat qui fond.

2 Pendant ce temps, versez le jus de pomme dans une sauteuse. Ajoutez le sucre granulé et le cognac, portez à ébullition, puis baissez le feu.

3 Lavez les figues et coupez-les en quatre dans la hauteur si elles sont grosses, et en deux si elles sont petites. Partagez les pêches (ou les nectarines) en deux, retirez le noyau, puis coupez chaque moitié en quatre tranches. Plongez les fruits dans le jus de pomme, couvrez et laissez pocher 4 minutes. Si la peau des pêches se décolle, retirez-la.

4 Pendant la cuisson des fruits, incorporez progressivement la crème épaisse au chocolat fondu avec un fouet à main, puis battez le mélange pour le rendre bien lisse. Éteignez le feu.

5 Disposez les fruits dans un plat à l'aide d'une écumoire. Laissez réduire le jus 5 minutes, jusqu'à ce qu'il se transforme en un sirop épais.

6 Pendant que le sirop réduit, brossez l'orange sous l'eau tiède et râpez la moitié du zeste sur la sauce au chocolat, puis ajoutez 2 cuillerées à soupe du sirop. Mélangez bien et servez-la avec les fruits.

VALEUR NUTRITIONNELLE PAR PERSONNE
Calories : 369. Glucides : 36 g (sucres : 36 g). Protéines : 5 g. Lipides : 22 g (acides gras saturés : 14 g). Riche en vitamines B, C et E.

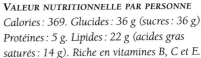

VITE FAIT, BIEN FAIT !

Vous pouvez faire fondre le chocolat au four à micro-ondes. Mettez les morceaux dans un bol, chauffez à faible puissance pendant 30 secondes, puis mélangez. Si nécessaire, remettez au micro-ondes par à-coups de 10 secondes.

GAUFRES AUX FRUITS ET AU CARAMEL

*Des oranges et une banane marinées dans du jus d'orange garnissent délicieusement
des gaufres, servies avec une sauce au caramel chaude adoucie de crème épaisse.*

2 grosses oranges
1 grande banane
50 g (3 c. à soupe) de beurre doux
50 g (⅓ tasse) de cassonade
4 c. à soupe de crème épaisse
4 gaufres toutes prêtes (8 si elles sont fines)
Pour servir : **4 c. à soupe de yogourt nature (facultatif)**

1 Épluchez les oranges à vif avec un couteau pointu en travaillant au-dessus d'un bol pour recueillir le jus, détachez les membranes et laissez tomber les quartiers dans le bol. Pressez ce qui reste pour récupérer tout le jus.

2 Épluchez la banane, coupez-la en rondelles au-dessus des oranges et mélangez délicatement. Préchauffez le gril du four.

3 Faites fondre le beurre dans une petite casserole à feu moyen. Ajoutez la cassonade et tournez pendant 2 minutes, le temps de la dissoudre. Incorporez la crème, puis laissez frémir 3 minutes, environ, en remuant souvent, jusqu'à obtention d'une couleur caramel. Retirez du feu et gardez au chaud.

4 Faites griller les gaufres selon les indications du fabricant, puis disposez-les sur un plat. Répartissez la salade d'oranges et de banane. Nappez de sauce au caramel. Ajoutez une cuillerée de yogourt, si vous le souhaitez, et servez.

VALEUR NUTRITIONNELLE PAR PERSONNE
Calories : 534. Glucides : 50 g (sucres : 26 g). Protéines : 7 g. Lipides : 36 g (acides gras saturés : 16 g). Riche en vitamines A, B, C, E et en calcium.

CONSEILS ET IDÉES PRATIQUES

Si vous faites griller les gaufres pendant que vous vous occupez du caramel, surveillez-les bien car elles brûlent facilement.

BRIOCHES AUX POMMES CUITES

Dans cette préparation toute simple, des pommes rehaussées d'une sauce à l'orange garnissent des brioches grillées. Idéal pour un dessert, un goûter et, pourquoi pas, un brunch.

TEMPS : 30 MINUTES – 4 PERSONNES

4 pommes à dessert
15 g (1 c. à soupe) de beurre
1 grosse orange
½ c. à thé de cannelle en poudre
2 c. à soupe de cassonade
4 petites brioches **ou 8 tranches de brioche**
150 ml (⅔ tasse) de crème **à fouetter ou de yogourt nature**

1 Préchauffez le four à 220 °C (425 °F), et mettez un plat à gratin à chauffer pour la cuisson des pommes.

2 Évidez les pommes, coupez-les en deux dans la hauteur et fendez la peau à plusieurs endroits avec un couteau pointu.

3 Disposez les pommes, face coupée vers le bas, dans le plat chaud et parsemez de beurre.

4 Brossez soigneusement l'orange sous l'eau tiède, râpez finement le zeste, puis pressez le fruit dans un bol. Mélangez la cannelle et une cuillerée à soupe de cassonade avec le zeste et le jus. Versez ce mélange sur les pommes.

5 Couvrez d'aluminium ménager et faites cuire au four 10 à 15 minutes.

6 Pendant ce temps, retirez le chapeau des brioches et la croûte du dessous. Coupez le reste en deux disques. Fouettez la crème.

7 Faites griller les tranches de brioche 1 minute de chaque côté pour qu'elles soient dorées. Mettez la moitié d'une pomme sur chaque tranche et disposez sur une assiette.

BEIGNETS DE POMME

Servies fumantes, ces rondelles de pomme croustillantes enrobées d'une pâte à frire légère empliront la maison d'un arôme irrésistible.

8 Répartissez le jus de cuisson sur les pommes, saupoudrez avec le reste de la cassonade et servez chaud avec la crème fouettée ou du yogourt nature.

VALEUR NUTRITIONNELLE PAR PERSONNE
Calories : 430. Glucides : 52 g (sucres : 28 g). Protéines : 6 g. Lipides : 23 g (acides gras saturés : 11 g). Riche en vitamines A, B, C et E.

TEMPS : 15 MINUTES – 2 PERSONNES

Huile de maïs pour friture
1 petit œuf
Sel
6 c. à soupe d'eau minérale gazéifiée
4 c. à soupe de farine
2 c. à soupe de sucre granulé
1 c. à thé de cannelle en poudre
2 pommes à dessert bien croquantes

1 Faites chauffer l'huile à feu vif. Cassez l'œuf dans un bol, ajoutez une pincée de sel et battez jusqu'à ce qu'il soit mousseux. En continuant à battre, incorporez l'eau gazéifiée, puis la farine (la pâte n'a pas besoin d'être très lisse).

2 Mélangez sucre et cannelle. Évidez les pommes, pelez-les, coupez des anneaux de 5 mm (¼ po).

3 Trempez chaque rondelle de pomme dans la pâte à frire à l'aide d'une fourchette. Versez quelques gouttes de pâte dans l'huile : elle doit grésiller immédiatement. Plongez alors les beignets dans l'huile en 2 ou 3 fournées, 1 à 2 minutes, jusqu'à ce qu'ils soient légers et dorés. Retournez-les à mi-cuisson avec une écumoire.

4 Égouttez-les sur du papier absorbant et servez-les très chauds, saupoudrés de sucre à la cannelle.

VALEUR NUTRITIONNELLE PAR PERSONNE
Calories : 413. Glucides : 45 g (sucres : 29 g). Protéines : 5 g. Lipides : 25 g (acides gras saturés : 4 g). Riche en vitamines B et E.

SOUFFLÉS AU CHOCOLAT

Contrairement à ce que l'on imagine, les soufflés au chocolat sont très faciles à faire. Vous pouvez commencer à les préparer avant le repas et les terminer après avoir consommé le plat principal.

TEMPS : 30 MINUTES – 4/6 PERSONNES

15 g (1 c. à soupe) de beurre doux, ramolli
6 c. à soupe de sucre granulé
250 ml (1 tasse) de lait
100 g (3½ oz) de chocolat noir
5 œufs moyens
3 c. à soupe de fécule de maïs
2 c. à soupe de crème épaisse
3 c. à soupe de rhum
1 c. à soupe de sucre glace

1 Beurrez soigneusement l'intérieur et le bord de 4 ou 6 ramequins individuels (selon leur contenance), puis saupoudrez-les avec 2 cuillerées à soupe de sucre.

2 Versez le lait dans une petite casserole et faites chauffer à feu moyen. Cassez le chocolat et ajoutez-le au lait. Dès que le lait parvient à ébullition, retirez du feu, couvrez et laissez reposer 2 à 3 minutes, le temps que le chocolat fonde.

3 Cassez les œufs en séparant le jaune du blanc. Réservez les blancs dans un bol, et 3 jaunes dans une tasse (les 2 autres ne servent pas).

4 Mettez la fécule de maïs dans une grande casserole, à feu doux, avec 3 cuillerées à soupe de sucre, puis versez progressivement le lait chocolaté en battant avec un fouet pour obtenir une consistance lisse et épaisse. Augmentez le feu et portez à ébullition, sans cesser de battre, jusqu'à ce que la sauce épaississe.

5 Retirez du feu, puis incorporez la crème épaisse, le rhum et les 3 jaunes d'œufs avec le fouet. Raclez bien les bords de la casserole avec une spatule, puis couvrez pour empêcher la formation d'une peau.

6 Avant le début du repas, préchauffez le four à 230 °C (450 °F) et versez de l'eau chaude dans la lèchefrite.

7 Lorsque vous avez terminé le plat principal, battez les blancs d'œufs en neige. Ajoutez le reste du sucre granulé et battez encore pour que les blancs soient fermes et brillants.

8 Incorporez d'abord délicatement un tiers des blancs en neige à la préparation au chocolat, puis ajoutez le reste. Répartissez le mélange dans les ramequins et placez-les dans la lèchefrite.

9 Laissez cuire 8 à 10 minutes, jusqu'à ce que les soufflés soient gonflés et légèrement crémeux au centre. Saupoudrez de sucre glace et servez immédiatement.

VARIANTE
Vous pouvez remplacer le rhum par du zeste d'orange finement râpé, incorporé à la sauce.

VALEUR NUTRITIONNELLE PAR PERSONNE (EN COMPTANT 4 PERSONNES) Calories : 475. Glucides : 53 g (sucres : 46 g). Protéines : 9 g. Lipides : 24 g (acides gras saturés : 13 g). Riche en vitamines A, B et E.

CONSEILS ET IDÉES PRATIQUES

Pour réussir vos soufflés, le four doit être très chaud et vous devez battre les blancs d'œufs en neige dans un grand bol sec avec un batteur également sec.

SOUFFLÉS AUX FRAMBOISES

Les framboises donnent une très jolie coloration d'un rose délicat et une saveur raffinée. Consommés dès leur sortie du four, ces soufflés, d'une délicieuse et légère consistance, fondent dans la bouche.

TEMPS : 25 MINUTES – 4 PERSONNES

10 g (2 c. à thé) de beurre doux, ramolli

125 g (²/₃ tasse) de sucre, vanillé ou non

250 g (9 oz) de framboises fraîches

1 c. à soupe de kirsch (facultatif)

Les blancs de 4 gros œufs

1 c. à soupe de sucre glace

Pour servir : crème épaisse

1 Avant de passer à table, préchauffez le four à 190 °C (375 °F). Beurrez l'intérieur de 4 ramequins individuels, saupoudrez-les uniformément d'un peu de sucre, en éliminant le surplus, puis posez-les sur une plaque à pâtisserie.

2 Écrasez les framboises dans une passoire fine avec le dos d'une cuillère. Incorporez le kirsch si vous en utilisez.

3 Lorsque vous avez terminé de manger le plat principal, battez les blancs en neige avec un batteur électrique jusqu'à ce qu'ils soient fermes mais pas complètement secs, puis incorporez progressivement le reste de sucre granulé. Continuez à battre jusqu'à ce qu'ils deviennent brillants.

4 Incorporez délicatement la purée de framboises aux blancs en neige, puis répartissez le mélange dans les ramequins en terminant chacun par une volute. Faites-les cuire 12 à 14 minutes au centre du four ou jusqu'à ce qu'ils aient levé et doré.

5 Retirez les soufflés aux framboises du four, saupoudrez de sucre glace et servez avec de la crème épaisse.

VALEUR NUTRITIONNELLE PAR PERSONNE
Calories : 401. Glucides : 38 g (sucres : 38 g). Protéines : 5 g. Lipides : 26 g (acides gras saturés : 16 g). Riche en vitamines A, B, C et E.

TROIS DESSERTS ÉCLAIR AU YOGOURT

CRÈME BRÛLÉE À LA MANGUE

La mangue parfumée au rhum et à la cannelle est enfouie sous un nappage de sucre caramélisé.

TEMPS : **20** MINUTES – **4** PERSONNES

| 2 grosses mangues |
| 2 c. à soupe de rhum |
| ½ c. à thé de cannelle en poudre |
| 350 g (1¼ tasse) de yogourt nature |
| 80 g (½ tasse) de cassonade |

1 Préchauffez le gril du four à température maximale.
2 Épluchez les mangues. Coupez en deux parties de part et d'autre du noyau, retirez la chair, puis coupez-la en petits dés. Remplissez à moitié 4 ramequins de mangue.
3 Arrosez les fruits de rhum et saupoudrez de cannelle. Versez le yogourt et lissez-le, puis saupoudrez uniformément de cassonade.
4 Placez les ramequins sous le gril à environ 10 cm (4 po) du feu, et laissez fondre ou brunir la cassonade 4 à 5 minutes. Servez chaud ou froid.

VARIANTE
Vous pouvez remplacer les mangues par des pêches, des bananes, des framboises ou des fraises.

VALEUR NUTRITIONNELLE PAR PERSONNE
Calories : 315. Glucides : 52 g (sucres : 52 g). Protéines : 7 g. Lipides : 8 g (acides gras saturés : 5 g). Riche en vitamines A, B, C et E.

FRAMBOISES AUX CÉRÉALES

Cet heureux mélange de muesli croustillant et de framboises allie la consistance et la fraîcheur.

TEMPS : **10** MINUTES – **4** PERSONNES

| 350 g (1½ tasse) de framboises |
| 2 c. à soupe de sucre granulé |
| 500 g (1⅔ tasse) de yogourt au lait entier ou biologique |
| 150 g (5 oz) de muesli ou de céréales croustillantes au miel, aux raisins secs et aux amandes |
| 1 c. à soupe de miel liquide |

Pour décorer : un peu de miel ou quelques flocons de céréales ou de muesli

1 Mettez les framboises et le sucre dans un bol.
2 Mélangez le yogourt avec le muesli dans un autre récipient. Incorporez le miel et mélangez.
3 Répartissez deux tiers du mélange dans 4 coupes. Recouvrez de framboises, ajoutez le reste du muesli au yogourt. Décorez avec quelques gouttes de miel ou des flocons de muesli.
4 Servi immédiatement, ce dessert a une consistance croustillante, mais si vous le préférez crémeux, laissez-le au réfrigérateur 3 ou 4 heures.

VALEUR NUTRITIONNELLE PAR PERSONNE
Calories : 318. Glucides : 52 g (sucres : 37 g). Protéines : 14 g. Lipides : 7 g (acides gras saturés : 3 g). Riche en vitamines B, C et E.

NUAGES VANILLÉS AUX FRAISES

Mélangez des fraises, du yogourt et de la meringue, et vous obtiendrez un délice léger comme un nuage.

TEMPS : **20** MINUTES – **4** PERSONNES

| 250 g (9 oz) de fraises |
| 70 g (⅓ tasse) de sucre granulé |
| 2 gros blancs d'œufs |
| 250 g (¾ tasse) de yogourt nature très froid |
| ½ c. à thé d'extrait naturel de vanille |

1 Lavez, égouttez et équeutez les fraises. Gardez-en 4, entières, pour la décoration et mettez les autres dans un bol, avec une cuillerée à soupe de sucre, puis écrasez-les avec une fourchette.
2 Battez les blancs d'œufs en neige dans un grand bol jusqu'à ce qu'ils forment des pointes, puis incorporez progressivement le reste du sucre, en battant pour obtenir une meringue bien ferme.
3 Incorporez délicatement le yogourt et l'extrait de vanille à la meringue, avec une cuillère à soupe.
4 Incorporez la purée de fraises et son jus au mélange de yogourt et meringue. Ne mélangez pas trop fermement, sinon vous perdriez la consistance légère du dessert.
5 Répartissez la meringue dans 4 soucoupes et décorez avec les fraises entières. Vous pouvez servir immédiatement ou laisser 2 à 3 heures au réfrigérateur.

VARIANTE
Décorez chaque nuage de fraise avec quelques miettes de noix grillées.

VALEUR NUTRITIONNELLE PAR PERSONNE
Calories : 165. Glucides : 23 g (sucres : 23 g). Protéines : 6 g. Lipides : 6 g (acides gras saturés : 3 g). Riche en vitamines B, C et E.

DÉLICES AU YOGOURT : FRAMBOISES AUX CÉRÉALES *(en haut)* ; NUAGES VANILLÉS AUX FRAISES *(au centre)* ; CRÈME BRÛLÉE À LA MANGUE *(en bas)*.

VITE FAIT, BIEN FAIT !

Pour éplucher une mangue, divisez-la en quatre parties, en traçant des entailles au couteau dans le sens de la longueur, sans abîmer la chair. Piquez une fourchette dans la base du fruit pour le tenir, soulevez le coin de chaque partie entre la pointe d'un couteau et votre pouce et retirez la peau.

POIRES MERINGUÉES

Des poires pochées, couronnées de meringue vanillée,
sont servies dans une éclatante sauce au vin rouge.

TEMPS : 30 MINUTES – 4 PERSONNES

Beurre, pour le plat	¼ c. à thé de cannelle en poudre ou ½ bâton de cannelle
1 citron	2 gros blancs d'œufs
400 ml (1⅔ tasse) de vin rouge	¼ c. à thé d'essence de vanille
250 g (1¼ tasse) de sucre granulé	25 g (2 c. à soupe combles) d'amandes effilées
4 grosses poires mûres mais fermes	2 c. à soupe de sucre glace

1 Préchauffez le four à 220 °C (425 °F).

2 Pressez le citron au-dessus d'une sauteuse ou d'une grande poêle munie d'un couvercle. Ajoutez le vin, 6 cuillerées à soupe de sucre granulé et la cannelle. Portez à ébullition, puis baissez le feu pour que le mélange frémisse.

3 Épluchez les poires, retirez le trognon et coupez-les en deux. Plongez-les dans le sirop de vin frémissant, couvrez et laissez cuire 10 minutes, jusqu'à ce qu'elles soient juste tendres, en les arrosant souvent.

4 Pendant ce temps, préparez la meringue. Mettez les blancs d'œufs dans un bol et battez-les avec un batteur électrique jusqu'à ce qu'ils soient fermes, mais pas secs. Incorporez le reste du sucre granulé, par cuillerée, en battant soigneusement chaque fois. Ajoutez ensuite la vanille et battez à nouveau pour que la meringue soit ferme et brillante.

5 Beurrez légèrement un plat à gratin. Retirez les poires avec une écumoire et égouttez-les, puis disposez-les côte à côte dans le plat beurré, face coupée vers le haut. Répartissez la meringue sur les demi-poires et saupoudrez de sucre glace. Faites cuire 5 minutes au milieu du four, le temps que la meringue dore et que les amandes brunissent.

6 Pendant ce temps, faites réduire le vin en un sirop épais. Retirez le bâton de cannelle et versez le sirop dans une saucière.

7 Retirez délicatement le plat du four pour que les poires ne glissent pas, et servez avec le sirop de vin.

VARIANTE
Vous pouvez remplacer les poires par d'autres fruits : des pommes ou des tranches d'ananas frais, par exemple, et le vin par de l'eau, si vous préférez un dessert non alcoolisé.

VALEUR NUTRITIONNELLE PAR PERSONNE
Calories : 451. Glucides : 90 g (sucres : 89 g). Protéines : 4 g. Lipides : 4 g (acides gras saturés : 0,3 g). Riche en vitamines B et E.

CLAFOUTIS AUX ABRICOTS

*Des abricots en conserve nichés dans une pâte originale à base de jus de fruits
et de crème, nappés de beurre et de sucre, constituent un dessert nourrissant.*

TEMPS : 30 MINUTES – 4/6 PERSONNES

**2 boîtes (397 ml / 14 oz)
de moitiés d'abricots**

Pour servir : **crème épaisse**

Pour la pâte :
150 ml (⅔ tasse) de crème légère
Quelques gouttes de jus de citron
100 g (¾ tasse) de farine
2 gros œufs
75 g (½ tasse) de cassonade blonde
Quelques gouttes d'essence de vanille

Pour le nappage :
15 g (1 c. à soupe) de beurre, ramolli
2 c. à soupe de cassonade blonde

1 Préchauffez le four à 200 °C
(400 °F) et beurrez un moule de 25 à
30 cm (10-12 po) de diamètre.

2 Égouttez les abricots, en réservant
100 ml (⅓ à ½ tasse) du jus, et
disposez-les dans le fond du moule.
3 Pour la pâte, mélangez la crème
et les quelques gouttes de jus de
citron avec le jus d'abricot réservé.
Versez la farine dans un bol et
creusez un puits au milieu. Ajoutez
les œufs, le sucre et l'essence de
vanille, mélangez rapidement avec la
farine pour obtenir une pâte lisse,
puis incorporez progressivement le
mélange jus de citron, jus d'abricot
et crème.
4 Versez la pâte sur les fruits et
faites cuire le clafoutis dans le four
20 minutes.
5 Pendant ce temps, mélangez
le beurre et la cassonade à la fourchette dans un petit bol pour faire
le nappage.

6 Après 15 minutes de cuisson,
sortez le clafoutis du four et
recouvrez-le avec la préparation au
beurre et au sucre. Remettez-le au
four 5 minutes pour le faire dorer et
légèrement gonfler.
7 Servez ce dessert chaud avec de
la crème liquide ou épaisse.

VARIANTE
Vous pouvez saupoudrer le clafoutis
de sucre glace juste avant de servir,
à la place du beurre sucré. Vous
pouvez également l'arroser de
cognac, un alcool qui se marie bien
avec l'abricot.

VALEUR NUTRITIONNELLE PAR PERSONNE
(EN COMPTANT 4 PERSONNES) *Calories : 555.
Glucides : 65 g (sucres : 46 g). Protéines : 10 g.
Lipides : 31 g (acides gras saturés : 18 g). Riche
en vitamines A, B, C et E.*

POIRES CUITES AUX AMANDES

Ce succulent dessert aux poires, cuit dans un sirop de fruit riche, est surmonté de miettes de biscuits aux amandes ou d'amandes grillées qui lui donnent une consistance croustillante.

TEMPS : 30 MINUTES – 4 PERSONNES

---

50 g (3 c. à soupe) de beurre, ramolli

---

1 c. à soupe de sucre granulé

---

4 poires mûres mais fermes

---

4 c. à soupe de vin blanc
ou de jus d'orange

---

80 g (3 c. à soupe) de confiture
d'abricots ou 2 c. à soupe de miel

---

6 biscuits amaretti (aux amandes)
ou 70 g (6 c. à soupe)
d'amandes grillées

Pour servir : crème
ou yogourt

1 Préchauffez le four à 200 °C (400 °F). Beurrez un plat à four rond et peu profond avec la moitié du beurre et saupoudrez de sucre.

2 Épluchez les poires, coupez-les en deux, puis en tranches de 1 cm (½ po). Disposez ces morceaux dans le fond du plat en une seule couche en les faisant chevaucher.

3 Mélangez le vin ou le jus d'orange avec la confiture d'abricots ou le miel, puis versez cette préparation sur les poires.

4 Émiettez les biscuits avec un rouleau à pâtisserie ou pilez les amandes, puis répartissez-les sur les poires. Éparpillez le reste de beurre par-dessus.

5 Faites cuire 15 à 20 minutes au four. Les poires doivent être tendres et les biscuits ou les amandes dorés. Servez avec de la crème ou du yogourt.

VARIANTE
Pour aller plus vite, utilisez 8 demi-poires en conserve, tranchées ou entières, et remplacez le vin blanc par 2 cuillerées à soupe du sirop des poires mélangées à 2 cuillerées à soupe de jus d'orange.

VALEUR NUTRITIONNELLE PAR PERSONNE
Calories : 490. Glucides : 42 g (sucres : 36 g). Protéines : 2 g. Lipides : 35 g (acides gras saturés : 22 g). Riche en vitamines A, B_6 et E.

PÊCHES PIQUANTES AU MASCARPONE

*Le piquant d'un piment rouge entier fait ressortir la douceur délicate des pêches
dans ce dessert surprenant, tandis que le mascarpone doux le rafraîchit agréablement.*

TEMPS : 25 MINUTES – 4 PERSONNES

125 g (⅔ tasse) de sucre granulé
2 anis étoilés
1 cm (½ po) de cannelle en bâton
1 petit piment rouge frais
2 fines lamelles de gingembre
1 citron
1 kg (2 lb) de pêches fermes
175 g (6 oz) de mascarpone

1 Faites bouillir 150 ml (⅔ tasse) d'eau dans une grande casserole. Réservez 1 cuillerée à soupe du sucre. Versez le reste dans l'eau bouillante avec l'anis étoilé, la cannelle, le piment rouge et le gingembre. Chauffez à feu moyen en tournant, jusqu'à ce que le sucre soit fondu, puis portez à ébullition.

2 Brossez le citron sous l'eau tiède, prélevez 3 fines bandes de peau, ajoutez-les au sirop de sucre, puis baissez le feu et laissez mijoter.

3 Coupez les pêches en deux et retirez les noyaux, puis mettez-les dans un saladier et couvrez d'eau bouillante. Laissez 1 à 2 minutes, puis égouttez et retirez la peau. Coupez chaque demi-pêche en 4 à 6 lamelles et ajoutez-les au sirop.

4 Faites reprendre l'ébullition, réduisez le feu et laissez frémir pendant 5 minutes.

5 Pendant ce temps, mélangez le reste du sucre au mascarpone. Pressez le citron.

6 Retirez les pêches du feu et ajoutez le jus du citron. Répartissez les fruits dans des assiettes et servez, chaud ou froid, avec un peu de sirop et du mascarpone.

VARIANTE
Servi chaud, ce dessert accompagne agréablement les crêpes, les gaufres ou de la crème glacée.

VALEUR NUTRITIONNELLE PAR PERSONNE
Calories : 403. Glucides : 54 g (sucres : 54 g). Protéines : 4 g. Lipides : 21 g (acides gras saturés : 13 g). Riche en vitamines B et C.

Desserts glacés minute

Si vous avez de la place dans votre congélateur, gardez-y des crèmes glacées : il suffit d'y ajouter une garniture (voir p. 22) ou de réaliser une des préparations suivantes pour obtenir un dessert somptueux.

Recettes pour 4 personnes

SAUCE AU MARS
Voici une sauce très simple, réalisée en quelques minutes.

Mettez une barre de chocolat Mars coupée en morceaux dans un bol avec 150 ml (⅔ tasse) de lait. Posez le bol sur une casserole d'eau bouillante et mélangez pour faire fondre le Mars. Versez sans attendre sur de la crème glacée à la vanille ou au chocolat. Remplacez le lait par de la crème épaisse si vous voulez une sauce plus dense.

SAUCE À LA GUIMAUVE
Cette sauce délicieuse est servie avec de la crème glacée au chocolat.

Mettez 115 g (4 oz) de guimauves et 2 cuillerées à soupe de crème légère dans un bol au-dessus d'un bain-marie. Mélangez jusqu'à ce que les guimauves soient fondues et versez sur la crème glacée.

SAUCE AU VIN ROUGE ET AU BEURRE
Cette sauce sophistiquée accompagne des sorbets exotiques ou aux agrumes.

Mettez 50 g (3 c. à soupe) de beurre doux, 50 g (¼ tasse) de sucre granulé et 4 cuillerées à soupe de vin rouge dans une casserole. Faites chauffer tout en mélangeant. Laissez refroidir un peu et servez.

SURPRISE AUX CERISES NOIRES
Égayez un brownie au chocolat avec de la crème glacée et une sauce chaude aux cerises.

Versez les cerises dénoyautées d'une boîte de 396 ml (14 oz) et la moitié de leur jus dans une petite casserole et faites chauffer doucement. Ajoutez une cuillerée à soupe de kirsch. Posez un brownie au chocolat dans chaque assiette avec 2 boules de crème glacée à la vanille. Versez les cerises chaudes dessus et ajoutez de la crème fouettée.

CRÈME AU CITRON
Cette garniture servie tiède est idéale pour une crème glacée à la vanille enrichie de fruits de la passion.

Laissez 500 ml (2 tasses) de crème glacée à la vanille mollir un peu, puis incorporez la pulpe de 1 ou 2 fruits de la passion et remettez-la au congélateur. Servez des boules de crème glacée avec du lemon curd (vendu en pots), légèrement chauffé et additionné de crème légère.

ROCHER GLACÉ
Un mélange savoureux réservé aux vrais gourmands.

Mélangez 20 g (1 c. à soupe) d'amandes grillées pilées, 20 g (1 c. à soupe) de raisins secs et 40 g (1½ oz) de petites guimauves dans de la crème glacée au chocolat amollie. Faites durcir 10 minutes au congélateur avant de servir avec de la crème fouettée, de la sauce au chocolat et quelques pépites de chocolat pour décorer.

COULIS DE FRAMBOISES
Le coulis de framboises s'harmonise avec de nombreux sorbets et glaces.

Réduisez 350 g (12 oz) de framboises en purée au mélangeur. Passez au tamis pour en retirer les graines, puis sucrez à volonté avec du sucre glace. Ajoutez quelques gouttes de citron.

TROIS DESSERTS FANTASTIQUES : ROCHER GLACÉ (*à gauche*) ; SORBET AU CITRON AVEC UNE SAUCE AU VIN ROUGE ET AU BEURRE (*au centre*) ; CRÈME GLACÉE À LA VANILLE AVEC SAUCE AU MARS (*à droite*).

BROCHETTES DE FRUITS GRILLÉS AU MIEL

*Dans ce dessert original, des fruits tropicaux et de saison marinés dans du miel et de l'huile de noix
sont présentés en brochettes, puis saupoudrés de noisettes grillées et accompagnés de crème épaisse sucrée.*

TEMPS : 30 MINUTES – 4 PERSONNES

1 poire williams bien ferme

1 petite banane pas trop mûre

2 tranches d'ananas

8 grosses fraises bien fermes

1 petite carambole

25 g (2 c. à soupe combles)
de noisettes pilées (facultatif)

Pour servir : 150 ml (⅔ tasse) de
crème épaisse, sucrée à votre goût

Pour la marinade :

1 lime

2 c. à soupe de miel liquide

2 c. à soupe d'huile de noix
ou de noisette

1 Préparez la marinade : brossez la lime sous l'eau tiède et râpez le zeste finement dans un grand plat. Ajoutez le jus de la lime, le miel et l'huile de noix. Mélangez.

2 Préparez les fruits et ajoutez-les à la marinade au fur et à mesure. Lavez, essuyez et coupez la poire en quatre, retirez le trognon et coupez chaque quart en deux. Épluchez la banane et coupez-la en quatre. Coupez les tranches d'ananas en deux. Lavez et équeutez les fraises. Lavez la carambole, retirez les deux extrémités, épluchez les pointes avec un couteau économe et coupez-la en quatre grosses étoiles.

3 Laissez mariner les fruits 10 minutes. Faites chauffer le gril à température moyenne.

4 Enfilez tous les fruits sur 4 brochettes en métal d'environ 25 cm (10 po), dans l'ordre suivant : ananas, fraise, poire, banane, fraise, poire. Finissez par une étoile de carambole glissée à l'horizontale.

5 Posez les brochettes sur les bords du plat à griller, puis arrosez-les de marinade. Faites griller 3 minutes, arrosez et laissez encore 2 minutes. Retournez les brochettes et recommencez l'opération jusqu'à ce que les fruits soient dorés et caramélisés par endroits.

6 Si vous utilisez des noisettes, faites-les griller pendant la cuisson des brochettes. Disposez les brochettes de fruits sur un plat, saupoudrez-les avec les noisettes pilées et servez-les accompagnées de crème sucrée.

VARIANTE

En été, vous pouvez faire griller ces brochettes dehors, sur un barbecue.

VALEUR NUTRITIONNELLE PAR PERSONNE
Calories : 330. Glucides : 30 g (sucres : 28 g). Protéines : 2 g. Lipides : 24 g (acides gras saturés : 12 g). Riche en vitamines B, C et E.

FIGUES GRILLÉES

De grosses figues fraîches, délicatement parfumées à l'eau de rose, sont servies dans leur jus, avec de la crème épaisse.

TEMPS : **20** MINUTES – **4** PERSONNES

15 g (1 c. à soupe) de beurre, ramolli

8 grosses figues fraîches

1 citron

Quelques gouttes d'eau de rose

6 c. à soupe de sucre granulé

6 c. à soupe de crème épaisse

1 Préchauffez le gril du four à la température maximale pendant 10 minutes. Beurrez un plat à four.
2 Lavez, puis séchez les figues, retirez les queues et coupez les fruits en deux.

3 Pressez le citron dans un petit bol, et ajoutez l'eau de rose. Trempez les figues dans ce jus, puis disposez-les dans le plat beurré, face coupée contre le fond. Saupoudrez généreusement de sucre.
4 Mettez le plat sous le gril 3 à 4 minutes. Retournez les figues, sucrez à nouveau, puis remettez au four 2 à 3 minutes. Servez les figues brûlantes, dans leur jus rosé, avec de la crème.

VALEUR NUTRITIONNELLE PAR PERSONNE
Calories : 311. Glucides : 36 g (sucres : 36 g). Protéines : 2 g. Lipides : 18 g (acides gras saturés : 12 g). Riche en vitamine B.

CROUSTILLANT AUX PRUNES ET CÉRÉALES

*Dans ce dessert servi chaud, des prunes pochées sont couvertes d'une garniture croustillante
au beurre et aux céréales, additionnée de noix et de quatre-épices.*

TEMPS : 30 MINUTES – 4 PERSONNES

1 kg (2 lb) de prunes fermes
115 g (½ tasse) de sucre granulé
60 g (4 c. à soupe) de beurre doux
1 c. à thé de quatre-épices
115 g (4 oz) de flocons d'avoine
60 g (⅓ tasse) de cassonade
60 g (6 c. à soupe combles) de noix pilées

Pour servir : **crème fouettée ou glacée**

1 Préchauffez le four à 230 °C (450 °F). Lavez, séchez et coupez les prunes en deux ou en quatre, puis dénoyautez-les.

2 Mettez les prunes dans une cocotte de 20 cm (8 po) de diamètre et 5 cm (2 po) de profondeur. Ajoutez 2 à 3 cuillerées à soupe d'eau et le sucre. Couvrez, faites pocher 8 à 10 minutes à feu moyen pour que les prunes soient tendres, en remuant de temps à autre.

3 Pendant ce temps, faites fondre le beurre dans une poêle, puis incorporez le quatre-épices, les flocons d'avoine, la cassonade et les noix pilées.

4 Répartissez le mélange aux flocons d'avoine sur les prunes. Mettez la cocotte au four et laissez cuire 12 à 15 minutes, jusqu'à ce que la garniture brunisse. Servez avec crème fouettée ou glacée.

VALEUR NUTRITIONNELLE PAR PERSONNE
Calories : 679. Glucides : 87 g (sucres : 66 g). Protéines : 9 g. Lipides : 35 g (acides gras saturés : 17 g). Riche en vitamines A, B et E.

CONSEILS ET IDÉES PRATIQUES

Si vous n'avez pas de cocotte qui va au four, faites pocher les prunes dans une casserole ordinaire et mettez-les ensuite dans un plat à four.

PAIN DORÉ AUX FRUITS

Des fruits rouges frais ou surgelés viennent égayer un grand classique de notre enfance.
Ce dessert typiquement familial complétera un menu un peu léger.

TEMPS : 30 MINUTES – 4 PERSONNES

350 ml (1⅓ tasse) de lait entier

300 g (10½ oz) de fruits rouges frais ou surgelés

50 g (3 c. à soupe) de beurre, ramolli

8 tranches de pain de blé entier ou de brioche rassis

3 c. à soupe de cassonade blonde

2 gros œufs

½ c. à thé d'essence de vanille

Noix muscade à râper

Pour décorer : **1 c. à thé de sucre glace**

Pour servir : **crème épaisse ou yogourt**

1 Préchauffez le four à 220 °C (425 °F). Faites chauffer le lait doucement dans une casserole, en veillant à ne pas le laisser bouillir. Si vous utilisez des fruits surgelés, étalez-les sur une assiette pour les décongeler.

2 Beurrez 4 plats individuels de 300 ml (1¼ tasse).

3 Retirez la croûte du pain, beurrez les tranches et découpez-les en triangles ou en carrés.

4 Disposez quelques tranches de pain au fond de chaque plat. Étalez une grosse cuillerée de fruits et saupoudrez avec un peu de cassonade, puis alternez les ingrédients jusqu'à ce que tout le pain et les fruits soient utilisés et en finissant avec une couche de pain.

5 Cassez les œufs dans un bol, battez-les délicatement, puis incorporez le lait chaud et la vanille. Battez à nouveau, puis versez cette préparation sur le pain.

6 Râpez un peu de noix muscade sur les 4 plats, posez-les sur la tôle du four et faites-les cuire 15 minutes, jusqu'à ce qu'ils dorent.

7 Lorsque la cuisson est finie, tamisez de sucre glace et servez avec de la crème épaisse ou du yogourt.

VALEUR NUTRITIONNELLE PAR PERSONNE
Calories : 647. Glucides : 52 g (sucres : 23 g).
Protéines : 15 g. Lipides : 44 g (acides gras
saturés : 25 g). Riche en vitamines A, B, C, E
et en folates, calcium, sélénium et zinc.

CONSEILS ET IDÉES PRATIQUES

Vous pouvez préparer ce dessert quelques heures à l'avance et le conserver au réfrigérateur. Sortez-le 30 minutes avant de le consommer pour le servir à température ambiante.

UNE BOUCHÉE DE PARADIS

MASCARPONE AU GINGEMBRE ET AU CHOCOLAT

Voici un dessert original à base de chocolat noir, de rhum, de gingembre et de fromage crémeux italien.

TEMPS : 10 MINUTES – 4 PERSONNES

---

2 morceaux de gingembre au sirop et 2 c. à soupe du sirop

---

3 c. à soupe de rhum brun

---

100 g (3½ oz) de chocolat noir amer

---

125 g (4½ oz) de mascarpone

Pour servir : **4 tulipes ou corolles en pâte à biscuit**

---

1 Coupez le gingembre en petits dés et mettez-le dans un bol avec son sirop et le rhum. Râpez le chocolat au-dessus et mélangez.

2 Incorporez le mascarpone, recouvrez et laissez refroidir au réfrigérateur pour que le dessert durcisse. Répartissez le mélange dans les 4 tulipes et servez.

VARIANTE
Vous pouvez remplacer le rhum par de la liqueur de café.

VALEUR NUTRITIONNELLE PAR PERSONNE
Calories : 385. Glucides : 34 g (sucres : 32 g). Protéines : 3 g. Lipides : 24 g (acides gras saturés : 15 g). Riche en vitamine E.

SABAYON

Consommé chaud, ce mélange d'œufs, de sucre et de marsala, monté à feu doux, offre une saveur merveilleuse.

TEMPS : 15 MINUTES – 4 PERSONNES

---

4 gros jaunes d'œufs

---

3 c. à soupe de sucre granulé

---

125 ml (½ tasse) de marsala

---

1 Faites chauffer environ 10 cm (4 po) d'eau dans une casserole pour préparer un bain-marie.

2 Mettez les jaunes d'œufs et le sucre dans un bol résistant à la chaleur et battez jusqu'à ce que le mélange soit onctueux et léger.

3 Posez le bol sur la casserole d'eau frémissante, ajoutez le marsala et continuez à battre avec un fouet jusqu'à ce que la consistance soit épaisse et forme des pointes. Répartissez le sabayon dans de grands verres et servez.

VARIANTE

Pour un sabayon sans alcool, remplacez le marsala par du jus d'orange frais et une cuillerée à thé de zeste d'orange finement râpé.

VALEUR NUTRITIONNELLE PAR PERSONNE
Calories : 177. Glucides : 12 g (sucres : 12 g). Protéines : 3 g. Lipides : 6 g (acides gras saturés : 2 g). Riche en vitamines B et E.

CRÈME DE MARRONS AU CHOCOLAT RÂPÉ

De la purée de marrons relevée avec du cognac et mélangée à de la crème épaisse et à du chocolat est un véritable régal.

TEMPS : 20 MINUTES – 4 PERSONNES

| 1 boîte (250 g/9 oz) de purée de marrons |
| 2 c. à soupe de cognac |
| 2 c. à soupe de sucre glace |
| 250 ml (1 tasse) de crème épaisse |
| 50 g (1¾ oz) de chocolat noir amer |

1 Versez la purée de marrons et le cognac dans un bol. Ajoutez le sucre glace et fouettez le tout pour obtenir une crème bien lisse.

2 Battez la crème épaisse jusqu'à ce qu'elle soit ferme, incorporez-la délicatement à la purée de marrons.

3 Râpez le chocolat et ajoutez-en la moitié à la préparation. Répartissez la crème dans 4 coupes, saupoudrez avec le reste de chocolat râpé et conservez 15 minutes au réfrigérateur avant de servir.

VALEUR NUTRITIONNELLE PAR PERSONNE
Calories : 486. Glucides : 42 g (sucres : 17 g). Protéines : 4 g. Lipides : 32 g (acides gras saturés : 19 g). Riche en vitamines A, B_6 et E.

MOUSSE AU CITRON

Un peu de crème transforme un pot de lemon curd en une délicieuse mousse.

TEMPS : 12 MINUTES – 4 PERSONNES

| 175 g (6 oz) de lemon curd |
| 150 ml (⅔ tasse) de crème épaisse très froide |
| Le blanc d'un gros œuf |
| Sel |
| 1 biscuit digestif ou 2 petits-beurre |

1 Videz le lemon curd dans un bol. Battez la crème pour qu'elle soit ferme, puis incorporez-la délicatement dans le lemon curd.

2 Ajoutez une pincée de sel au blanc d'œuf et battez en neige jusqu'à ce qu'il soit ferme, puis mélangez à la crème de citron.

3 Répartissez dans 4 coupes et laissez refroidir aussi longtemps que possible au réfrigérateur.

4 Juste avant de servir, écrasez le biscuit et éparpillez les miettes sur les coupes.

VALEUR NUTRITIONNELLE PAR PERSONNE
Calories : 313. Glucides : 31 g (sucres : 19 g). Protéines : 2 g. Lipides : 21 g (acides gras saturés : 12 g). Riche en vitamine A, B_6 et E.

DESSERTS D'UNE RICHESSE EXQUISE :
MASCARPONE AU GINGEMBRE ET AU CHOCOLAT (*à gauche*) ; SABAYON (*au centre, en haut*) ; CRÈME DE MARRONS AU CHOCOLAT RÂPÉ (*au centre, en bas*) ; MOUSSE AU CITRON (*à droite*).

BANANES ET ANANAS FLAMBÉS

La saveur ensoleillée de ces deux fruits exotiques est renforcée par la douceur alcoolisée du rhum chaud. De la crème fouettée ou de la crème glacée termine ce dessert en beauté.

TEMPS : 30 MINUTES – 4 PERSONNES

1 ananas de 800 g (2 lb), environ
25 g (2 c. à soupe) de beurre
60 g (⅓ tasse) de cassonade
3 grosses bananes mûres mais fermes
4 c. à soupe de rhum
Pour servir : **crème fouettée ou crème glacée**

1 Épluchez l'ananas, coupez-le en deux dans la longueur et retirez le centre dur. Coupez chaque moitié en 8 tranches, et réservez le jus.

2 Faites fondre le beurre et la cassonade à feu moyen dans une poêle en acier inoxydable ou antiadhésive.

3 Épluchez les bananes, coupez-les en quatre, dans la largeur, puis dans la longueur.

4 Ajoutez l'ananas dans la poêle et laissez cuire 1 à 2 minutes à feu vif, puis ajoutez les bananes et laissez 2 à 3 minutes encore.

5 Versez le rhum dans la poêle, laissez-le chauffer quelques secondes, puis enflammez-le avec une allumette en vous tenant un peu à l'écart. Remuez doucement la poêle jusqu'à ce que les flammes s'éteignent d'elles-mêmes. Versez le jus de l'ananas dans la poêle et laissez chauffer encore 1 minute.

6 Répartissez les fruits flambés dans des assiettes à dessert. Servez avec de la crème fouettée ou de la crème glacée.

VALEUR NUTRITIONNELLE PAR PERSONNE
Calories : 455. Glucides : 49 g (sucres : 47 g). Protéines : 3 g. Lipides : 25 g (acides gras saturés : 16 g). Riche en vitamines A, B, C et E.

COMPOTE DE RHUBARBE AUX FRAISES

De la rhubarbe acidulée et des fraises sucrées, mijotées avec du jus d'orange, font une combinaison de goûts surprenante mais réussie. C'est une bonne façon d'utiliser des restes de fruits d'été.

TEMPS : 20 MINUTES – 4 PERSONNES

650 g (1½ lb) de rhubarbe
60 g (4 c. à soupe) de sucre granulé
100 ml (½ tasse) de jus d'orange frais
250 g (9 oz) de fraises
Pour servir : **200 ml (¾ tasse)** **de crème épaisse**

1 Nettoyez la rhubarbe, coupez-la en tronçons de 2 à 3 cm (1 po). Mettez-les dans une casserole avec le sucre et le jus d'orange. Couvrez la casserole, portez à ébullition, puis baissez le feu et laissez mijoter doucement 5 à 6 minutes en remuant de temps en temps.

2 Pendant la cuisson de la rhubarbe, lavez et équeutez les fraises, coupez-les en deux ou en quatre, selon leur grosseur. Ajoutez-les à la rhubarbe et laissez mijoter encore 3 à 4 minutes pour qu'elles soient légèrement ramollies. Elles ne doivent pas se défaire et être encore un peu croquantes.

3 Ajoutez du sucre, si nécessaire. Servez cette compote chaude, accompagnée de crème épaisse.

VALEUR NUTRITIONNELLE PAR PERSONNE
Calories : 317. Glucides : 24 g (sucres : 24 g).
Protéines : 3 g. Lipides : 24 g (acides gras saturés : 15 g). Riche en vitamines A, B, C et E.

CONSEILS ET IDÉES PRATIQUES
Faites cuire la rhubarbe dans une casserole en acier inoxydable ou en émail. Si vous n'avez pas de jus d'orange frais, pressez 2 grosses oranges.

CROUSTADES DE PÊCHES ET DE FRAMBOISES

Des pêches dorées, nichées parmi de belles framboises rouges sur un lit de pâte feuilletée extrafine, apportent la douceur de l'été à votre table.

TEMPS : 30 MINUTES – 4 PERSONNES

4 pêches mûres mais fermes
3 c. à soupe de confiture de framboises
60 g (4 c. à soupe) de beurre doux
150 g (⅓ lb) de pâte filo
85 g (4 c. à soupe) de framboises fraîches
2 c. à soupe de sucre glace
Pour servir : crème

1 Préchauffez le four à 200 °C (400 °F). Lavez les pêches, coupez-les en deux, dénoyautez-les, puis coupez-les en lamelles. Faites fondre la confiture de framboises à feu doux et tamisez-la dans un bol. Gardez au chaud en posant le bol dans un récipient d'eau chaude.

2 Faites fondre le beurre à feu doux. Coupez la pâte filo en 12 rectangles d'environ 25 × 12 cm (10 × 4½ po). La taille exacte des rectangles n'a pas grande importance, car la pâte va être plissée.

3 Badigeonnez la plaque du four de beurre fondu. Posez un rectangle de pâte dessus et enduisez-le de beurre. Ajoutez une deuxième bande de pâte sur la précédente et enduisez-la de beurre, puis faites de même avec une troisième : vous obtenez ainsi une base pour la croustade. Recommencez l'opération pour les trois autres fonds.

4 Posez les mains des deux côtés les plus courts des bandes de pâte et repoussez délicatement les bouts vers le centre, en faisant des plis de façon à obtenir un fond ondulé d'environ 15 × 12 cm (6 × 4½ po).

5 Disposez les lamelles de pêches sur la pâte à l'intérieur des plis. Lavez et séchez les framboises fraîches et éparpillez-les sur la pâte. Badigeonnez de confiture et laissez les croustades au four 15 à 20 minutes, jusqu'à ce que la pâte soit croustillante et dorée.

6 Poudrez de sucre glace et servez chaud avec de la crème.

VALEUR NUTRITIONNELLE PAR PERSONNE
Calories : 550. Glucides : 49 g (sucres : 29 g). Protéines : 5 g. Lipides : 38 g (acides gras saturés : 23 g). Riche en vitamines A, B, C et E.

GÂTEAU AU BEURRE DU PAYS DE GALLES

Ce gâteau moelleux est imbibé de beurre à la cannelle dès sa sortie du four. Si vous résistez à la tentation de le dévorer en entier pendant qu'il est chaud, vous constaterez qu'il est également bon froid.

TEMPS : 30 MINUTES – 8 PERSONNES

100 g (3½ oz) de beurre demi-sel

80 g (⅓ tasse) de sucre granulé

3 gros œufs

175 g (1 tasse + 1 c. à soupe)
de farine préparée

50 g (4 c. à soupe) de raisins secs

1 c. à soupe de lait

Pour le nappage :

40 g (2½ c. à soupe) de beurre doux

2 c. à soupe de sucre brun
en cristaux

½ c. à thé de cannelle en poudre

1 Préchauffez le four à 190 °C (375 °F). Beurrez un moule de 20 cm (8 po) de diamètre et tapissez le fond de papier sulfurisé.
2 Battez le reste du beurre et le sucre granulé dans un saladier avec un batteur électrique. Le mélange doit être léger et mousseux. Incorporez les œufs un à un, puis la farine. Ajoutez les raisins et le lait et mélangez. Versez la pâte dans le moule. Faites cuire le gâteau 15 à 20 minutes au centre du four, jusqu'à ce qu'il ait bien levé et qu'il soit ferme et doré.

3 Pour préparer le nappage : mettez le beurre dans un grand bol avec le sucre et la cannelle et travaillez-les ensemble.
4 Lorsque le gâteau est cuit, retirez-le du four et étalez le nappage dessus. Laissez-le reposer ainsi pour que le gâteau s'en imprègne, puis démoulez, coupez en pointes et servez.

VALEUR NUTRITIONNELLE PAR PERSONNE
Calories : 300. Glucides : 36 g (sucres : 20 g). Protéines : 6 g. Lipides : 16 g (acides gras saturés : 9 g). Riche en vitamines A, B et E.

GOURMANDISES DU GOÛTER

SCONES

Ces scones faits maison, accompagnés de beurre, de confiture et de crème, sont un vrai régal lorsqu'ils sortent tout chauds du four.

TEMPS : 30 MINUTES – 8 OU 9 SCONES

225 g (1½ tasse) de farine
3 c. à thé de levure chimique
50 g (3 c. à soupe) de beurre
150 ml (⅔ tasse) de babeurre ou de lait, plus 2 c. à soupe de lait (dorure)

1 Préchauffez le four à 220 °C (425 °F). Versez la farine, la levure et une pincée de sel dans un saladier. Ajoutez le beurre en dés et mélangez-le à la farine.
2 Creusez un puits au centre de la farine, versez le babeurre ou le lait et mélangez pour obtenir une pâte lisse et collante. Pétrissez-la sur une surface farinée pour la lisser.
3 Roulez la pâte en boule, puis étalez-la en un carré ou un cercle de 2 à 3 cm (1 po) d'épaisseur. Découpez le carré en 9 petits carrés avec un couteau fariné, ou le cercle en 8 triangles.
4 Mettez les scones sur une plaque à pâtisserie farinée et badigeonnez-les de lait. Faites cuire 10 à 15 minutes au centre du four, le temps qu'ils gonflent et brunissent.
VARIANTES
Après avoir malaxé le beurre avec la farine, vous pouvez ajouter les ingrédients d'une des listes suivantes :
• 50 g (2 c. à soupe) de raisins de Corinthe ou de Smyrne, 25 g (2 c. à soupe) de sucre et ½ cuillerée à thé de cannelle ;
• 50 g (1 c. à soupe) de dattes hachées, 25 g (2 c. à soupe) de noix hachées, 25 g (2 c. à soupe) de sucre avec une cuillerée à thé de zeste d'orange râpé.

VALEUR NUTRITIONNELLE PAR SCONE
Calories : 137. Glucides : 21 g (sucres : 1 g). Protéines : 3 g. Lipides : 5 g (acides gras saturés : 3 g). Riche en vitamines B et E.

MUFFINS AU CHOCOLAT

Ces petits muffins au chocolat sentent tellement bon, lors de la cuisson, qu'ils seront dévorés en quelques minutes.

TEMPS : 30 MINUTES – 18 À 20 MUFFINS

225 g (1½ tasse) de farine préparée
100 g (½ tasse) de cassonade blonde
1 c. à thé de levure chimique
3 c. à soupe de cacao
Sel
1 œuf
2 c. à thé d'essence de vanille
100 ml (½ tasse) d'huile de tournesol
250 g (¾ tasse) de yogourt
125 g (4½ oz) de grains de chocolat

1 Préchauffez le four à 220 °C (425 °F). Posez 18 à 20 caissettes en papier sur la plaque du four.
2 Versez dans un saladier la farine en pluie, la cassonade blonde, la levure, 2 cuillerées à soupe de cacao et une pincée de sel, puis creusez un puits au centre.
3 Cassez l'œuf dans le puits ; ajoutez l'essence de vanille, l'huile et le yogourt. Battez pour obtenir un mélange lisse, puis incorporez le chocolat en grains.
4 Répartissez la pâte dans les caissettes et laissez cuire au four 18 à 20 minutes jusqu'à ce que les muffins soient fermes et souples.
5 Retirez les muffins du four, saupoudrez-les avec le reste du cacao pendant qu'ils sont chauds, et servez.

VALEUR NUTRITIONNELLE PAR MUFFIN
Calories : 162. Glucides : 20 g (sucres : 10 g). Protéines : 3 g. Lipides : 8 g (acides gras saturés : 2 g). Riches en vitamines B et E.

CONSEILS ET IDÉES PRATIQUES
Vite faits, ces petits gâteaux sont des gourmandises idéales à offrir avec le thé ou pour un brunch. On peut les laisser cuire pendant qu'on accueille les invités.

ROCHERS MOELLEUX

Lorsque des amis viennent prendre le thé ou le café à l'improviste, tentez-les avec ces petits gâteaux fruités bien moelleux.

TEMPS : 30 MINUTES – 12 GÂTEAUX

225 g (1½ tasse) de farine préparée
115 g (¼ lb) de margarine
1 gros œuf
115 g (¼ lb) de fruits secs variés
1 à 2 c. à soupe de lait

1 Préchauffez le four à 200 °C (400 °F). Posez 12 caissettes en papier sur une plaque à pâtisserie.
2 Versez la farine dans un saladier et malaxez-la avec la margarine. Battez l'œuf, incorporez-le à la farine avec les autres ingrédients et mélangez bien. Répartissez le mélange dans les 12 caissettes.
3 Faites cuire les gâteaux au four 15 à 20 minutes, jusqu'à ce qu'ils soient dorés et fermes au toucher. Retirez-les du four et laissez refroidir.
VARIANTES
Pour obtenir une garniture croustillante, saupoudrez d'un peu de sucre brun en cristaux avant de passer les gâteaux au four. Vous pouvez remplacer les fruits secs par les ingrédients d'une des listes suivantes :
• 50 g (4 c. à soupe) de noix hachées, 1 petite pomme croquante, épluchée et râpée, et ½ cuillerée à thé de cannelle moulue ;
• zeste râpé de ½ orange et 75 g (2½ oz) d'écorce d'orange confite ;
• 75 g (2½ oz) d'abricots secs en morceaux et 50 g (1½ oz) de cerises confites hachées.

VALEUR NUTRITIONNELLE PAR ROCHER
Calories : 168. Glucides : 21 g (sucres : 7 g). Protéines : 3 g. Lipides : 9 g (acides gras saturés : 3 g). Riche en vitamine B.

GOURMANDISES DU GOÛTER :
MUFFINS AU CHOCOLAT *(en haut, à gauche) ;*
ROCHERS MOELLEUX *(en haut, à droite) ;*
SCONES *(en bas).*

BISCUITS AUX AMANDES

Une pâte à base de semoule et des amandes hachées comme garniture donnent une délicieuse consistance croustillante à ces petits biscuits.

TEMPS : 25 MINUTES – 16 BISCUITS

15 g (1 c. à soupe) d'amandes mondées
1 œuf
100 g (½ tasse) de sucre granulé
½ c. à thé de levure chimique
50 g (4 c. à soupe) d'amandes en poudre
115 g (½ tasse) de semoule de blé fine ou crème de blé
¼ c. à thé d'extrait d'amande
Sucre glace pour saupoudrer

1   Préchauffez le four à 200 °C (400 °F). Tapissez deux petites plaques à pâtisserie de papier sulfurisé. Hachez les amandes.
2   Battez l'œuf et le sucre dans un bol pour obtenir une consistance épaisse. Tamisez la levure dessus, puis incorporez amandes en poudre, semoule et extrait d'amande.
3   Mouillez-vous les mains et pétrissez la pâte en 16 boules un peu plus grosses que des noix. Roulez-les dans les amandes hachées et posez-les sur la plaque de cuisson, en les espaçant.
4   Faites cuire les biscuits 8 à 10 minutes au four. Laissez-les refroidir 1 minute sur la plaque, puis posez-les sur une grille. Une fois les biscuits refroidis, saupoudrez-les de sucre glace.

VALEUR NUTRITIONNELLE PAR BISCUIT
Calories : 88. Glucides : 14 g (sucres : 9 g). Protéines : 2 g. Lipides : 3 g (acides gras saturés : 0,3 g). Riche en vitamines B et E.

BISCUITS AU BEURRE D'ARACHIDE

Ces petits biscuits croustillants au beurre d'arachide, légèrement parfumés à l'orange et aux épices, sont moelleux au centre comme un gâteau.

TEMPS : 25 MINUTES – 12 BISCUITS

125 g (1¼ tasse) de farine préparée
75 g (6 c. à soupe) de cassonade blonde
60 g (4 c. à soupe) de beurre ramolli, et un peu plus pour la tôle
75 g (5 c. à soupe) de beurre d'arachide
1 œuf moyen
½ c. à thé de quatre-épices
1 petite orange

1   Préchauffez le four à 190 °C (375 °F). Beurrez une tôle à gâteau.
2   Mettez la farine, la cassonade, le beurre, le beurre d'arachide, l'œuf et le quatre-épices dans un bol. Brossez l'orange sous l'eau tiède et râpez son zeste au-dessus du bol. Battez pour obtenir une pâte lisse.
3   Déposez la pâte en 12 cuillerées à soupe sur la tôle, en laissant un espace pour que les biscuits puissent gonfler.
4   Faites cuire les biscuits au four 12 à 15 minutes jusqu'à ce qu'ils soient dorés et fermes. Laissez-les refroidir 2 à 3 minutes sur la tôle, puis retirez-les avec un couteau à bout rond et laissez refroidir sur une grille.

VALEUR NUTRITIONNELLE PAR BISCUIT
Calories : 137. Glucides : 14 g (sucres : 6 g). Protéines : 3 g. Lipides : 8 g (acides gras saturés : 3,5 g). Riche en vitamines A et E.

BISCUITS CROUSTILLANTS VITE FAITS :
BISCUITS AU BEURRE D'ARACHIDE *(à gauche)* ;
BISCUITS AUX AMANDES *(à droite).*

302

MACARONS ANTILLAIS

Ces macarons tout simples, généreusement parfumés à la cannelle, et exhalant l'arôme délicat de la noix de coco et de la vanille, sont une gourmandise de choix pour un goûter raffiné.

TEMPS : 30 MINUTES – 18 MACARONS

150 g (¾ paquet) de flocons de noix de coco sucrée
80 g (6 c. à soupe) d'amandes, de noisettes ou de noix de pécan hachées
½ c. à thé de cannelle en poudre
1 c. à thé d'extrait de vanille, ou ½ c. à thé d'essence de vanille
Les blancs de 2 gros œufs
Sel
125 g (⅔ tasse) de sucre granulé

1 Préchauffez le four à 180 °C (350 °F), puis couvrez 2 plaques à pâtisserie de papier sulfurisé.

2 Mélangez soigneusement la noix de coco, les noix hachées, la cannelle et la vanille dans un grand bol.

3 Mettez les blancs d'œufs dans un autre bol avec une pincée de sel et battez-les en neige. Versez une cuillerée à soupe du sucre granulé sur les blancs d'œufs et battez jusqu'à ce qu'ils soient bien brillants.

4 Incorporez délicatement le reste du sucre dans les blancs en neige avec une spatule en plastique, puis incorporez le mélange à la noix de coco.

5 Déposez la pâte sur la plaque avec une cuillère à dessert (plus grande que la cuillère à thé et plus petite que la cuillère à soupe) en espaçant les tas de 2 à 3 cm (1 po), puis faites cuire 12 à 15 minutes.

6 Laissez les macarons reposer 2 à 3 minutes sur la plaque, puis retirez-les avec une pelle à tarte et mettez-les à refroidir sur une grille.

VALEUR NUTRITIONNELLE PAR MACARON
Calories : 97. Glucides : 10 g (sucres : 10 g).
Protéines : 2 g. Lipides : 6 g (acides gras saturés : 3 g). Riche en vitamines B et E.

CONSEILS ET IDÉES PRATIQUES

Si vous souhaitez faire les macarons à l'avance pour une occasion spéciale, vous pourrez les conserver 3 jours dans une boîte hermétique.

BROWNIES

*Savoureux, les brownies à la puissante saveur chocolatée plaisent à tous, adultes comme enfants.
Ils peuvent être consommés froids ou chauds, seuls ou accompagnés d'une crème anglaise.*

TEMPS : 30 MINUTES – 24 BROWNIES

125 g (¼ lb) de beurre doux
40 g (1½ oz) de cacao
Sel
200 g (1 tasse) de sucre granulé
2 gros œufs
50 g (⅓ tasse) de farine préparée
1 c. à thé d'essence de vanille
50 g (4 c. à soupe) de noix hachées

1 Préchauffez le four à 180 °C (350 °F), puis tapissez de papier sulfurisé un moule rectangulaire de 30 x 20 x 2,5 cm (12 x 8 x 1 po).

2 Faites fondre le beurre dans une casserole, puis retirez-le du feu.

3 Tamisez le cacao au-dessus du beurre fondu, ajoutez une pincée de sel ainsi que le sucre et mélangez. Ajoutez les œufs et fouettez doucement pour bien mélanger.

4 Tamisez la farine au-dessus de la casserole et mélangez-la, puis incorporez doucement l'extrait de vanille et les noix.

5 Versez la pâte dans le moule et faites cuire au four 18 minutes. La pâte doit être moelleuse, les biscuits durciront en refroidissant.

6 Pendant que la pâte est encore chaude, retournez le moule sur un plateau et découpez en carrés.

VALEUR NUTRITIONNELLE PAR BROWNIE
*Calories : 103. Glucides : 11 g (sucres : 9 g).
Protéines : 2 g. Lipides : 6 g (acides gras
saturés : 3 g). Riche en vitamines B et E.*

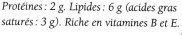

IDÉES DE MENUS

*Les menus que nous vous suggérons allient de merveilleuses saveurs
et d'audacieuses associations de couleurs et de consistances, tout en ne nécessitant que peu de temps.
Pour tous les jours ou pour des occasions particulières, nous vous proposons des idées de menus équilibrés
en vous aidant à vous organiser pour ne pas passer trop de temps en cuisine.*

MENUS FAMILIAUX

> **SOUPE DE PANAIS** *(p. 38)*
>
> ————◆————
>
> **MORUE RÔTIE AU PESTO,
> POMMES DE TERRE À L'AIL** *(p. 112)*
> **HARICOTS VERTS CUITS À LA VAPEUR**
>
> ————◆————
>
> **BANANES ET ANANAS FLAMBÉS** *(p. 296)*

À L'AVANCE
• Préparez la soupe jusqu'à l'étape 4 incluse.
• Épluchez et tranchez l'ananas, puis fouettez la crème pour le dessert ; couvrez et réfrigérez séparément.
• Épluchez les pommes de terre ; recouvrez-les d'eau froide. Équeutez les haricots verts.

JUSTE AVANT LE REPAS
• Terminez la soupe.
• Allumez le four. Mettez les pommes de terre à bouillir. Préparez la morue et mettez-la au four. Faites cuire les haricots à la vapeur au-dessus des pommes de terre.
• Mettez le beurre et le sucre dans une grande poêle. Disposez l'ananas, les bananes, le rhum à portée de main.
• Égouttez les pommes de terre et écrasez-les avec l'ail, le beurre et la crème, égouttez les haricots.

APRÈS LE PLAT PRINCIPAL
• Épluchez et coupez les bananes et faites-les flamber avec l'ananas.

> *Préparez à l'avance tout ce qui peut l'être. Si vous devez faire refroidir rapidement des ingrédients au réfrigérateur, n'oubliez pas de les couvrir. Les quantités des recettes de ce livre sont adaptables : divisez-les ou multipliez-les selon le nombre de convives. Vous n'êtes pas obligé de prévoir systématiquement une entrée.*

> **DEMI-PAMPLEMOUSSES NATURE**
>
> ————◆————
>
> **POTÉE DE SAUCISSES AUX HARICOTS**
> *(p. 164)*
> **SALADE VERTE**
>
> ————◆————
>
> **CRÈME BRÛLÉE À LA MANGUE** *(p. 282)*

À L'AVANCE
• Lavez la salade verte et faites la vinaigrette, puis rangez-les séparément au réfrigérateur.
• Préparez le dessert à la mangue et mettez-le au réfrigérateur.

JUSTE AVANT LE REPAS
• Préparez la potée. Vous pouvez aussi la réaliser à l'avance et la faire réchauffer.
• Coupez les pamplemousses en deux et détachez les segments.

> **MOZZARELLA AUX TOMATES SÉCHÉES**
> *(p. 89)*
>
> ————◆————
>
> **CROQUETTES DE PORC
> AU GUACAMOLE** *(p. 157)*
>
> ————◆————
>
> **POIRES CUITES AUX AMANDES** *(p. 286)*

À L'AVANCE
• Façonnez les croquettes et mettez-les au réfrigérateur.
• Préparez les poires, puis disposez-les dans un plat à four avec le mélange au vin blanc et mettez au réfrigérateur. Préparez la garniture aux amandes. Versez le yogourt dans un bol et réfrigérez.

JUSTE AVANT LE REPAS
• Faites préchauffer le four pour la cuisson des poires.
• Préparez l'entrée.
• Faites cuire les croquettes et préparez le guacamole.
• Ajoutez la garniture aux amandes sur les poires, mettez le dessert au four pendant que vous dégustez le plat principal.

> **BLANCS DE POULET AUX CHAMPIGNONS**
> *(p. 170)*
> **POMMES DE TERRE NOUVELLES EN ROBE
> DES CHAMPS ET BROCOLIS À LA VAPEUR**
>
> ————◆————
>
> **CROUSTILLANT AUX PRUNES
> ET CÉRÉALES** *(p. 292)*

À L'AVANCE
• Préparez les pommes de terre et les brocolis.
• Faites cuire les prunes, préparez la garniture du croustillant, et mettez au réfrigérateur séparément.

JUSTE AVANT LE REPAS
• Répartissez le mélange aux céréales sur les prunes. Fouettez la crème et réfrigérez-la.
• Mettez les pommes de terre à cuire. Faites cuire le poulet, puis gardez-le au chaud dans le four. Faites cuire les brocolis à la vapeur au-dessus des pommes de terre. Préparez la sauce. Égouttez les légumes. Retirez le poulet du four, augmentez la chaleur et faites cuire le croustillant pendant que vous dégustez le plat principal. Réfrigéré, le croustillant met 5 à 10 minutes de plus pour cuire.

MORUE RÔTIE
AU PESTO.

CHAUDRÉE DE MAÏS *(p. 40)*

GALETTES AUX FRUITS DE MER *(p. 107)*

SURPRISE AUX CERISES NOIRES *(p. 288)*

À L'AVANCE
• Préparez la chaudrée jusqu'à l'étape 4, couvrez et mettez au réfrigérateur.
• Préparez les galettes aux fruits de mer et les feuilles de salade. Réservez séparément au réfrigérateur.

JUSTE AVANT LE REPAS
• Mettez les cerises noires et le kirsch dans une petite casserole pour le dessert.
• Faites frire les galettes aux fruits de mer et mettez-les au four à feu doux pour qu'elles restent chaudes.
• Finissez de préparer la chaudrée en faisant attention à ne pas la laisser bouillir et servez-la.

APRÈS LA SOUPE
• Faites griller les petits pains et présentez la salade et les galettes.

APRÈS LE PLAT PRINCIPAL
• Faites chauffer les cerises au kirsch et terminez la préparation du dessert.

UN REPAS VÉGÉTARIEN

PASTÈQUE AU CONCOMBRE ET AUX RADIS *(p. 101)*

ENCHILADAS AUX POIS CHICHES *(p. 231)*

CRÈME GLACÉE AU CHOCOLAT SAUCE À LA GUIMAUVE *(p. 288)*

À L'AVANCE
• Préparez la garniture aux pois chiches et aux tomates des enchiladas et mettez-la au réfrigérateur.
• Coupez la laitue et la coriandre, puis râpez le fromage et mettez au réfrigérateur, séparément. Mettez le yogourt dans un bol prêt à servir.

AVANT LE REPAS
• Préparez la salade.
• Faites réchauffer doucement la garniture aux pois chiches et aux tomates, puis fourrez les enchiladas et faites-les griller.
• Mettez les guimauves et la crème légère dans un bol, et faites bouillir de l'eau pendant que vous dégustez le plat principal.

APRÈS LE PLAT PRINCIPAL
• Faites fondre les guimauves pour compléter la sauce.

REPAS D'ENFANTS

PÂTES RUSTIQUES *(p. 203)*

FRAMBOISES AUX CÉRÉALES *(p. 282)*

À L'AVANCE
• Préparez le dessert et mettez-le au réfrigérateur.
• Vous pouvez aussi préparer la sauce des pâtes à l'avance (elle se conserve bien au réfrigérateur) et la réchauffer plus tard.

JUSTE AVANT LE REPAS
• Faites cuire les pâtes, et préparez ou réchauffez la sauce paysanne.

UN REPAS VÉGÉTARIEN POUR ENFANTS

HAMBURGERS DE LÉGUMES *(p. 242)*

ROCHER GLACÉ *(p. 288)*

À L'AVANCE
• Préparez le dessert et conservez-le au congélateur pour qu'il reste bien glacé.
• Lavez la salade qui accompagnera les hamburgers et conservez-la au réfrigérateur.

JUSTE AVANT LE REPAS
• Faites les hamburgers et servez-les dans des petits pains avec la salade.

BANANES ET ANANAS FLAMBÉS.

BARBECUES D'ÉTÉ

> ### RILLETTES DE SAUMON
> (p. 76)
>
> ### BROCHETTES D'AGNEAU ÉPICÉES
> ET PITAS (p. 154)
>
> ### BROCHETTES DE FRUITS GRILLÉS
> AU MIEL (p. 290)

À L'AVANCE

• Préparez les rillettes au saumon et mettez-les au réfrigérateur.
• Embrochez l'agneau, préparez la sauce au yogourt, et mettez-la au réfrigérateur.
• Lavez la salade et mettez-la au réfrigérateur.
• Préparez la marinade pour le dessert, embrochez les fruits et plongez-les dans la marinade, couvrez et mettez au réfrigérateur.
• Faites griller les noisettes.

AU DÉBUT DU REPAS

• Servez les rillettes.
• Mettez les brochettes d'agneau à cuire.
• Enveloppez les pitas dans de l'aluminium ménager pour les faire réchauffer à côté du barbecue.
• Mélangez la salade.

APRÈS LE PLAT PRINCIPAL

• Faites grillez les brochettes de fruits au barbecue.

> ### BARBECUE VÉGÉTARIEN
>
> ### CRÈME D'AVOCAT AU CRESSON
> (p. 76)
>
> ### HAMBURGERS DE LÉGUMES
> (p. 242)
>
> ### GÂTEAU AU BEURRE
> DU PAYS DE GALLES (p. 299)

À L'AVANCE

• Préparez la crème d'avocat, couvrez avec du film alimentaire pour qu'elle ne noircisse pas et mettez au réfrigérateur.
• Assemblez les ingrédients qui entrent dans la composition des hamburgers de légumes, façonnez les hamburgers, puis faites le confit d'oignon et conservez au réfrigérateur.

AVANT LE REPAS

• Faites préchauffer le four pour le gâteau. Préparez le beurre épicé, couvrez et laissez reposer à température ambiante.
• Servez la crème d'avocat et de cresson avec les toasts. Pendant ce temps, faites griller les hamburgers et réchauffez l'oignon et les pitas.
• Mettez le gâteau au four pendant que vous dégustez les hamburgers de légumes.

APRÈS LE PLAT PRINCIPAL

• Étalez le beurre épicé sur le gâteau tout chaud et laissez-le s'imprégner quelques minutes.

BRUNCH OU BUFFET

> ### PIZZAS SAUMON ET YOGOURT (p. 108)
>
> ### CROQUE FRAÎCHEUR (p. 58)
>
> ### PANACHÉ DE HARICOTS
> À LA PANCETTA (p. 263)
>
> ### COMPOTE DE RHUBARBE
> AUX FRAISES (p. 297)

À L'AVANCE

• Préparez les pizzas au saumon.
• Faites la compote, puis conservez-la au réfrigérateur.

JUSTE AVANT LE REPAS

• Faites chauffer le four pour cuire les pizzas.
• Préparez les haricots à la pancetta ; vous pouvez servir ce plat à température ambiante.
• Faites cuire les pizzas au saumon.
• Préparez les croque fraîcheur.

SUR LE POUCE ET SOUPERS SUR UN PLATEAU

> ### RIZ ESPAGNOL AU CHORIZO
> ET À LA SAUGE (p. 224)
>
> ### MOUSSE AU CITRON
> (p. 295)

À L'AVANCE

• Préparez la mousse au citron, couvrez-la et mettez-la au réfrigérateur.

JUSTE AVANT LE REPAS

• Préparez le riz espagnol.

> ### FARFALLE AU PESTO
> ET AU BACON (p. 202)
>
> ### SORBET DE FRUITS FRAIS
> AU COULIS DE FRAMBOISES (p. 288)

À L'AVANCE

• Préparez le coulis de framboises, passez-le au tamis et mettez-le au réfrigérateur.

JUSTE AVANT LE REPAS

• Préparez le plat de farfalle.
• Pendant que vous dégustez les pâtes, transférez le sorbet du congélateur au réfrigérateur pour qu'il ramollisse un peu.

> ### SOUPE DE CAROTTES
> PIMENTÉE (p. 35)
>
> ### CROISSANTS À LA DINDE, À L'AVOCAT
> ET AU PESTO (p. 72)
>
> ### FRUITS FRAIS DE SAISON
>
> ### SOUPE AUX PETITS POIS
> ET AUX ASPERGES (p. 36)
>
> ### SANDWICHES AU BRIE
> ET RAISIN FRAIS (p. 72)
>
> ### YOGOURTS AUX FRUITS
>
> ### SOUPE DE COURGETTES
> ET CRESSON (p. 39)
>
> ### PITA À L'HOUMOUS
> ET AUX DATTES FRAÎCHES (p. 72)
>
> ### MACARONS ANTILLAIS (p. 304)

• Préparez la soupe de votre choix et laissez-la mijoter pendant que vous vous occupez des croissants, des sandwiches ou des pitas.
• Rincez les fruits et essuyez-les.
• Préparez les macarons quelques jours à l'avance et conservez-les dans une boîte hermétique.
• Vous pouvez aussi servir une crème glacée, ou un sorbet, en dessert. Dans ce cas, sortez-la du congélateur après avoir consommé la soupe et mettez-la au réfrigérateur, pendant que vous mangez les sandwiches.

LUNCHS POUR INVITÉS

POULET À L'ESPAGNOLE
(p. 173)

———•———

SABAYON *(p. 294)*

JUSTE AVANT LE REPAS
• Préparez la fricassée de poulet.
• Pendant la cuisson du poulet, mélangez les jaunes d'œufs et le sucre pour le sabayon et réservez. Faites bouillir de l'eau dans une casserole pour le sabayon pendant que vous dégustez le plat principal.

APRÈS LE PLAT PRINCIPAL
• Préparez et servez le sabayon.

SOUPE FRAÎCHE AU CONCOMBRE *(p. 28)*

———•———

MORUE À LA GRECQUE *(p. 111)*
RIZ

———•———

SALADE VERTE AUX OLIVES ET FETA

———•———

FRUITS DE SAISON

À L'AVANCE
• Préparez la soupe froide de concombre, couvrez et mettez au réfrigérateur au minimum 8 heures.
• Lavez la salade et mettez-la dans le saladier.
• Égouttez la feta et coupez-la en morceaux.
• Préparez la vinaigrette, puis mettez-la au réfrigérateur à part.

JUSTE AVANT LE REPAS
• Faites préchauffer le four et mettez de l'eau à bouillir pour le riz.
• Préparez la morue.
• Pendant la cuisson du poisson, versez le riz dans l'eau bouillante. Lorsque le riz et la morue sont cuits, conservez-les au chaud dans le four pendant que vous servez la soupe.

APRÈS LE PLAT PRINCIPAL
• Ajoutez la feta, les olives et la vinaigrette à la salade verte. Servez.

GASPACHO *(p. 29)*

———•———

NOISETTES D'AGNEAU AUX ÉPINARDS *(p. 151)*

———•———

PAIN DORÉ AUX FRUITS *(p. 293)*

À L'AVANCE
• Préparez la soupe et faites-la refroidir.
• Préparez le dessert (il est inutile de faire chauffer le lait) sans le faire cuire, puis mettez-le au réfrigérateur.

JUSTE AVANT LE REPAS
• Faites préchauffer le four.
• Préparez le plat principal et maintenez-le au chaud dans le four pendant que vous servez la soupe.
• Retirez le dessert du réfrigérateur.

APRÈS L'ENTRÉE
• Sortez l'agneau du four et augmentez la chaleur pour faire cuire le dessert.

TREMPETTE AU FROMAGE ET À LA TOMATE *(p. 52)*

———•———

THON GRILLÉ, SAUCE AU PIMENT *(p. 130)*
SALADE DE POMMES DE TERRE À LA CAJUN *(p. 102)*

———•———

FRUITS DE SAISON

À L'AVANCE
• Préparez la fondue (à l'exception de l'étape 5) et mettez-la au réfrigérateur.
• Préparez la salade de pommes de terre et mettez-la au réfrigérateur.
• Panez le poisson avec la préparation croustillante et laissez-le raffermir au réfrigérateur.

JUSTE AVANT LE REPAS
• Réchauffez doucement la fondue.
• Faites préchauffer le four. Faites-y réchauffer les chips de maïs, les tortillas ou les pitas.
• Faites frire le poisson et maintenez-le au chaud dans le four pendant que vous servez l'entrée.
• Sortez la salade de pommes de terre du réfrigérateur pour la servir à température ambiante.

UN LUNCH D'ÉTÉ

PASTÈQUE À LA FETA *(p. 58)*

———•———

COUSCOUS AUX CREVETTES *(p. 217)*

———•———

CRÈME GLACÉE NAPPÉE DE CRÈME AU CITRON *(p. 288)*

À L'AVANCE
• Préparez la pastèque et lavez la salade, puis mettez séparément au réfrigérateur.
• Préparez les courgettes et mettez-les au réfrigérateur.
• Incorporez le(s) fruit(s) de la passion à la crème glacée à la vanille et remettez au congélateur.

JUSTE AVANT LE REPAS
• Égouttez la feta et préparez l'entrée.
• Préparez le plat principal et maintenez-le au chaud pendant que vous mangez l'entrée.

APRÈS LE PLAT PRINCIPAL
• Préparez la sauce au citron.

UN LUNCH VÉGÉTARIEN

SALADE TROPICALE À LA LIME *(p. 49)*

———•———

LÉGUMES À LA PURÉE DE HARICOTS JAUNES *(p. 235)*

———•———

CLAFOUTIS AUX ABRICOTS *(p. 285)*

À L'AVANCE
• Préparez les légumes jusqu'à l'étape 2, ainsi que la purée de haricots jaunes et rangez séparément au réfrigérateur.
• Préparez les abricots dans un plat à four, faites la pâte et le nappage au beurre, puis réservez.
• Préparez la sauce de la salade. Conservez-la à température ambiante.

JUSTE AVANT LE REPAS
• Faites préchauffer le four ou le gril. Faites griller les légumes et réchauffer le pain aux olives.
• Préparez les ingrédients de la salade, assaisonnez-la et servez-la.

AVANT LE PLAT PRINCIPAL
• Versez la pâte sur les abricots et faites cuire le clafoutis pendant que vous dégustez le plat principal.

SOUPERS POUR INVITÉS

SALADE TROPICALE
À LA LIME *(p. 49)*

MAGRETS DE CANARD AUX MÛRES
(p. 187)
POMMES DE TERRE NOUVELLES
À LA CRÈME

SOUFFLÉS AU CHOCOLAT *(p. 280)*

TRUITE FUMÉE, POIRE
ET ROQUETTE *(p. 56)*

BROCHETTES DE BŒUF
AUX OIGNONS *(p. 143)*
PURÉE DE POMMES DE TERRE
CAROTTES À L'ORANGE
ET AU SÉSAME *(p. 256)*

NUAGES
VANILLÉS AUX FRAISES *(p. 282)*

SOUFFLÉS AU FROMAGE
DE CHÈVRE *(p. 50)*
SALADE VERTE

STEAKS DE THON
AU BEURRE DE WASABI *(p. 114)*
POMMES DE TERRE NOUVELLES
À LA CRÈME

PÊCHES PIQUANTES
AU MASCARPONE *(p. 287)*

À L'AVANCE
• Préparez le cresson, les papayes et la vinaigrette, puis mettez-les séparément au réfrigérateur.
• Frottez les pommes de terre nouvelles, et recouvrez-les d'eau froide dans une casserole.
• Préparez le mélange pour le soufflé au chocolat jusqu'à l'étape 5.

JUSTE AVANT LE REPAS
• Faites préchauffer le four.
• Salez l'eau des pommes de terre et portez à ébullition. Faites cuire le canard et la sauce aux mûres. Égouttez les pommes de terre puis maintenez le plat principal au chaud dans le four.
• Préparez les avocats, disposez la salade dans les assiettes individuelles et arrosez de vinaigrette.

APRÈS L'ENTRÉE
• Retirez le plat principal du four et augmentez la chaleur pour faire cuire les soufflés.
• Incorporez la crème aux pommes de terre.

APRÈS LE PLAT PRINCIPAL
• Terminez les soufflés et faites-les cuire pendant que vous débarrassez la table.

À L'AVANCE
• Préparez le dessert et conservez-le au réfrigérateur.
• Préparez la truite et la salade, faites la vinaigrette et la sauce au raifort et mettez séparément au réfrigérateur.
• Préparez et embrochez le bœuf. Préparez les carottes, puis épluchez et coupez les pommes de terre en dés. Recouvrez les deux d'eau froide.
• Faites griller les graines de sésame sans matière grasse.

JUSTE AVANT LE REPAS
• Faites préchauffer le gril.
• Préparez les poires et terminez la salade de truite fumée, réservez-la au réfrigérateur jusqu'au repas.
• Faites bouillir les pommes de terre.
• Préparez la sauce à l'orange pour les carottes et mettez-les à cuire. Faites griller les brochettes. Allumez le four et conservez la viande et les carottes au chaud pendant que vous préparez la sauce au vin rouge, et égouttez les pommes de terre pour les réduire en purée. Gardez-les également dans le four pendant que vous dégustez l'entrée.

À L'AVANCE
• Faites cuire les soufflés.
• Préparez la salade, faites frire le bacon, puis préparez la vinaigrette ; mettez-les séparément au réfrigérateur.
• Préparez le beurre de wasabi pour les steaks de thon et mettez au congélateur.
• Pochez les pêches, sucrez le mascarpone et mettez au réfrigérateur séparément.

JUSTE AVANT LE REPAS
• Faites préchauffer le four et le gril en fonte. Faites cuire les pommes de terre à la vapeur puis griller le poisson. Sortez le beurre de wasabi du congélateur et coupez-le en tranches. Laissez le thon et les pommes de terre au chaud dans le four.
• Assaisonnez la salade et démoulez délicatement les soufflés dessus.

SOUFFLÉS AU CHOCOLAT *(à gauche)* ;
SALADE TROPICALE À LA LIME *(centre)* ;
MAGRETS DE CANARD AUX MÛRES
ET POMMES DE TERRE NOUVELLES
À LA CRÈME *(à droite)*.

SOUPER VÉGÉTARIEN

VELOUTÉ DE POIVRONS ROUGES
À L'ORANGE (p. 31)

TARTE AUX POIREAUX
ET AU CHEDDAR (p. 237)

SALADE AUX NOIX
ET À L'OIGNON DOUX (p. 98)

FIGUES GRILLÉES (p. 291)

À L'AVANCE
• Lavez et tranchez les poivrons rouges, mettez-les au réfrigérateur.
• Faites cuire les poireaux, égouttez-les et mettez-les au réfrigérateur. Étalez la pâte feuilletée, préparez la tarte et mettez au réfrigérateur.
• Préparez les éléments de la salade et la vinaigrette et mettez séparément au réfrigérateur.
• Préparez les figues fraîches, imprégnez-les de jus de citron et d'eau de rose, puis disposez-les dans un plat à four beurré.

JUSTE AVANT LE REPAS
• Faites le velouté aux poivrons et à l'orange.
• Faites préchauffer le four. Mettez la garniture de la tarte sur la pâte et faites cuire pendant que vous dégustez l'entrée.

APRÈS L'ENTRÉE
• Mélangez la frisée, le concombre et l'oignon de la salade.
• Faites préchauffer le gril pour le dessert.

APRÈS LE PLAT PRINCIPAL
• Sucrez les figues et passez-les au gril.

HUÎTRES GRILLÉES (p. 60)

FILET MIGNON
À LA CANTONAISE
(p. 159)

SORBET DE FRUITS TROPICAUX
À LA SAUCE AU VIN ROUGE
ET AU BEURRE (p. 288)

À L'AVANCE
• Préparez la garniture des huîtres et conservez au réfrigérateur.
• Épluchez les pommes de terre et couvrez-les d'eau froide.
• Saupoudrez le cinq-épices sur le filet mignon, couvrez et mettez au réfrigérateur.
• Préparez le cresson ; faites griller le sésame et faites l'omelette, puis mettez chaque préparation séparément au réfrigérateur.
• Préparez la sauce au vin du dessert.

JUSTE AVANT LE REPAS
• Ouvrez les huîtres.
• Faites chauffer le gril.
• Faites cuire le bœuf et sa sauce.
• Portez les pommes de terre à ébullition et laissez-les cuire pendant que vous dégustez l'entrée.
• Terminez les huîtres et faites-les griller.
• Allumez le four. Faites-y réchauffer l'omelette et gardez-y le bœuf au chaud.
• Servez l'entrée.

APRÈS L'ENTRÉE
• Égouttez les pommes de terre, découpez l'omelette et terminez le plat principal.
• Mettez le sorbet dans le réfrigérateur.

APRÈS LE PLAT PRINCIPAL
• Faites réchauffer doucement la sauce au vin et arrosez le sorbet.

FIGUES AU PROSCIUTTO
(p. 58)

STEAKS SAUCE À L'ÉCHALOTE
(p. 138)

PURÉE DE PANAIS AU CURRY
(p. 256)

CRÈME DE MARRONS
AU CHOCOLAT RÂPÉ (p. 295)

À L'AVANCE
• Disposez l'entrée sur des assiettes individuelles et conservez-les au réfrigérateur jusqu'au repas.
• Préparez la crème de marrons et mettez au réfrigérateur.
• Préparez la purée de panais et conservez-la au réfrigérateur.

JUSTE AVANT LE REPAS
• Faites réchauffer la purée à four doux.

APRÈS L'ENTRÉE
• Faites cuire les steaks, conservez-les au chaud et préparez leur sauce au vin et à l'échalote.

REPAS DE FÊTE À LA THAÏLANDAISE

SALADE AU LAIT DE COCO (p. 88)

SALADE DE NOUILLES (p. 210)

PÉTONCLES (p. 129)

SALADE DE BŒUF (p. 86)

CRÈME GLACÉE À LA NOIX DE COCO

À L'AVANCE

• Préparez les légumes pour la salade thaïlandaise, faites la vinaigrette à la noix de coco et mettez séparément au réfrigérateur.

• Préparez la salade de pâtes, les pois mange-tout et le schénanthe pour les pétoncles. Réservez au réfrigérateur.

• Préparez le bœuf et les ingrédients de sa salade, puis réfrigérez séparément.

JUSTE AVANT LE REPAS

• Faites préchauffer le four. Mélangez la salade aux légumes avec la vinaigrette. Retirez la salade de pâtes du réfrigérateur.

• Faites cuire les pétoncles et conservez-les au chaud dans le four.

• Faites revenir le bœuf et le schénanthe, préparez la sauce chaude et la salade.

REPAS DE FÊTE INDIEN

BOULETTES DU PENDJAB (p. 74)

BALTI DE BŒUF (p. 142)

CURRY DE POULET AUX ÉPINARDS (p. 179)

CREVETTES À LA CRÈME DE COCO, (p. 133)

RIZ

MANGUE FRAÎCHE

À L'AVANCE

• Préparez les galettes de pommes de terre et mettez-les au réfrigérateur.

• Préparez les légumes et le bœuf pour le balti et mettez au réfrigérateur.

• Préparez les légumes et le poulet du curry et mettez au réfrigérateur.

• Préparez les oignons, l'ail, le gingembre et la coriandre pour les crevettes et mettez au réfrigérateur.

• Disposez la quantité voulue d'épices sur des assiettes.

JUSTE AVANT LE REPAS

• Mettez de l'eau à bouillir pour le riz, puis faites chauffer le four.

• Préparez le balti de bœuf et le curry de poulet et conservez-les au chaud dans le four.

• Faites cuire le riz dans l'eau bouillante et préparez les crevettes à la crème de coco.

• Pendant que vous servez les galettes aux pommes de terre, égouttez le riz et gardez-le au chaud dans le four avec les crevettes.

REPAS TOUT À LA THAÏLANDAISE :
SALADE DE NOUILLES (en haut) ;
SALADE AU LAIT DE COCO (au centre) ;
SALADE DE BŒUF (en bas, à gauche) ;
PÉTONCLES (en bas, à droite).

INDEX

TAGLIATELLES AUX HERBES ET AUX PIGNONS

ŒUFS COCOTTE AU CRABE

TRUITE FUMÉE, POIRE ET ROQUETTE

Q - R

S

T

OMELETTES AUX ÉPINARDS ET AUX CHAMPIGNONS

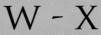
REMERCIEMENTS

PHOTOGRAPHIES

Martin Brigdale 28, 29, 38, 39, 66, 67, 77, 78, 84, 85, 90-91, 96, 97, 102, 103, 111, 120, 121, 128, 129, 142, 143, 150, 151, 158, 159, 163, 172, 173, 186, 187, 206, 207, 215, 222, 223, 228, 229, 236-237, 252, 253, 257, 260, 261, 264-265, 268-269, 276, 283, 290, 291, 294-295, 301, 304, 305, 313

Gus Filgate 2, 3, 6, 9, 11 (*en haut à droite, en bas à droite*), 12, 16, 18 (*en bas à droite*), 23 (*en bas*), 26-27, 34, 36, 37, 44, 45, 46-47, 51, 56, 57, 58-59, 62, 63, 68, 69, 72-73, 80, 81, 82-83, 92, 93, 100, 101, 104-105, 110, 112, 113, 119, 122, 123, 132, 133, 134-135, 136, 139, 146, 147, 155, 168-169, 170, 171, 175, 178, 179, 184, 185, 188, 189, 190-191, 192, 193, 194, 195, 198-199, 202, 203, 205, 208-209, 216, 217, 224, 225, 226-227, 231, 233, 238, 243, 245, 248-249, 250, 251, 254, 255, 258, 274-275, 277, 278, 279, 284, 285, 286, 288-289, 293, 298, 306-312, 314, 317

James Murphy 7, 30, 31, 35, 43, 52, 53, 60, 61, 71, 79, 88, 89, 99, 106, 107, 115, 124-125, 131, 137, 140, 141, 148, 149, 160, 161, 166, 167, 174, 213, 218, 219, 234, 235, 247, 270, 271

Peter Myers 4-5, 32, 33, 40, 41, 48, 49, 55, 64-65, 70, 74, 75, 86, 87, 94, 95, 108, 109, 116, 117, 126, 127, 144, 152, 153, 156, 157, 164, 165, 176, 177, 180-181, 182, 183, 196, 197, 200, 201, 210, 211, 212, 220-221, 230, 239, 240, 241, 244, 259, 262, 263, 266, 267, 273, 280, 281, 287, 292, 296, 297, 299, 302-303, 319

Jon Stewart 10, 11 (*en haut à gauche, en bas à gauche*), 13 (*en bas à droite*), 14, 15, 17, 18 (*à gauche, en haut à droite*), 19, 20, 21, 23 (*en haut à droite*), 25

ILLUSTRATIONS

Diane Broadley 1, 6, 8, 10, 12, 16, 19, 22, 24, 39, 42, 49, 63, 71, 91, 92, 101, 107, 111, 112, 124, 130, 137, 143, 145 (*en bas*), 165, 179, 185, 187, 191, 192, 194, 196, 201, 207, 208, 213, 214, 218, 220, 229, 231, 235, 237, 246 (*en bas*), 253, 256, 264 (*en haut*), 279, 286, 297, 305

Stan North 50, 53, 64, 94, 128, 145 (*en haut*), 173, 180, 182, 204, 246 (*en haut*), 262, 264 (*en bas*), 271, 276, 282